교과서 GO! 사고력 GO!

GO! 매쓰

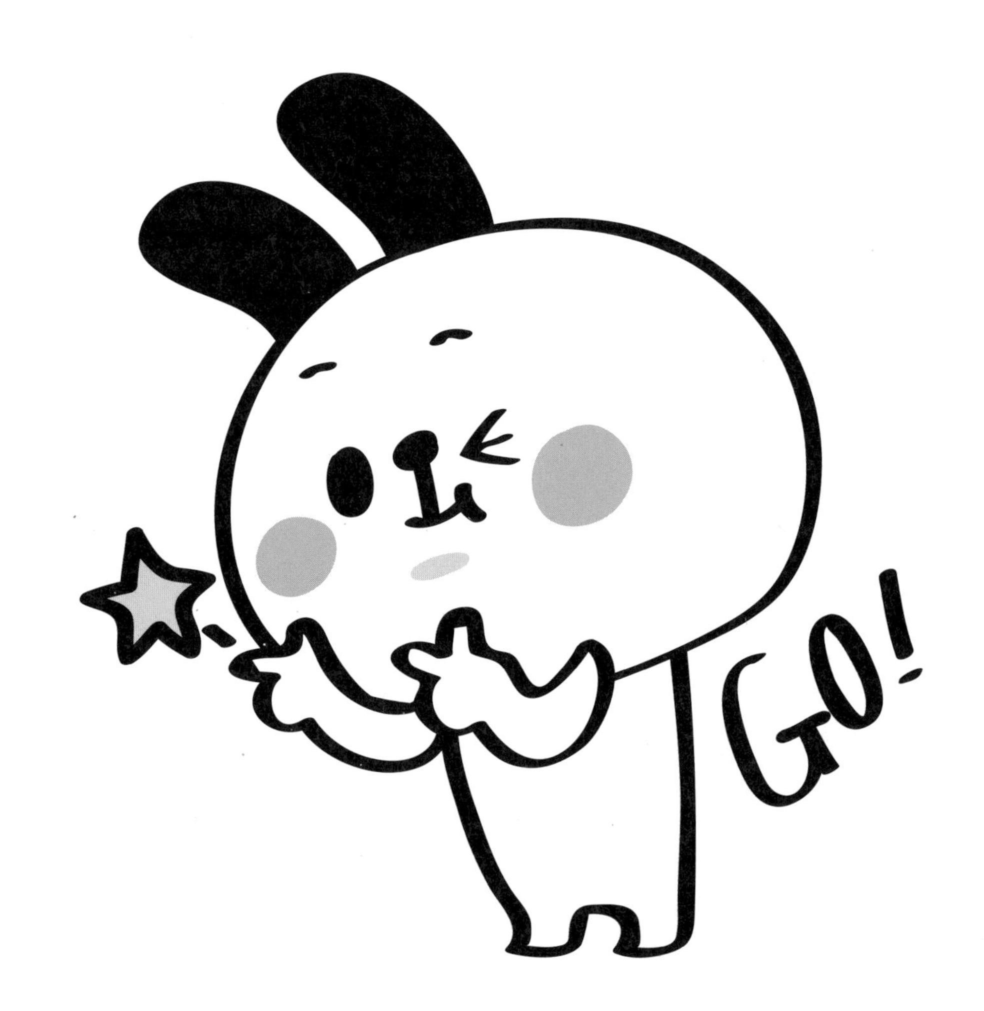

Run-B

교과서 사고력

수학 3-2

구성과 특징

1주차 교과 집중 학습

1 교과서 개념 완성

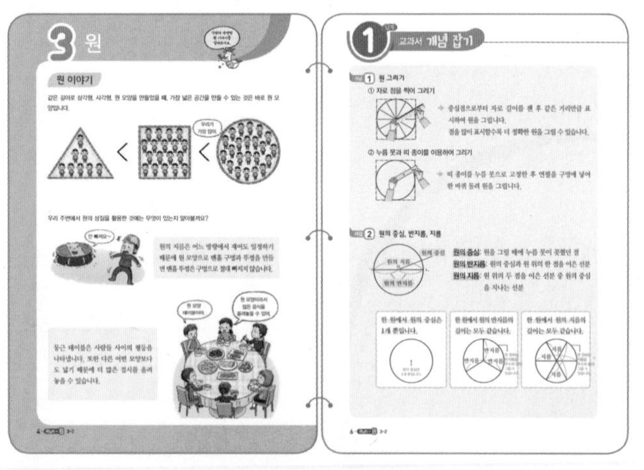

재미있는 수학 이야기로 단원에 대한 흥미를 높이고, 교과서 개념과 기본 문제를 학습합니다.

2 교과서 개념 PLAY

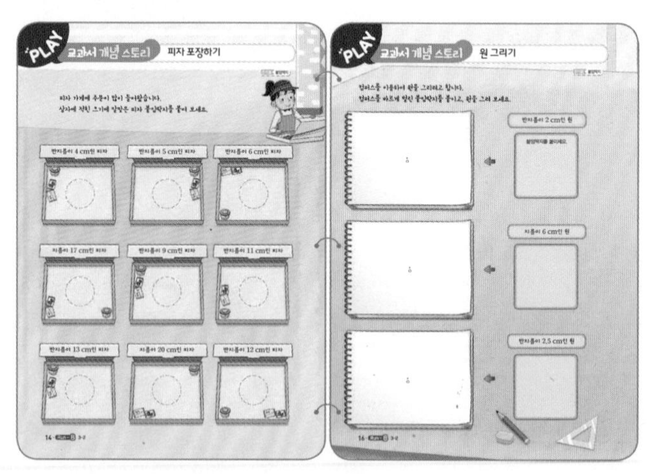

게임으로 개념을 학습하면서 집중력을 높여 쉽게 개념을 익히고 기본을 탄탄하게 만듭니다.

3 문제 풀이로 실력 & 자신감 UP!

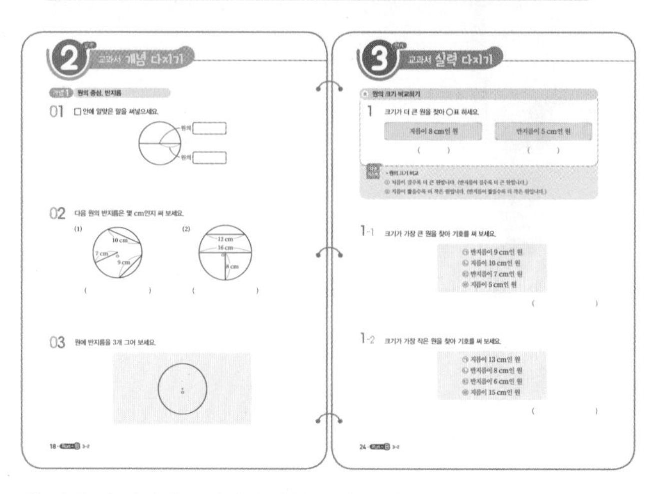

한 단계 더 나아간 교과서와 익힘 문제로 개념을 완성하고, 다양한 문제 유형으로 응용력을 키웁니다.

4 서술형 문제 풀이

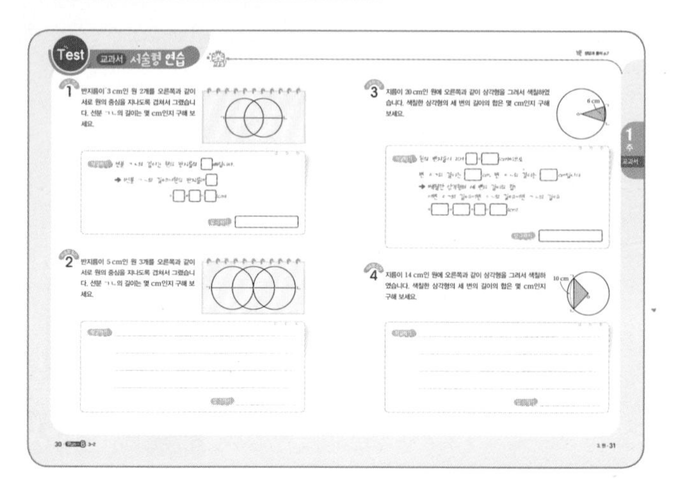

시험에 잘 나오는 서술형 문제 중심으로 단계별로 풀이하는 연습을 하여 서술하는 힘을 높여 줍니다.

교과 + 사고력
2주에 한 단원 완성!

2주차 사고력 확장 학습

1 사고력 PLAY

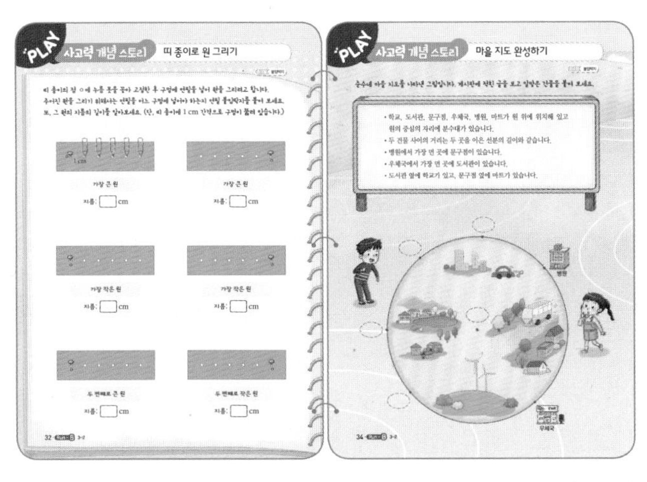

교과 심화 문제와 사고력 문제를 게임으로 쉽게 접근하여 어려운 문제에 대한 거부감을 낮추고 집중력을 높입니다.

2 교과 사고력 잡기

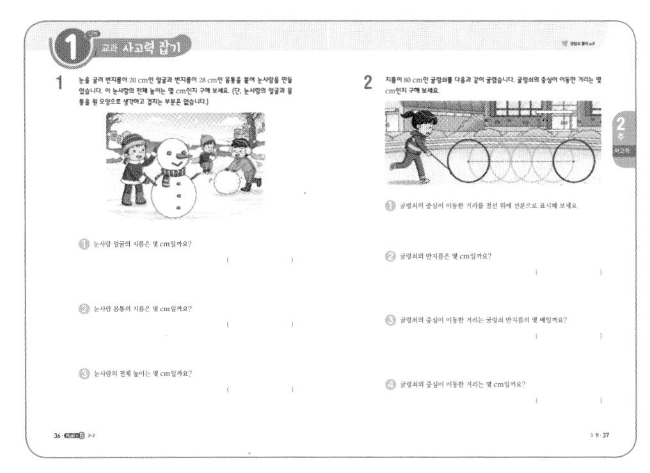

문제에 필요한 요소를 찾아 단계별로 해결하면서 문제 해결력을 키울 수 있는 힘을 기릅니다.

3 교과 사고력 확장+완성

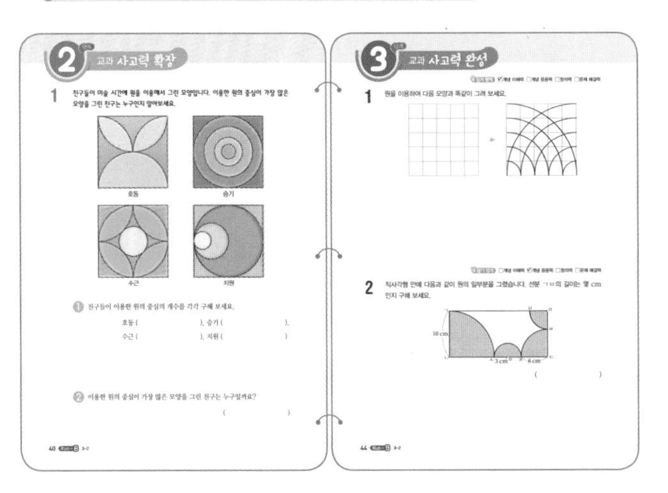

틀에서 벗어난 생각을 하여 문제를 해결하는 창의적 사고력을 기를 수 있는 힘을 기릅니다.

4 종합평가 / 특강

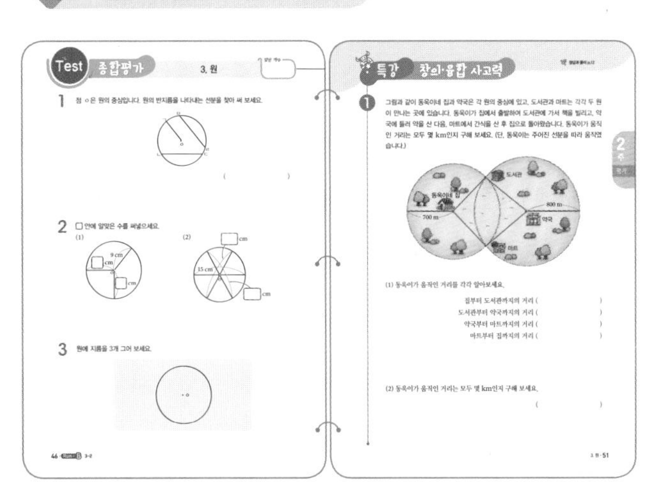

교과 학습과 사고력 학습을 얼마나 잘 이해하였는지 평가하여 배운 내용을 정리합니다.

3 원

단원과 관련된
원 이야기를
살펴보아요.

원 이야기

같은 길이로 삼각형, 사각형, 원 모양을 만들었을 때, 가장 넓은 공간을 만들 수 있는 것은 바로 원 모양입니다.

우리가
가장 많아.

우리 주변에서 원의 성질을 활용한 것에는 무엇이 있는지 알아볼까요?

안 빠져요~

원의 지름은 어느 방향에서 재어도 일정하기 때문에 원 모양으로 맨홀 구멍과 뚜껑을 만들면 맨홀 뚜껑은 구멍으로 절대 빠지지 않습니다.

원 모양
테이블이야.
원 모양이라서
많은 음식을
올려놓을 수 있어.

둥근 테이블은 사람들 사이의 평등을 나타냅니다. 또한 다른 어떤 모양보다도 넓기 때문에 더 많은 접시를 올려놓을 수 있습니다.

원 모양을 찾아 색칠해 보세요.

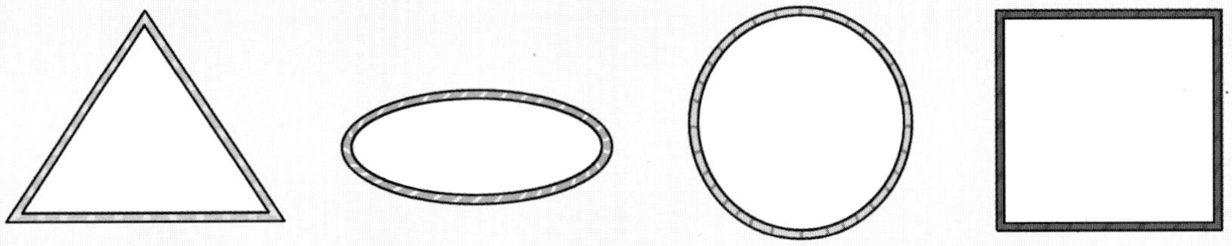

오른쪽 자전거의 바퀴 모양을 보고 자전거 바퀴가 어떻게 돌 것인지 써 보세요.

준비물 붙임딱지

자전거에 알맞은 바퀴 붙임딱지를 붙여 보고, 그 바퀴를 붙인 이유를 써 보세요.

이유

1단계 교과서 개념 잡기

개념 1 원 그리기

① 자로 점을 찍어 그리기

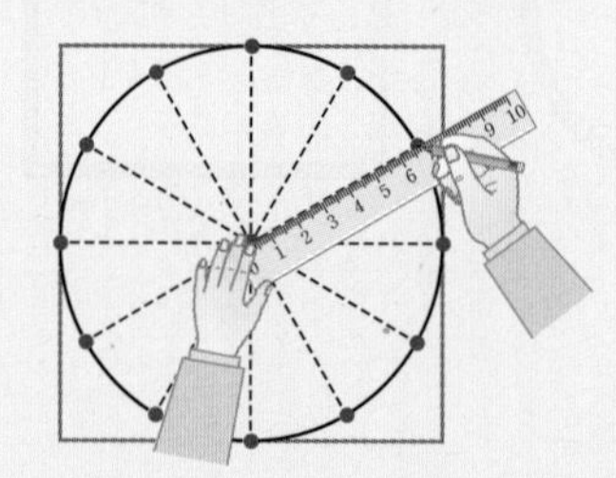

→ 중심점으로부터 자로 길이를 잰 후 같은 거리만큼 표시하여 원을 그립니다.
점을 많이 표시할수록 더 정확한 원을 그릴 수 있습니다.

② 누름 못과 띠 종이를 이용하여 그리기

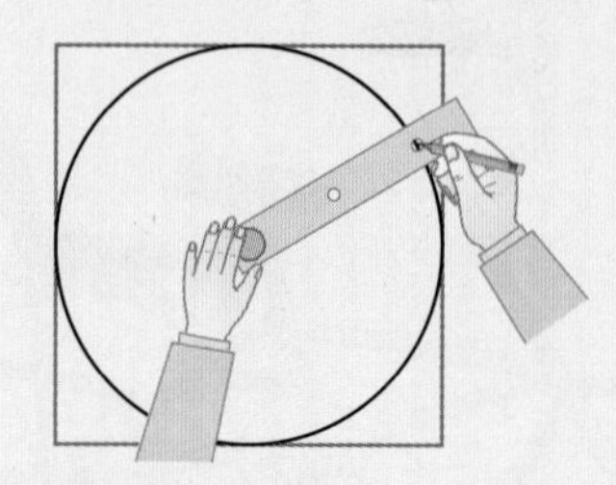

→ 띠 종이를 누름 못으로 고정한 후 연필을 구멍에 넣어 한 바퀴 돌려 원을 그립니다.

개념 2 원의 중심, 반지름, 지름

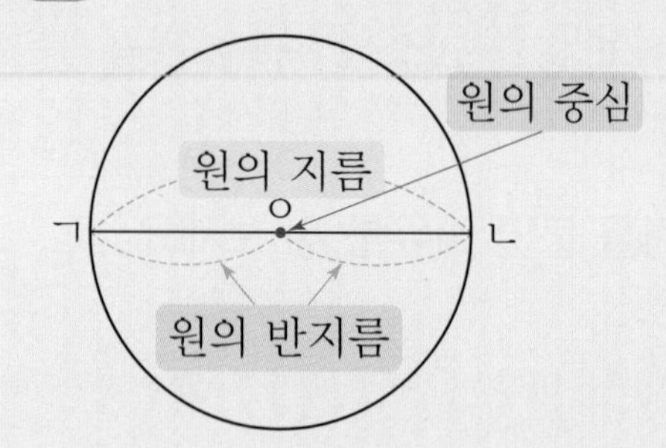

원의 중심: 원을 그릴 때에 누름 못이 꽂혔던 점
원의 반지름: 원의 중심과 원 위의 한 점을 이은 선분
원의 지름: 원 위의 두 점을 이은 선분 중 원의 중심을 지나는 선분

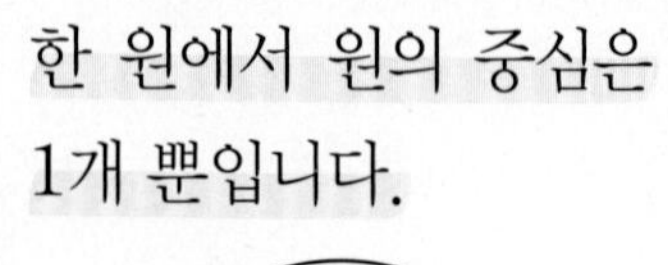

한 원에서 원의 중심은 1개 뿐입니다.

한 원에서 원의 반지름의 길이는 모두 같습니다.

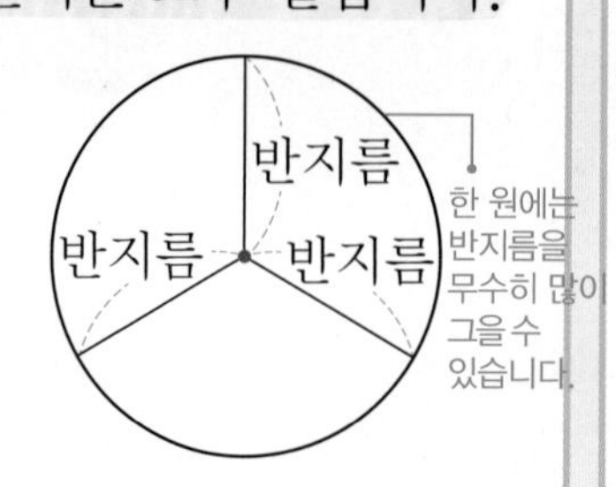

한 원에서 원의 지름의 길이는 모두 같습니다.

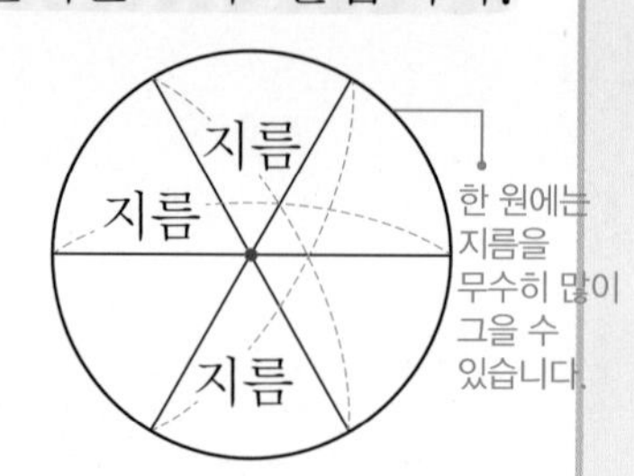

개념 확인 문제

1 자로 점을 찍어 원을 그려 보세요.

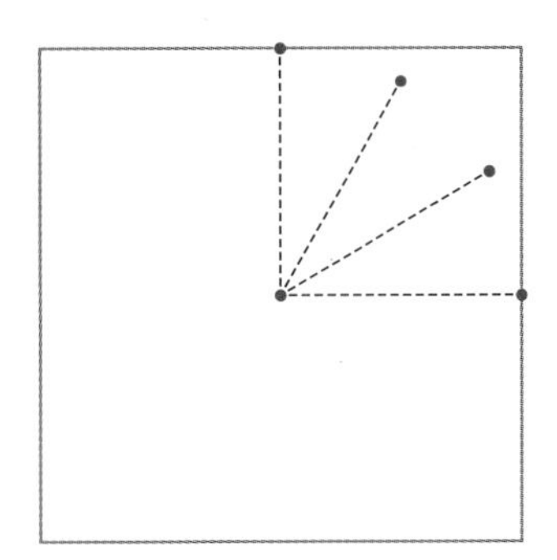

2-1 원의 중심을 찾아 •으로 표시해 보세요.

(1)

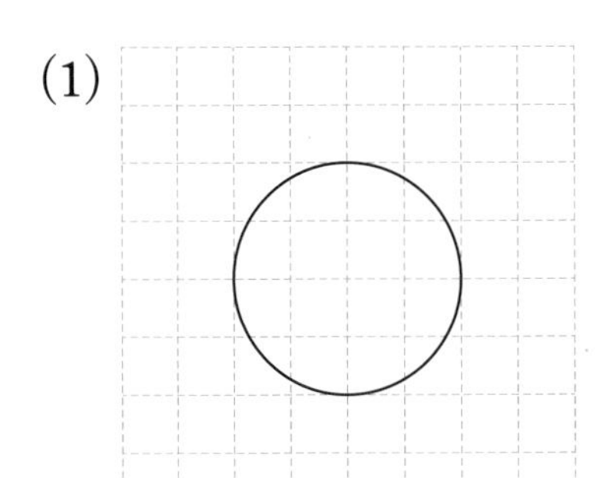

(2)

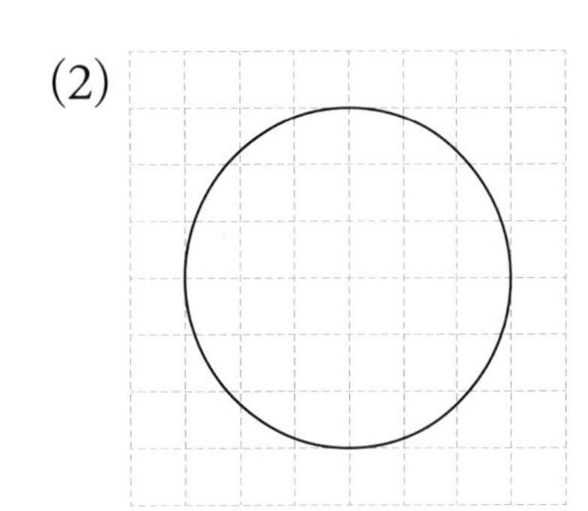

2-2 잘못 설명한 친구를 찾아 이름을 써 보세요.

한 원에서 원의 중심은 1개 뿐입니다.

한 원에서 원의 반지름의 길이는 모두 다릅니다.

한 원에서 원의 지름의 길이는 모두 같습니다.

(　　　　　　　　)

개념 3 원의 성질 알아보기

원의 성질 1 **원의 지름은 원을 둘로 똑같이 나눕니다.**

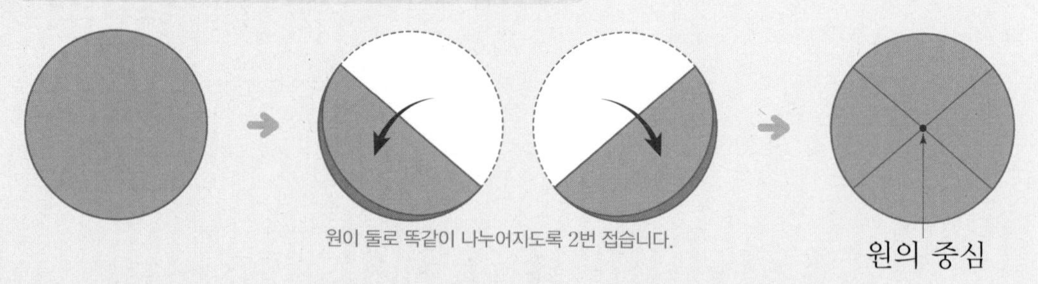

➔ 접었을 때 생기는 선분들이 만나는 점이 원의 중심입니다.
즉, 원이 둘로 똑같이 나누어지도록 접은 선은 원의 지름입니다.

원의 성질 2 **원의 지름은 원 안에 그을 수 있는 가장 긴 선분입니다.**

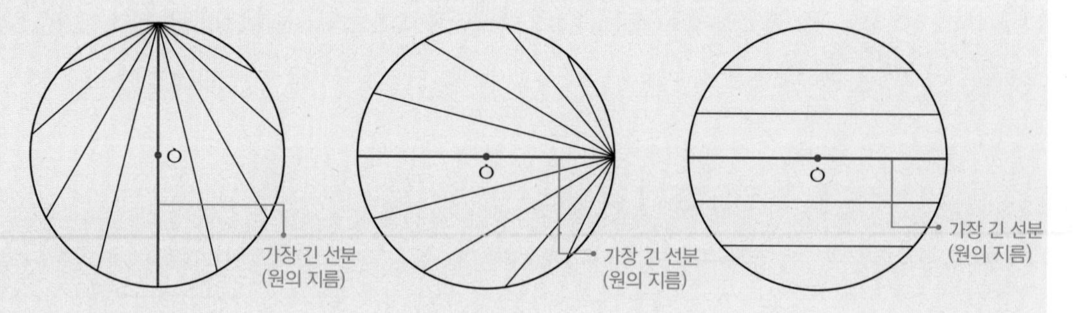

➔ 원 안에 그을 수 있는 선분 중 길이가 가장 긴 선분은 원의 중심을 지나는 원의 지름입니다.

원의 성질 3 **한 원에서 지름은 반지름의 2배입니다.**

원의 성질 4 **한 원에서 반지름은 지름의 반입니다.**

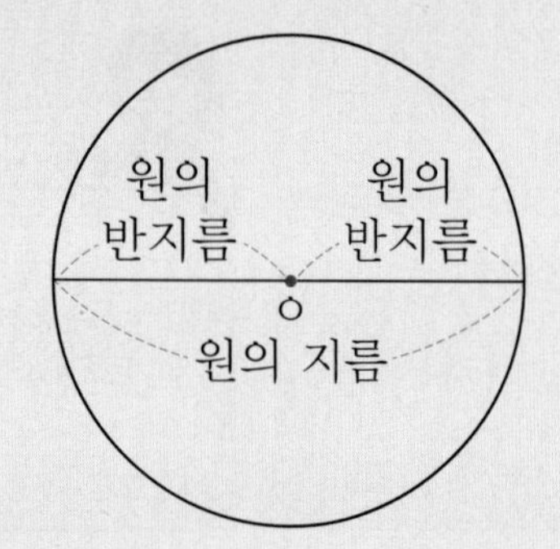

(원의 지름)=(원의 반지름)×2
(원의 반지름)=(원의 지름)÷2

개념 확인 문제

3-1 □ 안에 알맞은 말을 써넣으세요.

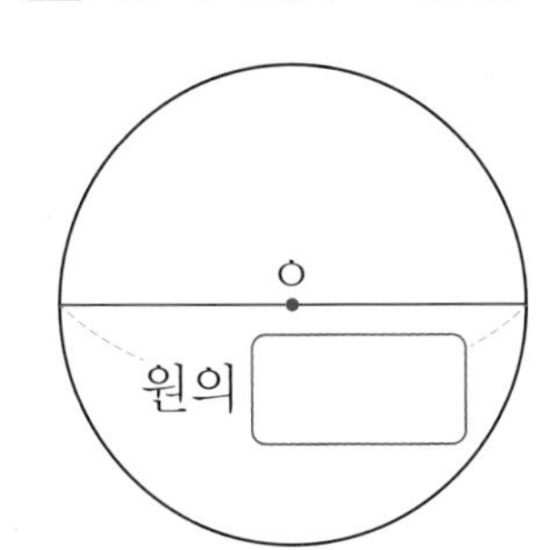

원의 □ 은/는 원을 둘로 똑같이 나눕니다.

3-2 그림을 보고 □ 안에 알맞게 써넣으세요.

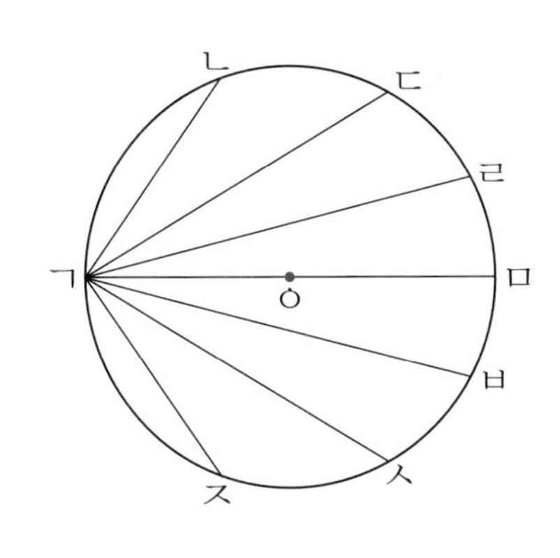

(1) 길이가 가장 긴 선분은 선분 □ 입니다.

(2) 원의 지름은 선분 □ 입니다.

(3) 원 안에 그을 수 있는 가장 긴 선분은 원의 □ 입니다.

3-3 선분의 길이를 재어 □ 안에 알맞은 수를 써넣으세요.

(1)

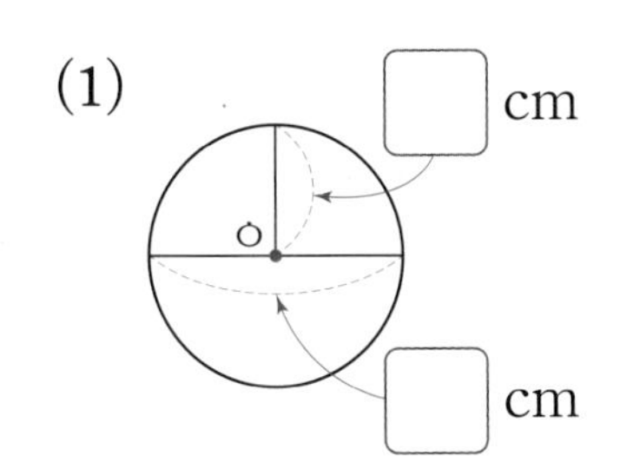

(2)

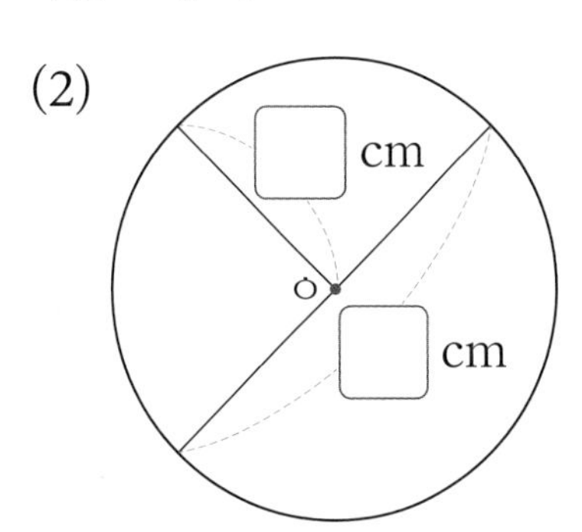

3-4 위 3-3을 보고 □ 안에 알맞은 수를 써넣으세요.

(원의 지름)=(원의 반지름)× □

개념 4 컴퍼스를 이용하여 원 그리기

• 반지름이 4 cm인 원 그리기

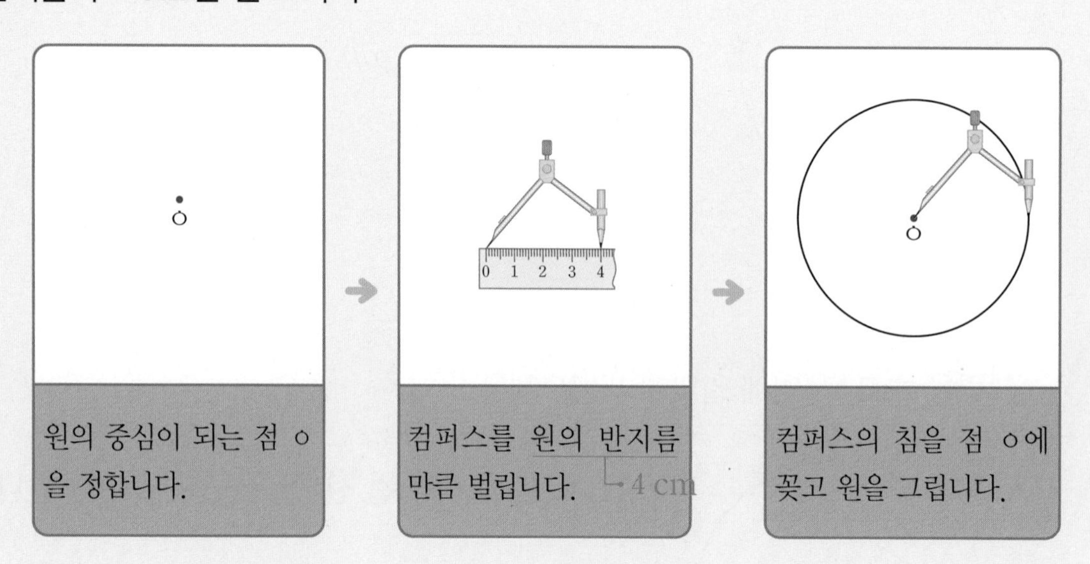

ㅇ
0 1 2 3 4
원의 중심이 되는 점 ㅇ을 정합니다.
컴퍼스를 원의 반지름만큼 벌립니다.
4 cm
컴퍼스의 침을 점 ㅇ에 꽂고 원을 그립니다.

• 시계와 크기가 같은 원 그리기

ㅇ
컴퍼스를 시계의 반지름만큼 벌립니다.
컴퍼스의 침을 원의 중심에 꽂고 원을 그립니다.

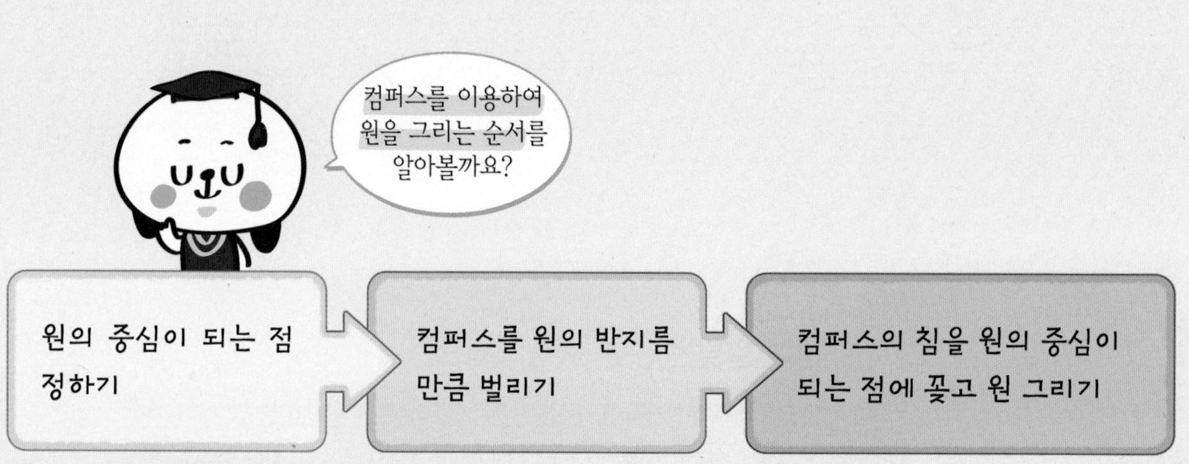

컴퍼스를 이용하여 원을 그리는 순서를 알아볼까요?
원의 중심이 되는 점 정하기
컴퍼스를 원의 반지름 만큼 벌리기
컴퍼스의 침을 원의 중심이 되는 점에 꽂고 원 그리기

4-1 컴퍼스를 이용하여 반지름이 3 cm인 원을 그리려고 합니다. 컴퍼스를 바르게 벌린 것을 찾아 기호를 써 보세요.

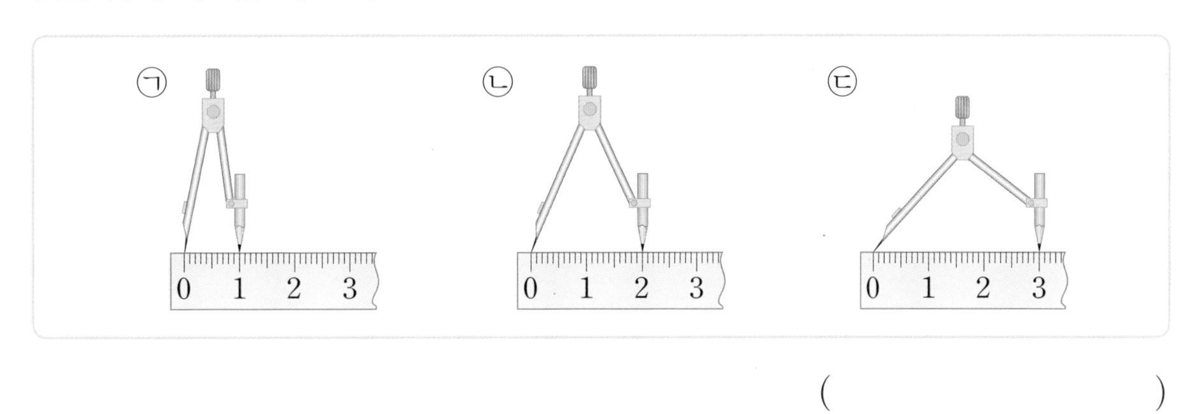

( )

4-2 다음과 같이 컴퍼스를 벌려 원을 그렸습니다. 그린 원의 반지름은 몇 cm일까요?

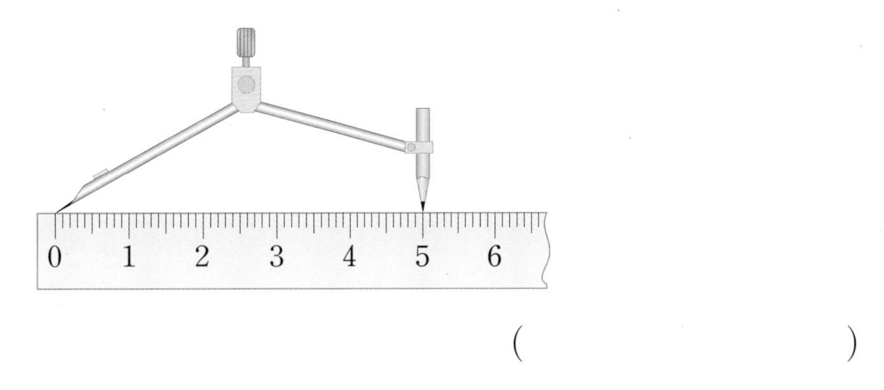

( )

4-3 컴퍼스를 이용하여 주어진 접시와 크기가 같은 원을 그려 보세요.

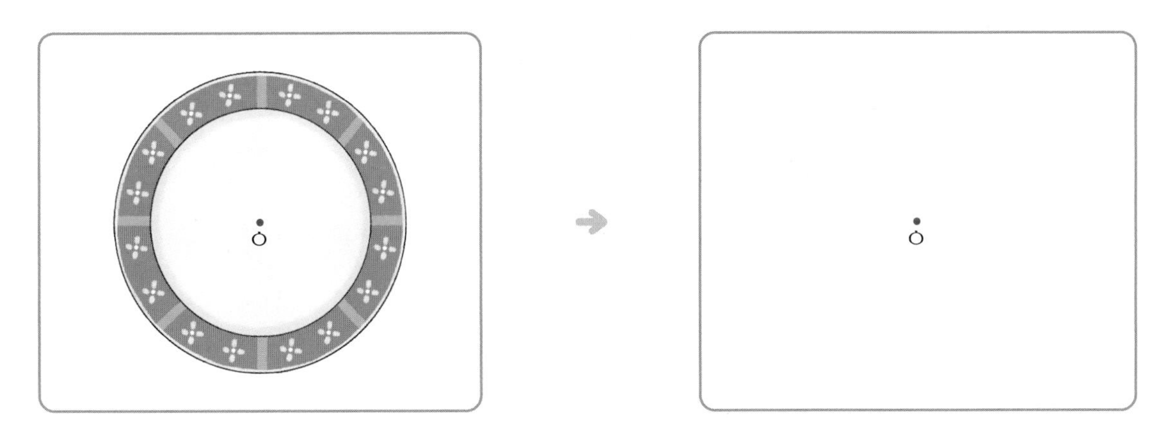

개념 5 원을 이용하여 여러 가지 모양 그리기

• 다양한 크기의 원 그리기

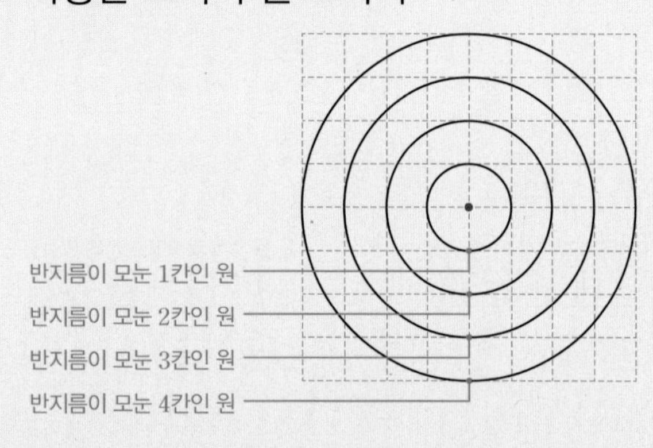

원의 중심이 모두 같고
원의 반지름이 모눈 1칸씩 늘어납니다.

• 규칙을 찾아 원 그리기

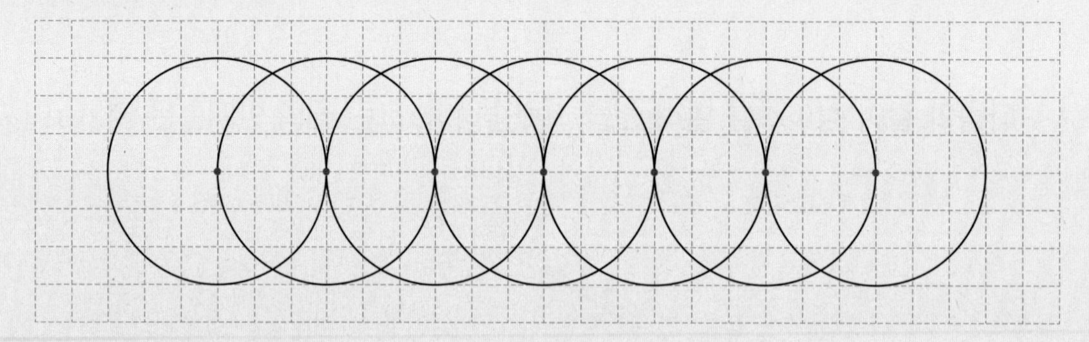

원의 중심은 오른쪽으로 모눈 3칸씩 이동하였고 원의 반지름은 모눈 3칸으로 모두 같습니다.

• 똑같이 그리기

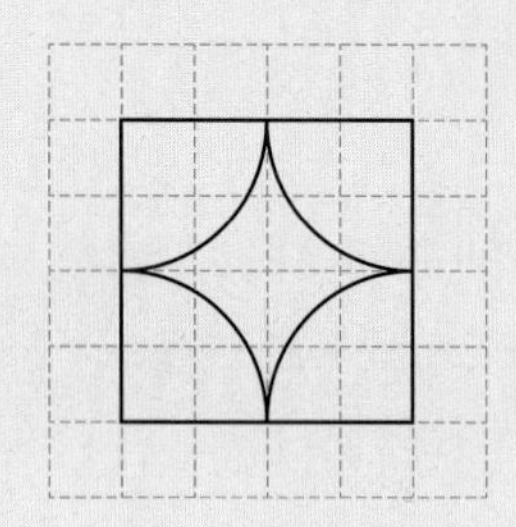

그리는 방법

정사각형을 그리고, 정사각형의 꼭짓점을 원의 중심으로 하는 원의 일부분을 4개 그립니다.
이때 원의 지름은 정사각형의 한 변과 같습니다.

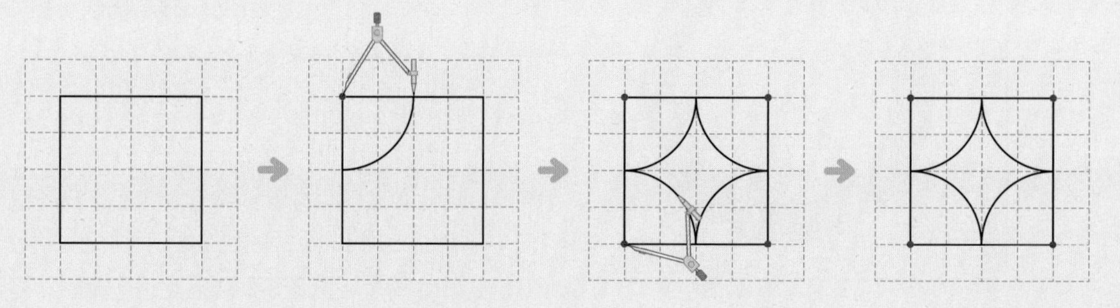

5-1 주어진 모양을 그리기 위하여 컴퍼스의 침을 꽂아야 할 곳에 모두 •으로 표시해 보세요.

(1)

(2)

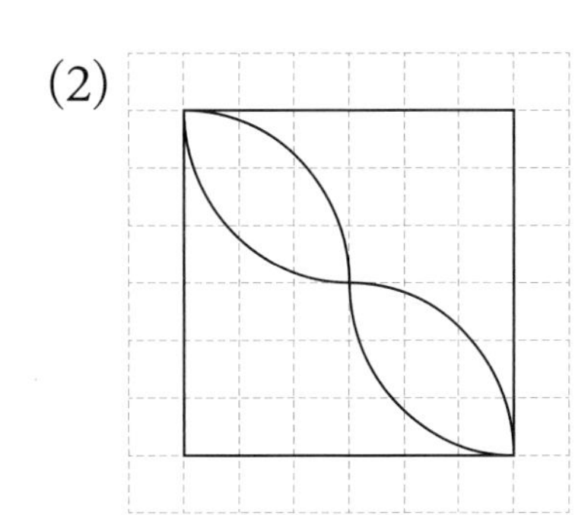

5-2 규칙을 찾아 □ 안에 알맞은 수를 써넣으세요.

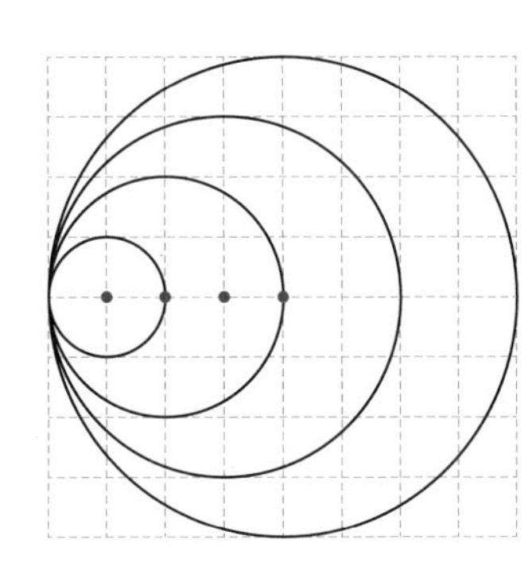

규칙 원의 중심은 오른쪽으로 모눈 □칸씩 이동하였습니다.
원의 반지름은 모눈 □칸씩 늘어납니다.

5-3 주어진 모양과 똑같이 그려 보세요.

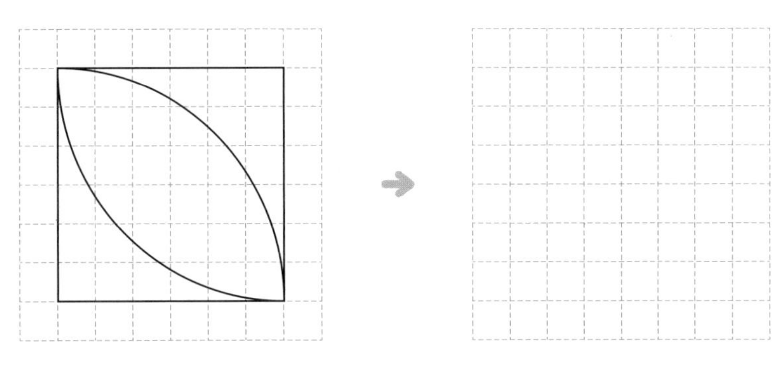

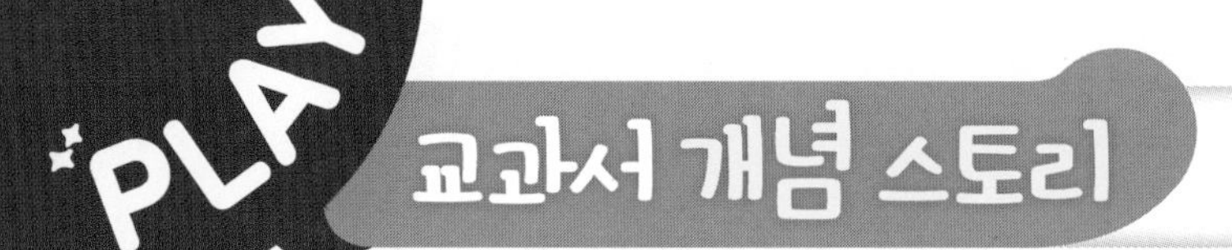

피자 포장하기

준비물 붙임딱지

피자 가게에 주문이 많이 들어왔습니다.
상자에 적힌 크기에 알맞은 피자 붙임딱지를 붙여 보세요.

반지름이 4 cm인 피자

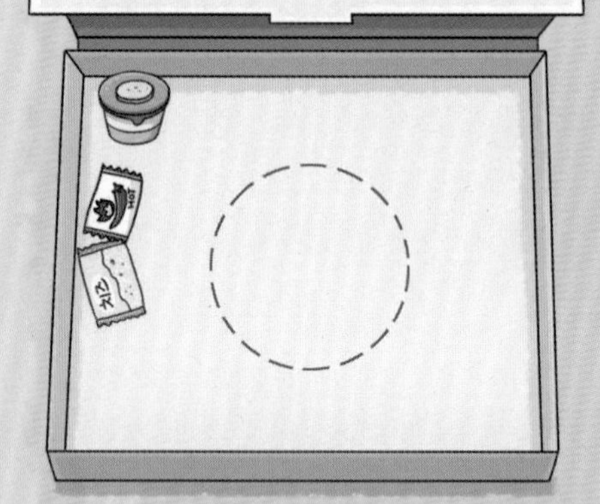

반지름이 5 cm인 피자

반지름이 6 cm인 피자

지름이 17 cm인 피자

반지름이 9 cm인 피자

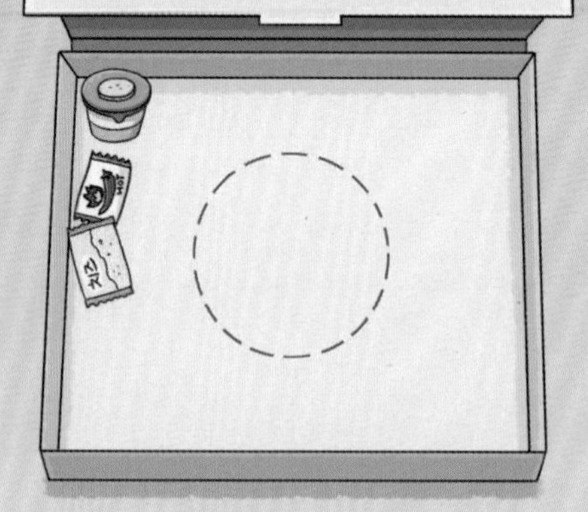

반지름이 11 cm인 피자

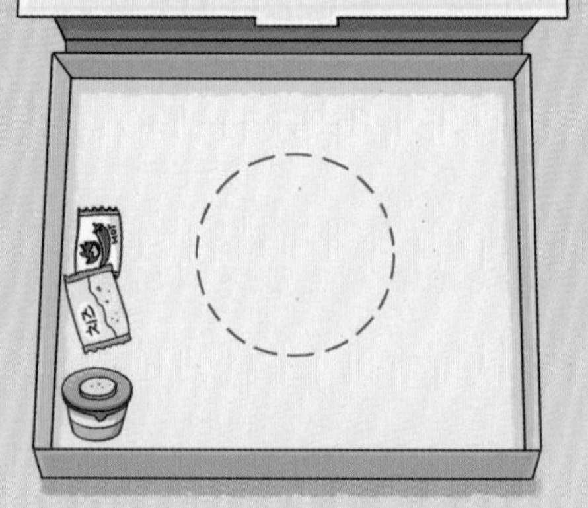

반지름이 13 cm인 피자

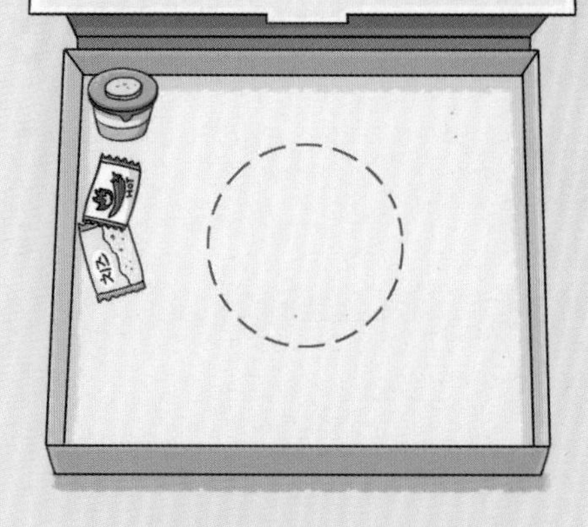

지름이 20 cm인 피자

반지름이 12 cm인 피자

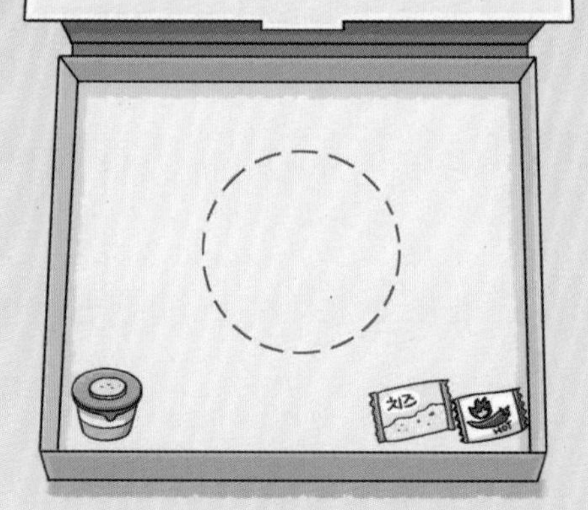

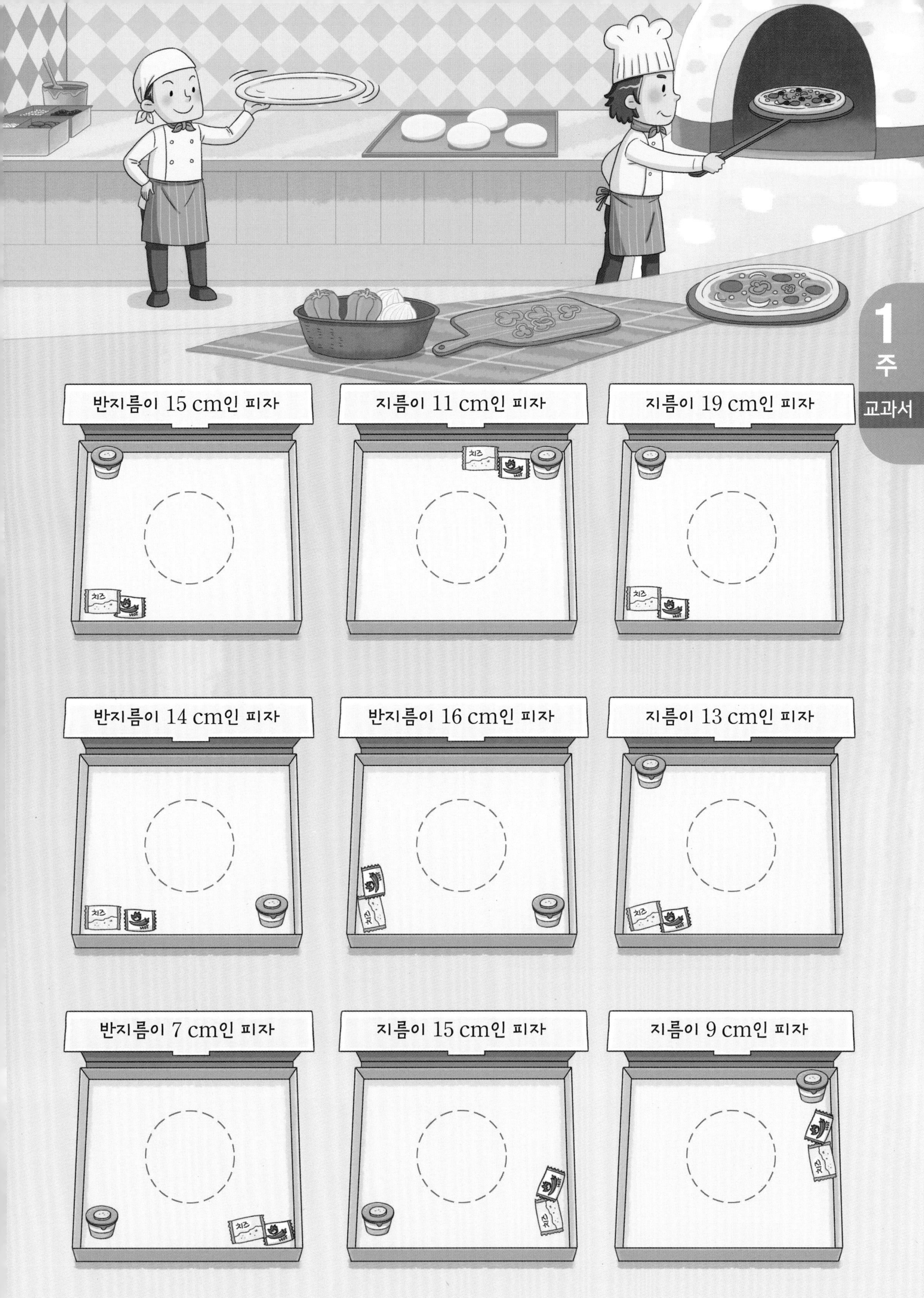
1
주
교과서
반지름이 15 cm인 피자
지름이 11 cm인 피자
지름이 19 cm인 피자
반지름이 14 cm인 피자
반지름이 16 cm인 피자
지름이 13 cm인 피자
반지름이 7 cm인 피자
지름이 15 cm인 피자
지름이 9 cm인 피자

PLAY 교과서 개념 스토리

원 그리기

준비물 붙임딱지

컴퍼스를 이용하여 원을 그리려고 합니다.
컴퍼스를 바르게 벌린 붙임딱지를 붙이고, 원을 그려 보세요.

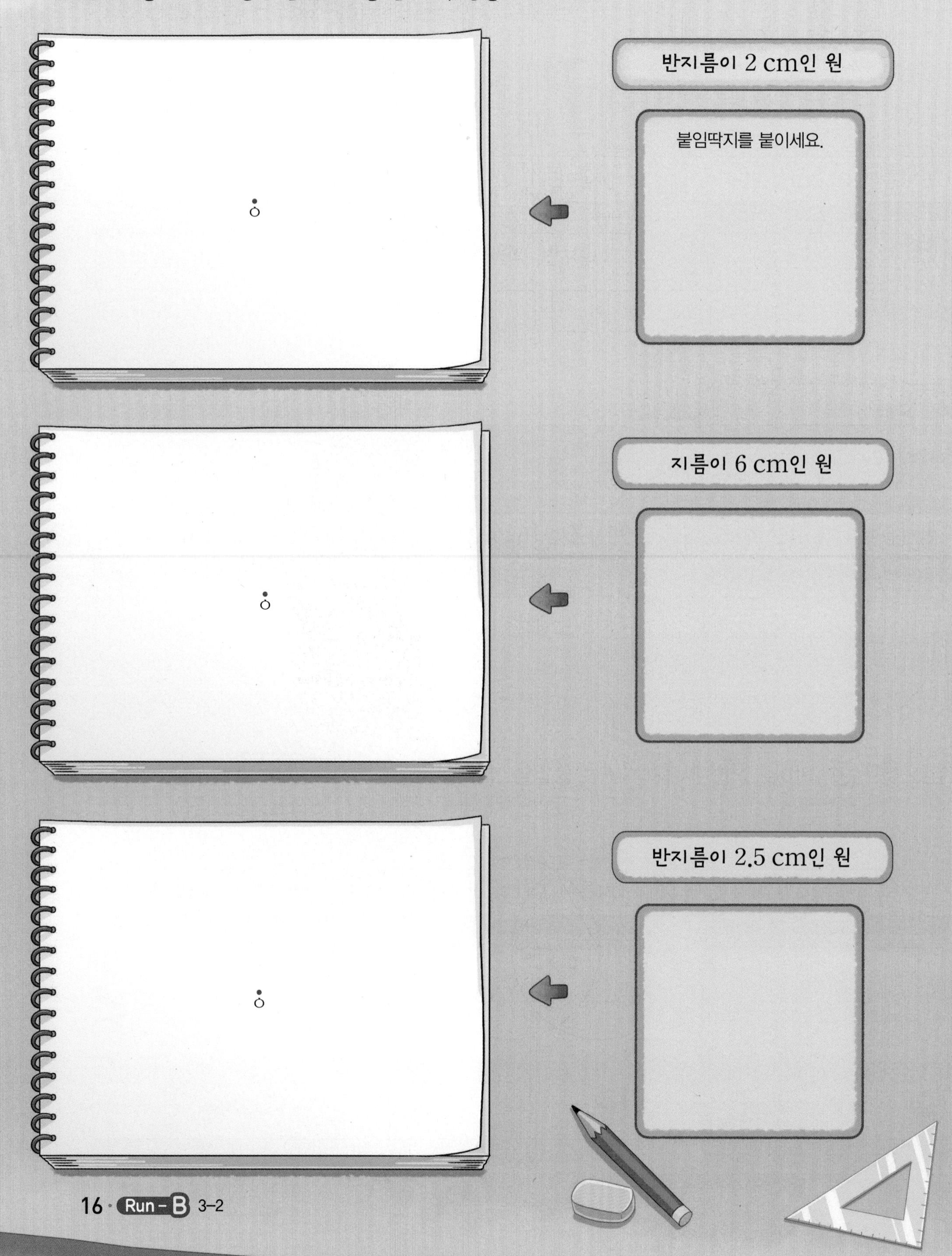

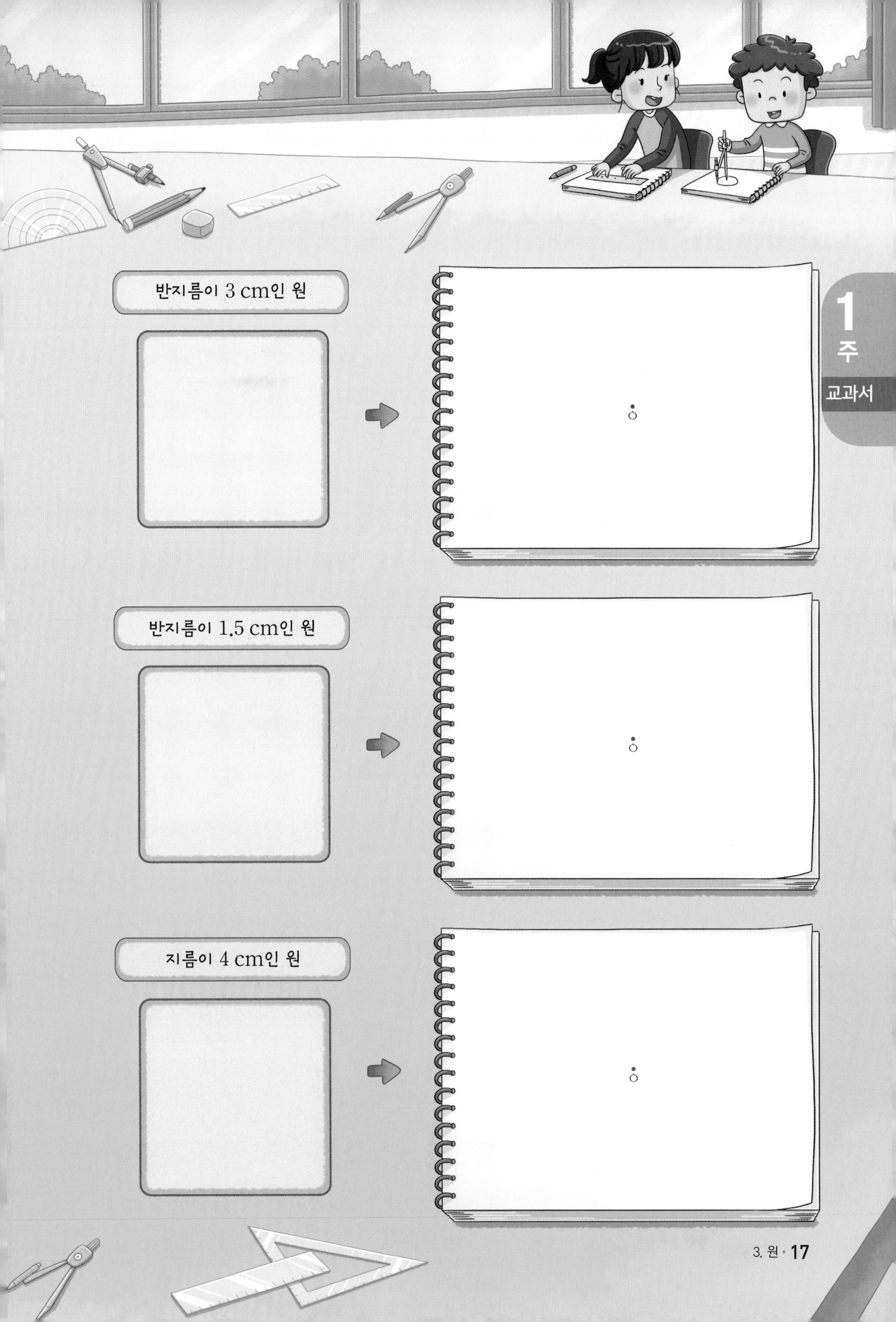
반지름이 3 cm인 원
반지름이 1.5 cm인 원
지름이 4 cm인 원
1
주
교과서

개념 1 원의 중심, 반지름

01 □ 안에 알맞은 말을 써넣으세요.

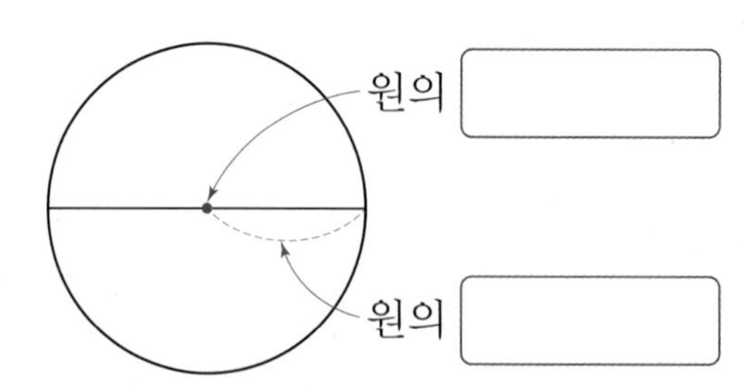

02 다음 원의 반지름은 몇 cm인지 써 보세요.

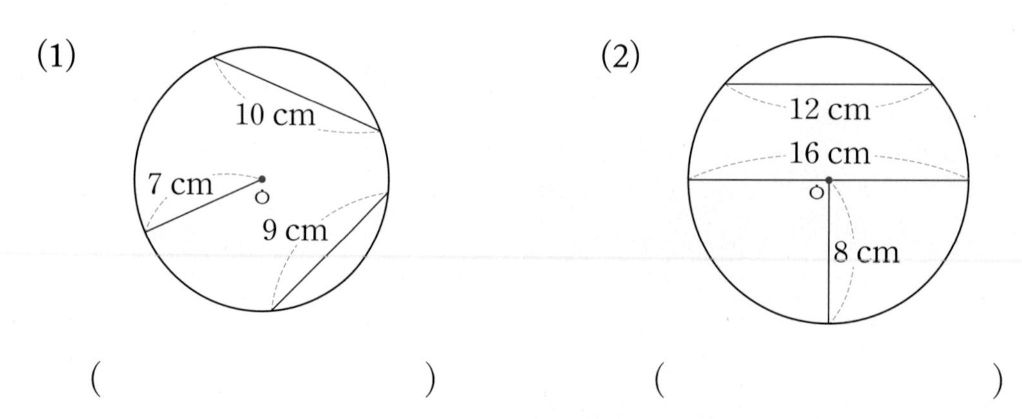

( ) ( )

03 원에 반지름을 3개 그어 보세요.

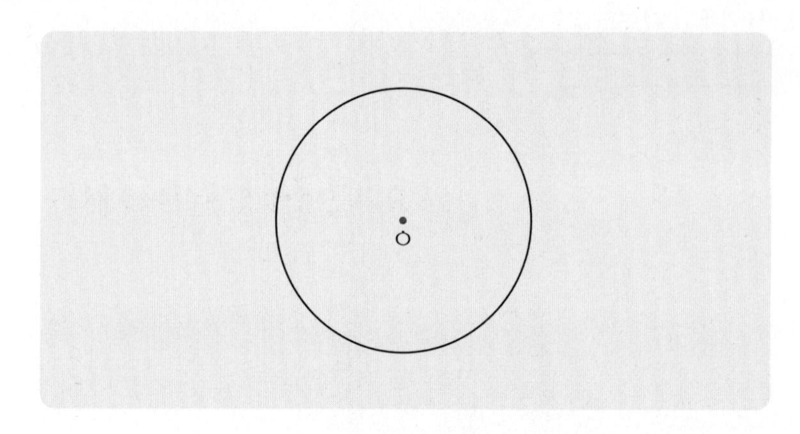

개념 2 원의 지름

04 다음 원의 지름은 몇 cm인지 써 보세요.

(1)

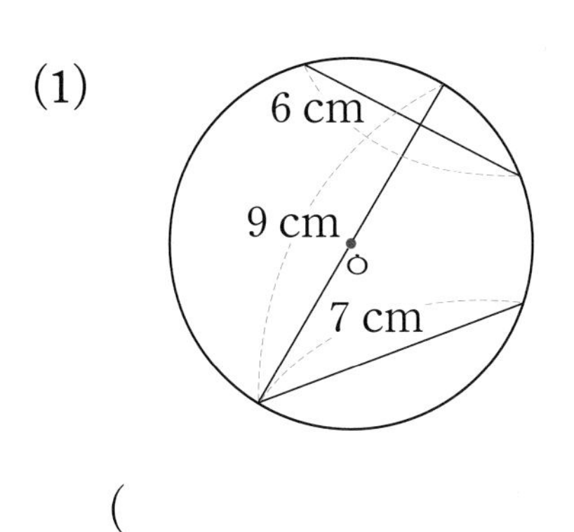

(　　　　　　)

(2)

4 cm
ㅇ
8 cm
5 cm

(　　　　　　)

05 원의 지름을 나타내는 선분을 모두 찾아 써 보세요.

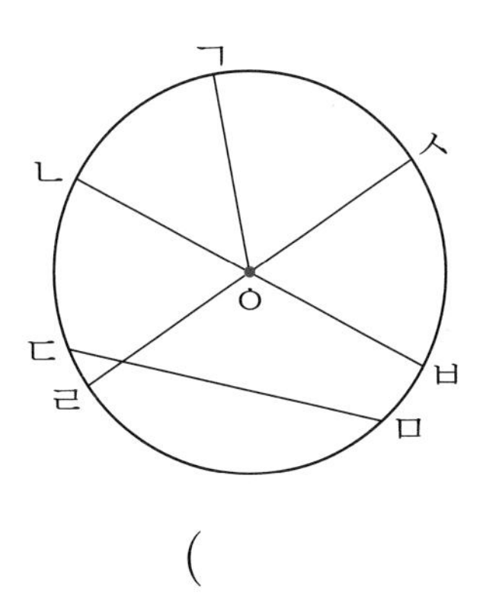

(　　　　　　)

06 원에 지름을 3개 그어 보세요.

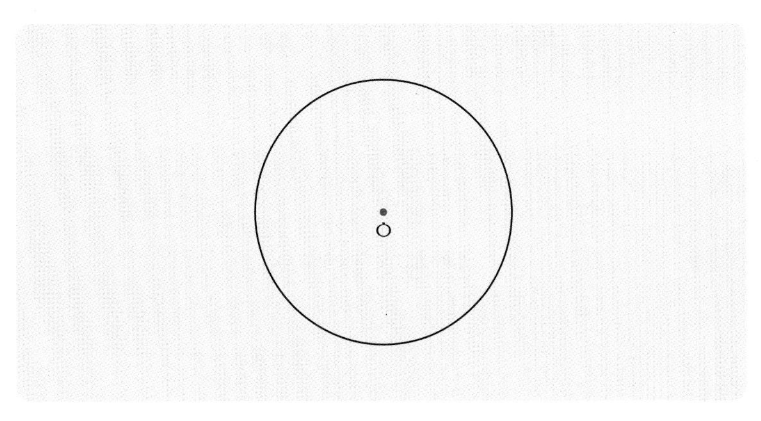

2 단계 교과서 개념 다지기

개념 3 원의 성질

[07~08] 그림을 보고 □ 안에 알맞은 말을 써넣으세요.

07

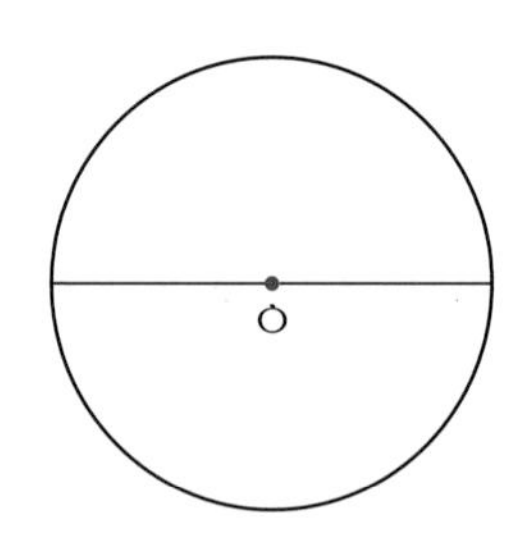

원을 둘로 똑같이 나누는 선분은
원의 □ 입니다.

08

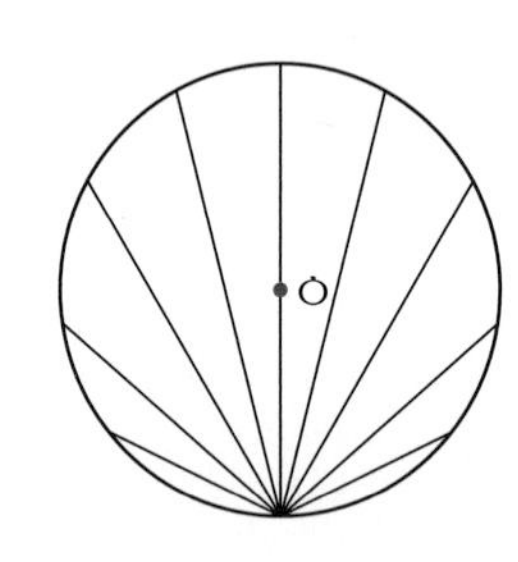

원 안의 선분 중에서 가장 긴 선분은
원의 □ 입니다.

09 투명 종이 2장에 각각 똑같은 크기의 원을 그리고 반을 접었다가 폈더니 선이 생겼습니다. 원 2개가 겹치도록 투명 종이를 포개었을 때 □ 안에 알맞은 말을 써넣으세요.

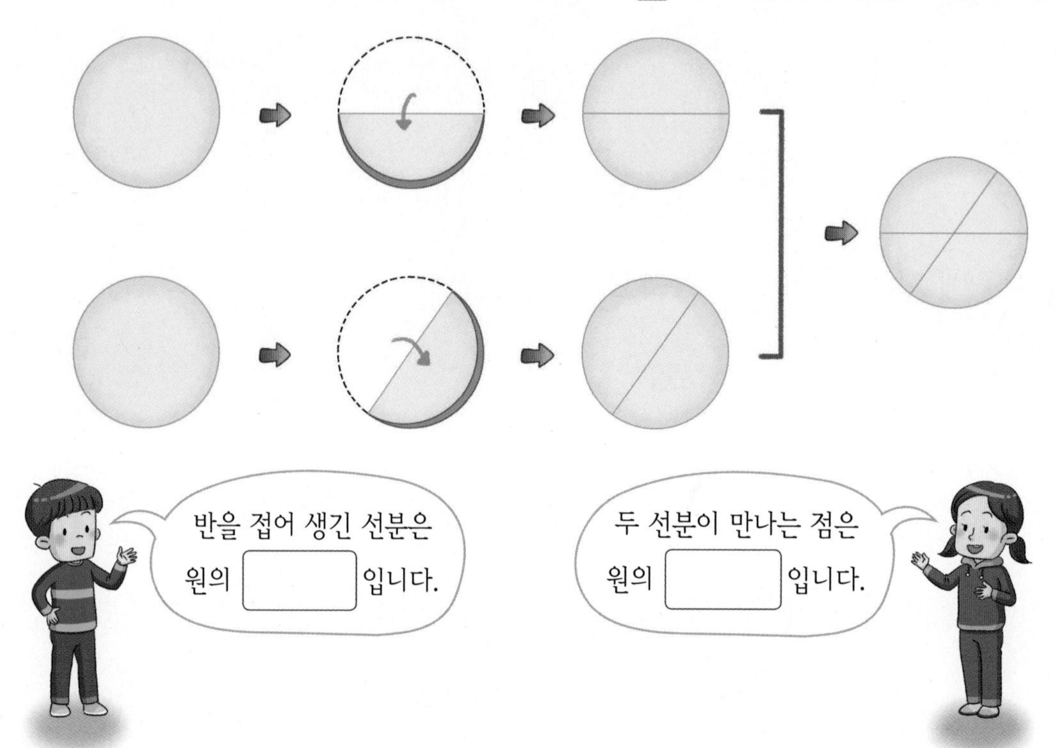

반을 접어 생긴 선분은
원의 □ 입니다.
두 선분이 만나는 점은
원의 □ 입니다.

개념 4 원의 지름과 반지름 사이의 관계

10 □ 안에 알맞은 말을 써넣으세요.

(1) (원의 지름)=(원의 □)×2

(2) (원의 반지름)=(원의 □)÷2

11 □ 안에 알맞은 수를 써넣으세요.

(1)

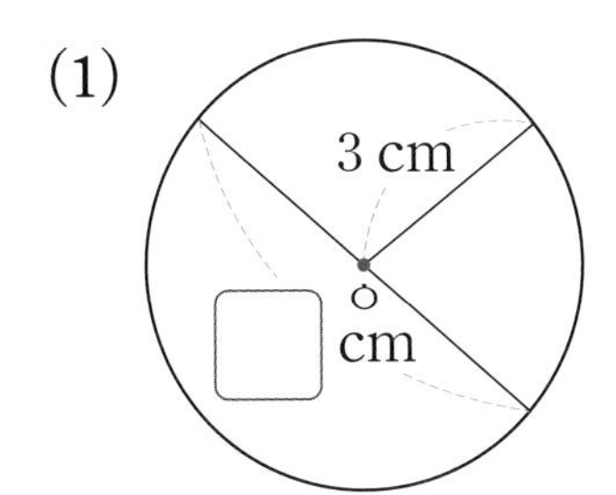

(2)

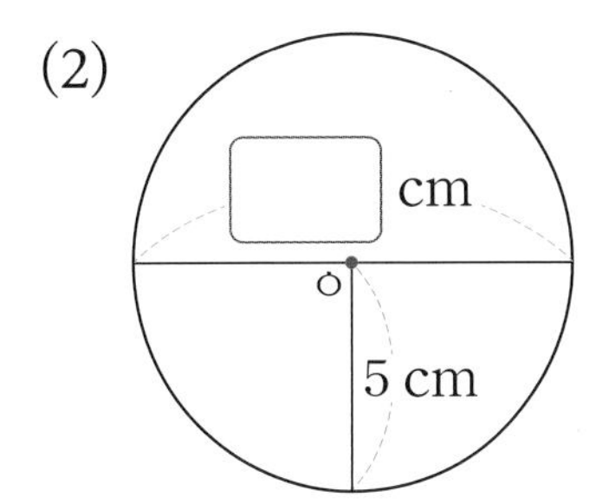

12 원의 반지름은 몇 cm인지 구해 보세요.

(1)

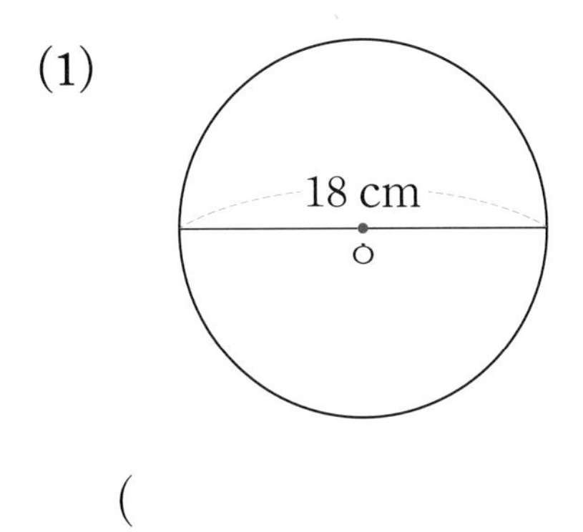

(　　　　　　　　)

(2)

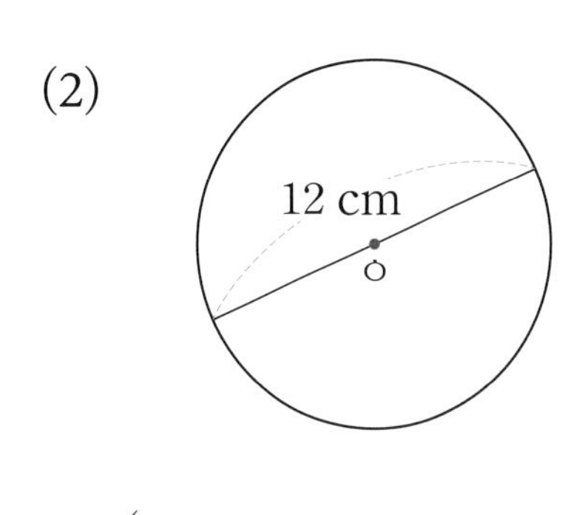

(　　　　　　　　)

개념 5 컴퍼스를 이용하여 원 그리기

13 컴퍼스를 이용하여 반지름이 3 cm인 원을 그리려고 합니다. 그리는 순서대로 (   ) 안에 1, 2, 3을 써 보세요.

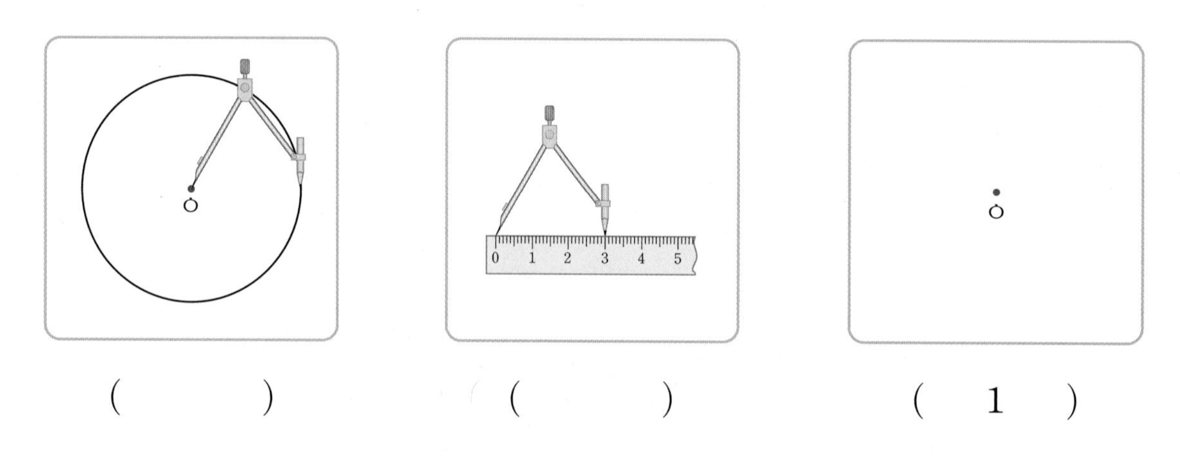

(   ) (   ) (1)

14 컴퍼스를 다음과 같이 벌려서 그린 원의 반지름은 몇 cm일까요?

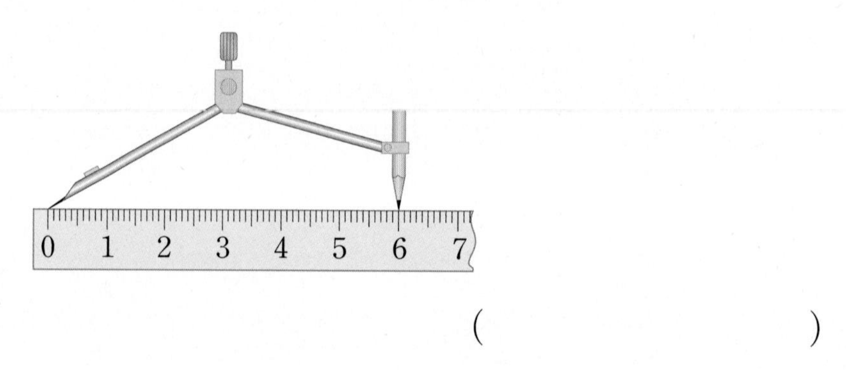

(   )

15 컴퍼스를 이용하여 주어진 선분을 반지름으로 하는 원을 그려 보세요.

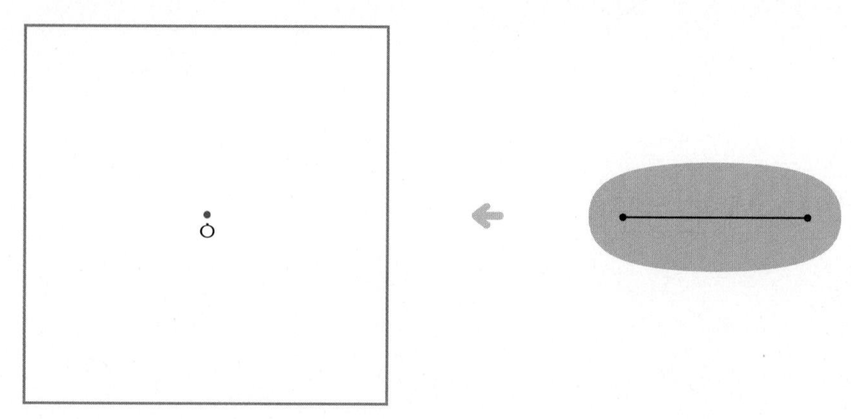

개념 6 원을 이용하여 여러 가지 모양 그리기

16 그림과 같이 원을 4개 그릴 때 컴퍼스의 침을 꽂아야 할 곳은 몇 군데일까요?

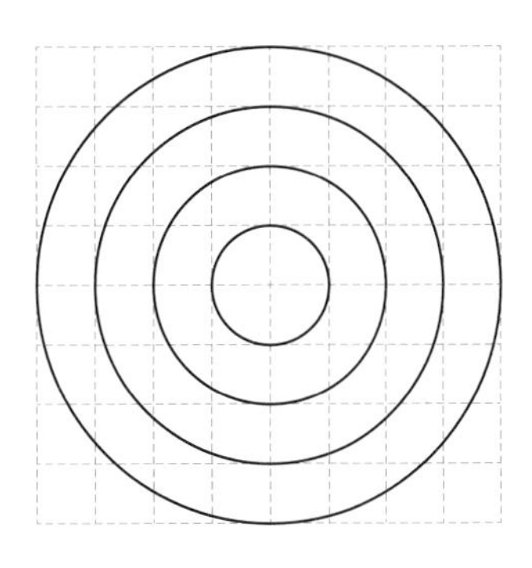

( )

17 주어진 모양과 똑같이 그려 보세요.

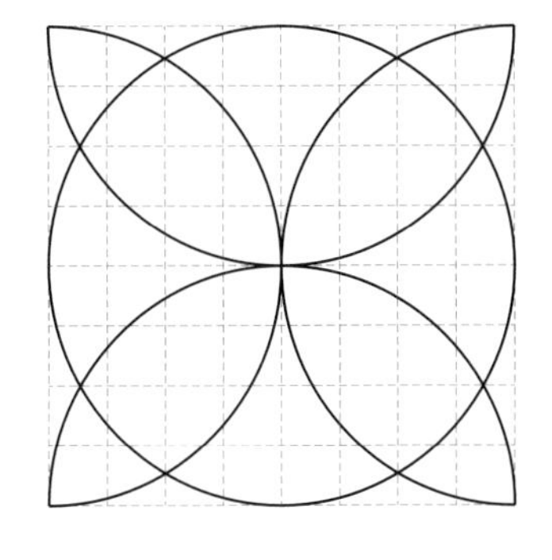

18 그림을 보고 규칙을 찾아 원을 1개 더 그려 보세요.

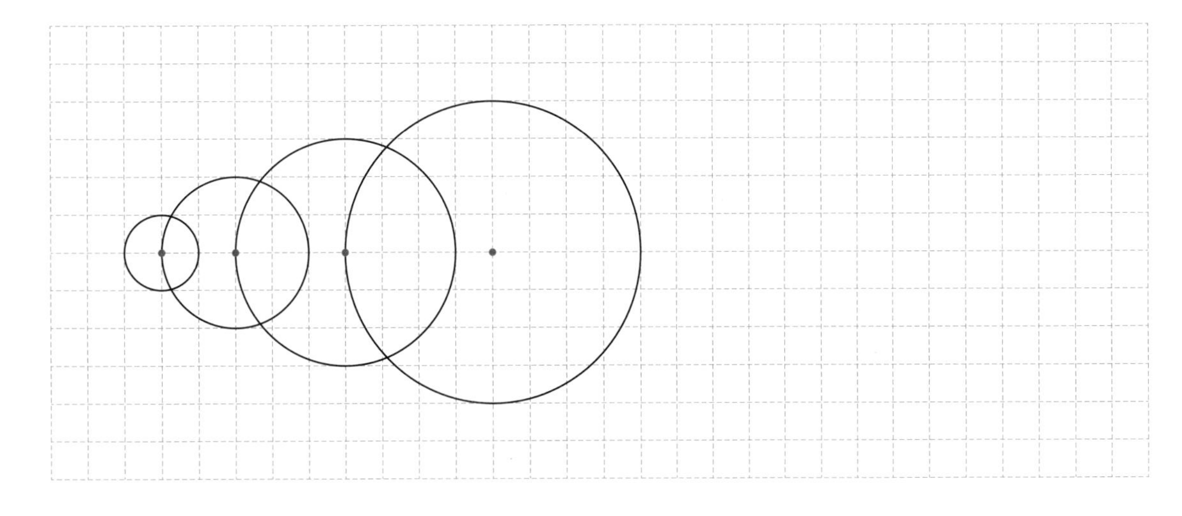

3단계 교과서 실력 다지기

★ 원의 크기 비교하기

1 크기가 더 큰 원을 찾아 ○표 하세요.

지름이 8 cm인 원	반지름이 5 cm인 원
(　　　)	(　　　)

개념 피드백
- 원의 크기 비교

① 지름이 길수록 더 큰 원입니다. (반지름이 길수록 더 큰 원입니다.)
② 지름이 짧을수록 더 작은 원입니다. (반지름이 짧을수록 더 작은 원입니다.)

1-1 크기가 가장 큰 원을 찾아 기호를 써 보세요.

㉠ 반지름이 9 cm인 원
㉡ 지름이 10 cm인 원
㉢ 반지름이 7 cm인 원
㉣ 지름이 5 cm인 원

(　　　　　　)

1-2 크기가 가장 작은 원을 찾아 기호를 써 보세요.

㉠ 지름이 13 cm인 원
㉡ 반지름이 8 cm인 원
㉢ 반지름이 6 cm인 원
㉣ 지름이 15 cm인 원

(　　　　　　)

★ 이용한 원의 중심 찾기

2 다음 모양을 그릴 때 이용한 원의 중심을 모두 찾아 •으로 표시해 보세요.

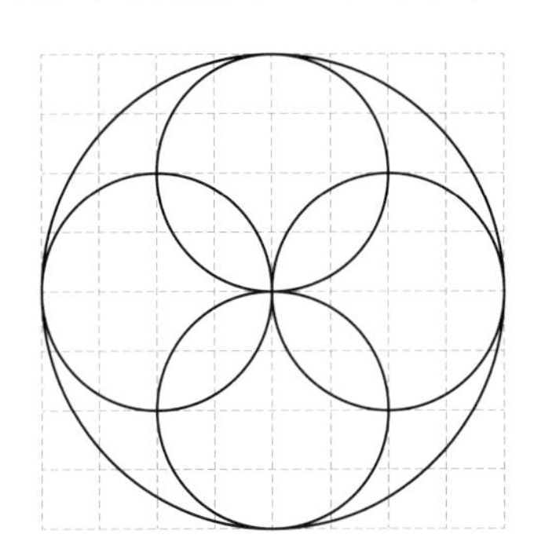

개념 피드백 원의 중심은 원의 한가운데에 있으므로 원 전체 또는 원의 일부를 보고 이용한 원의 중심을 찾을 수 있습니다.

2-1 다음 모양을 그릴 때 이용한 원의 중심을 모두 찾아 •으로 표시해 보세요.

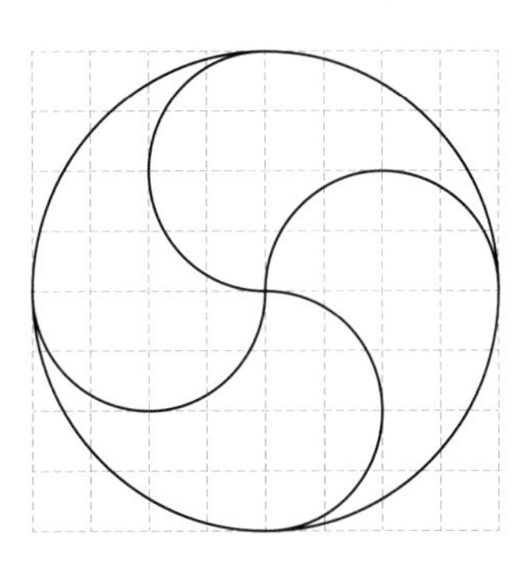

2-2 오른쪽 모양을 그릴 때 이용한 원의 중심은 모두 몇 개인지 써 보세요.

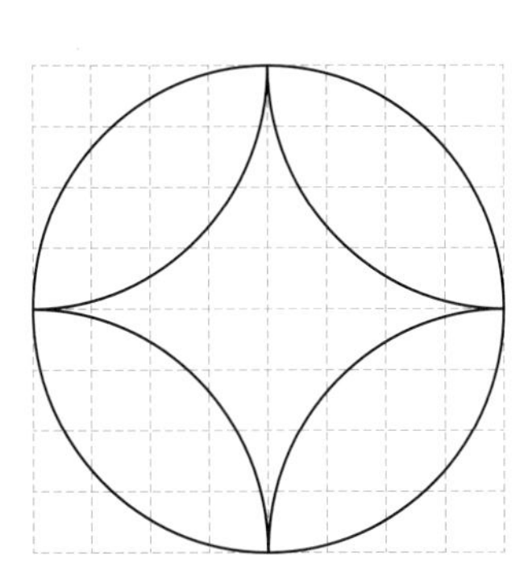

(　　　　　　　　)

3단계 교과서 실력 다지기

★ 원의 중심을 지나는 선분의 길이 구하기

3 점 ㄱ, 점 ㄴ은 각 원의 중심입니다. 선분 ㄱㄴ의 길이는 몇 cm인지 구해 보세요.

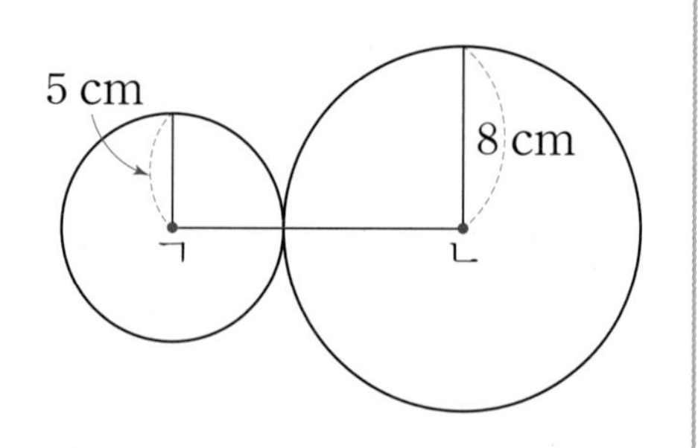

답 ____________________

개념 피드백
- 원의 반지름과 지름의 성질

① 한 원에서 원의 반지름의 길이는 모두 같습니다.

② 한 원에서 원의 지름의 길이는 모두 같습니다.

3-1 점 ㄱ, 점 ㄴ, 점 ㄷ은 각 원의 중심입니다. 선분 ㄱㄷ의 길이는 몇 cm인지 구해 보세요.

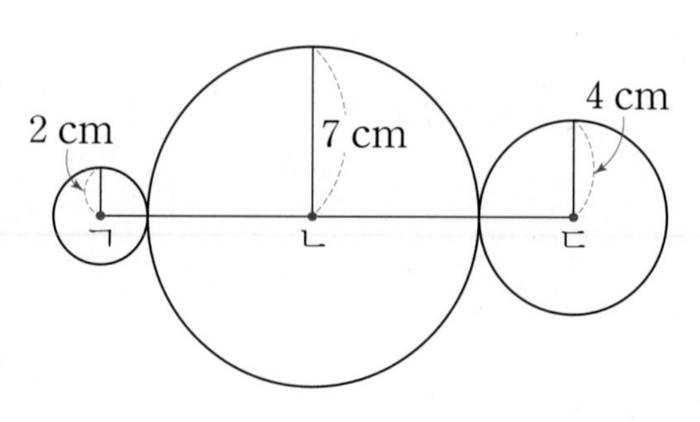

(　　　　　　　　　　)

3-2 점 ㄴ, 점 ㄷ, 점 ㄹ은 각 원의 중심입니다. 선분 ㄱㅁ의 길이는 몇 cm인지 구해 보세요.

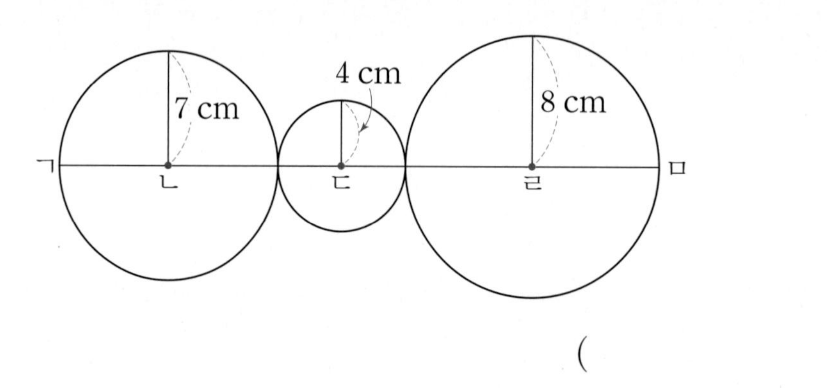

(　　　　　　　　　　)

★ 원의 반지름의 길이 구하기

4 오른쪽과 같이 지름이 20 cm인 원 안에 크기가 같은 원 2개를 그렸습니다. 작은 원의 반지름은 몇 cm인지 구해 보세요.

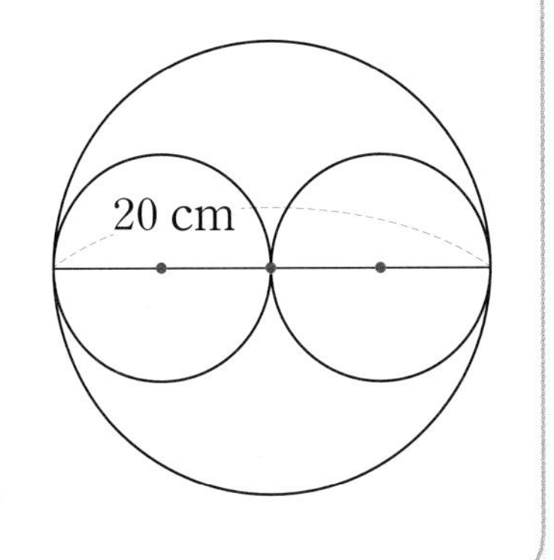

답 ____________________

개념 피드백 주어진 길이와 구하려고 하는 길이 사이의 관계를 알아봅니다. 즉, 주어진 길이는 작은 원의 반지름의 몇 배인지 알아보고 식을 세워 봅니다.

4-1 오른쪽과 같이 지름이 28 cm인 원 안에 크기가 같은 원 2개를 그렸습니다. 작은 원의 반지름은 몇 cm인지 구해 보세요.

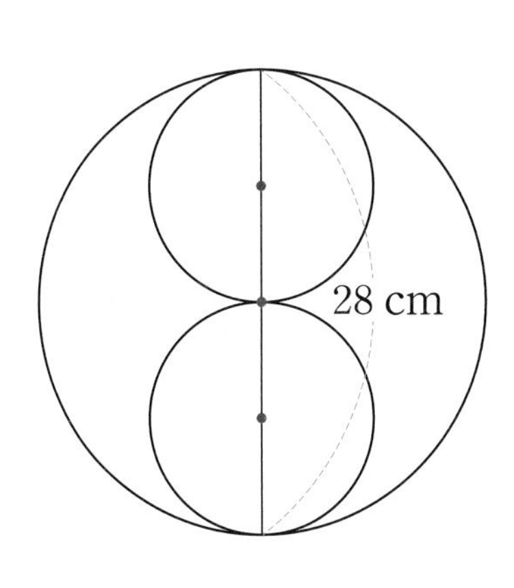

(　　　　　　　　　　)

4-2 오른쪽과 같이 지름이 24 cm인 원 안에 크기가 같은 원 3개를 그렸습니다. 작은 원의 반지름은 몇 cm인지 구해 보세요.

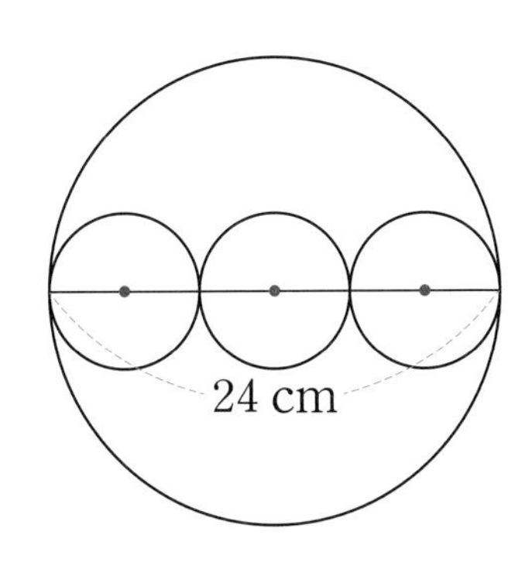

(　　　　　　　　　　)

1주 교과서

정사각형의 네 변의 길이의 합 구하기

5 오른쪽과 같이 정사각형 안에 가장 큰 원을 그렸습니다. 정사각형의 네 변의 길이의 합은 몇 cm인지 구해 보세요.

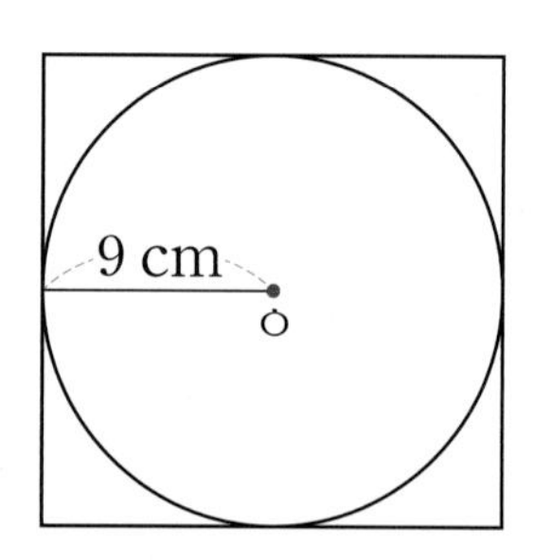

답 ________________

개념 피드백
정사각형은 네 변의 길이가 모두 같은 사각형입니다.
→ (정사각형의 네 변의 길이의 합)=(한 변의 길이)×4

5-1 오른쪽과 같이 정사각형 안에 가장 큰 원을 그렸습니다. 정사각형의 네 변의 길이의 합은 몇 cm인지 구해 보세요.

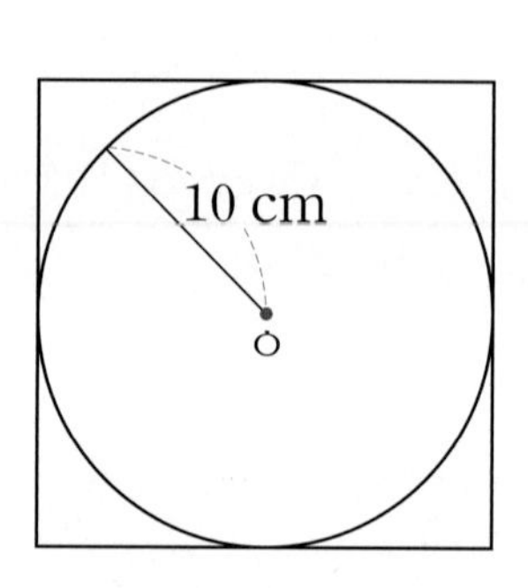

( )

5-2 오른쪽과 같이 정사각형 안에 가장 큰 원을 그렸습니다. 정사각형의 네 변의 길이의 합이 64 cm일 때 원의 반지름은 몇 cm인지 구해 보세요.

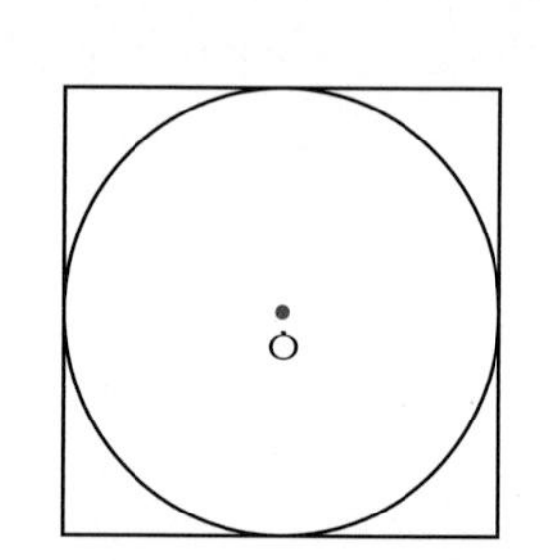

( )

도형을 보고 원의 반지름 구하기

6 점 ㄴ, 점 ㄷ은 크기가 같은 두 원의 중심입니다. 삼각형 ㄱㄴㄷ의 세 변의 길이의 합이 18 cm일 때 원의 반지름은 몇 cm인지 구해 보세요.

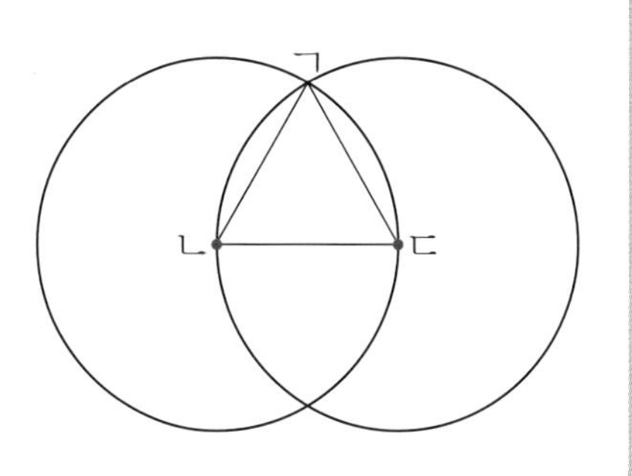

답 ____________________

개념 피드백 변 ㄱㄴ, 변 ㄴㄷ, 변 ㄱㄷ은 원의 중심과 원 위의 한 점을 이은 선분이므로 모두 원의 반지름입니다.

6-1 점 ㄱ, 점 ㄷ은 크기가 같은 두 원의 중심입니다. 삼각형 ㄱㄴㄷ의 세 변의 길이의 합이 24 cm일 때 원의 반지름은 몇 cm인지 구해 보세요.

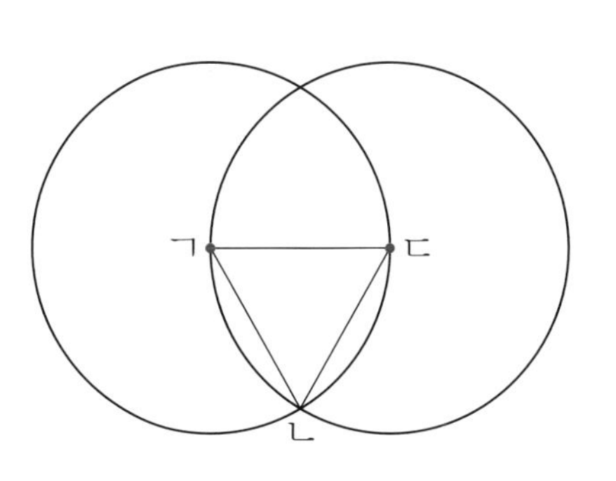

(   )

6-2 점 ㄴ, 점 ㄹ은 크기가 같은 두 원의 중심입니다. 사각형 ㄱㄴㄷㄹ의 네 변의 길이의 합이 28 cm일 때 원의 반지름은 몇 cm인지 구해 보세요.

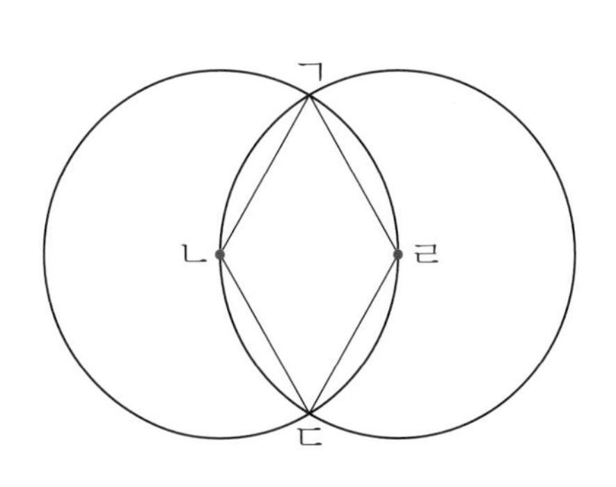

(   )

교과서 서술형 연습

서술형 연습

1 반지름이 3 cm인 원 2개를 오른쪽과 같이 서로 원의 중심을 지나도록 겹쳐서 그렸습니다. 선분 ㄱㄴ의 길이는 몇 cm인지 구해 보세요.

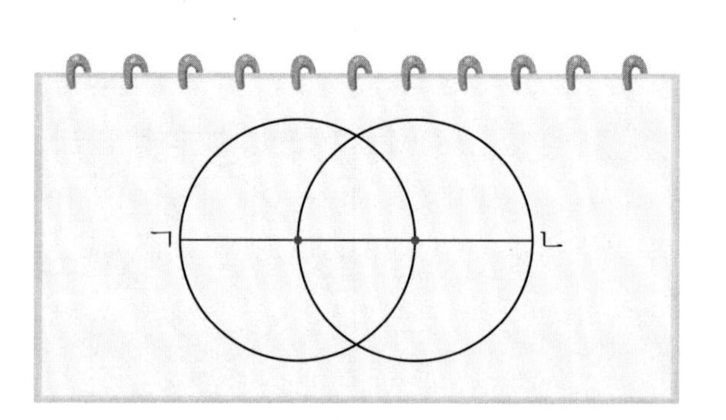

해결하기 선분 ㄱㄴ의 길이는 원의 반지름의 ☐배입니다.

➜ (선분 ㄱㄴ의 길이)=(원의 반지름)×☐

=☐×☐=☐(cm)

답 구하기 ☐

서술형 실전

2 반지름이 5 cm인 원 3개를 오른쪽과 같이 서로 원의 중심을 지나도록 겹쳐서 그렸습니다. 선분 ㄱㄴ의 길이는 몇 cm인지 구해 보세요.

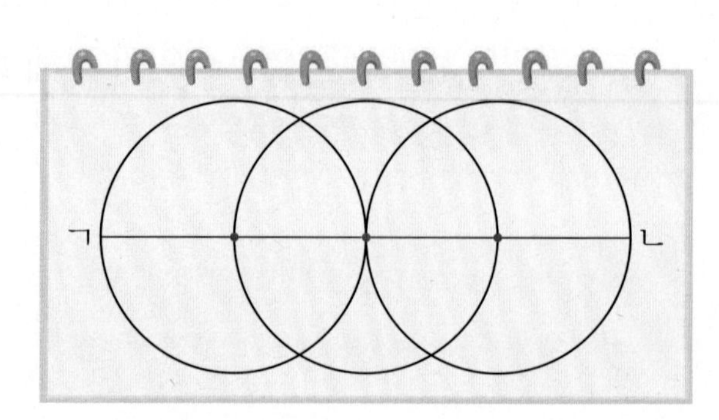

해결하기

답 구하기

서술형 연습

3 지름이 20 cm인 원에 오른쪽과 같이 삼각형을 그려서 색칠하였습니다. 색칠한 삼각형의 세 변의 길이의 합은 몇 cm인지 구해 보세요.

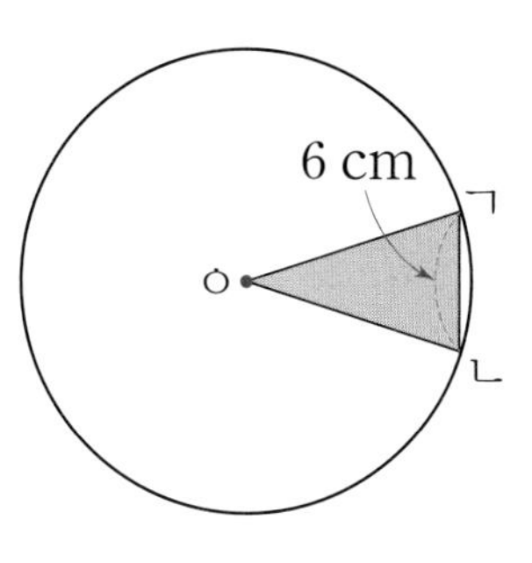
6 cm
ㄱ
ㅇ
ㄴ

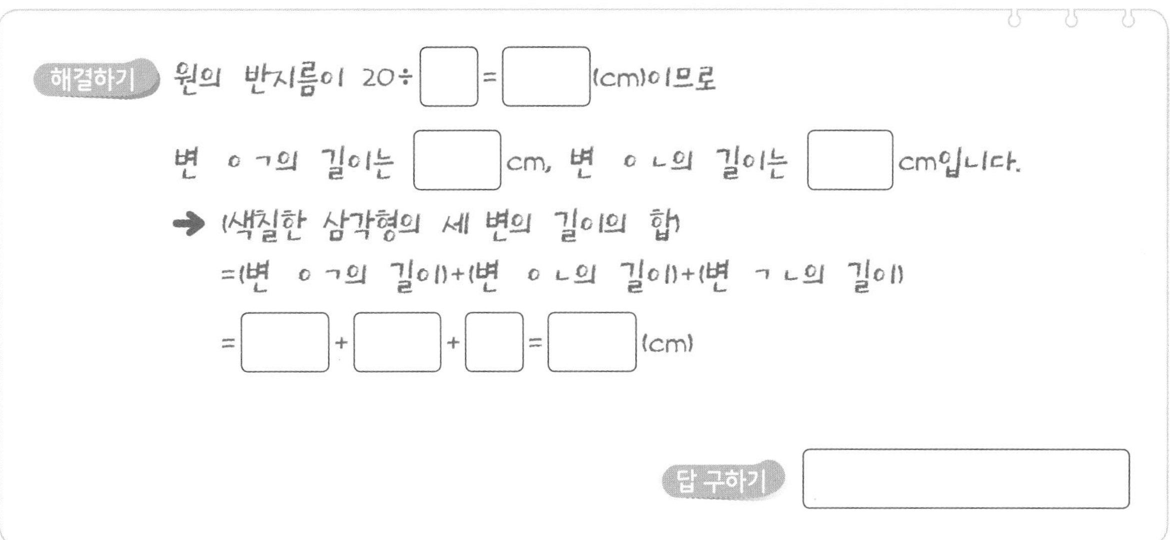
해결하기
원의 반지름이 20÷☐=☐(cm)이므로
변 ㅇㄱ의 길이는 ☐cm, 변 ㅇㄴ의 길이는 ☐cm입니다.
➔ (색칠한 삼각형의 세 변의 길이의 합)
=(변 ㅇㄱ의 길이)+(변 ㅇㄴ의 길이)+(변 ㄱㄴ의 길이)
=☐+☐+☐=☐(cm)
답 구하기

서술형 실전

4 지름이 14 cm인 원에 오른쪽과 같이 삼각형을 그려서 색칠하였습니다. 색칠한 삼각형의 세 변의 길이의 합은 몇 cm인지 구해 보세요.

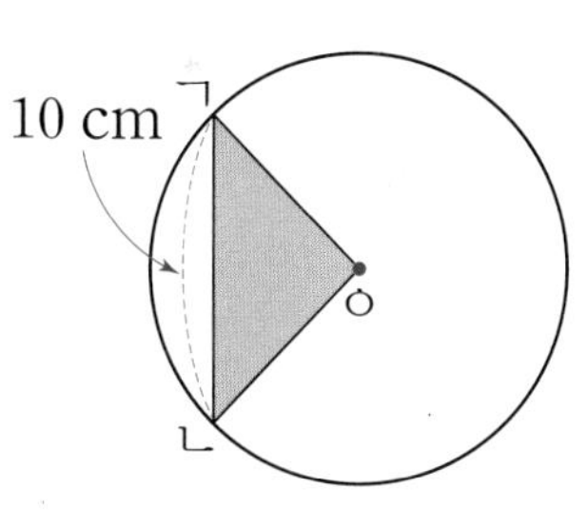
10 cm
ㄱ
ㅇ
ㄴ

해결하기

답 구하기

1주 교과서

PLAY 사고력 개념 스토리 | 띠 종이로 원 그리기

준비물 붙임딱지

띠 종이의 점 ○에 누름 못을 꽂아 고정한 후 구멍에 연필을 넣어 원을 그리려고 합니다. 주어진 원을 그리기 위해서는 연필을 어느 구멍에 넣어야 하는지 연필 붙임딱지를 붙여 보세요. 또, 그 원의 지름의 길이를 알아보세요. (단, 띠 종이에 1 cm 간격으로 구멍이 뚫려 있습니다.)

1 cm

가장 큰 원

지름: □ cm

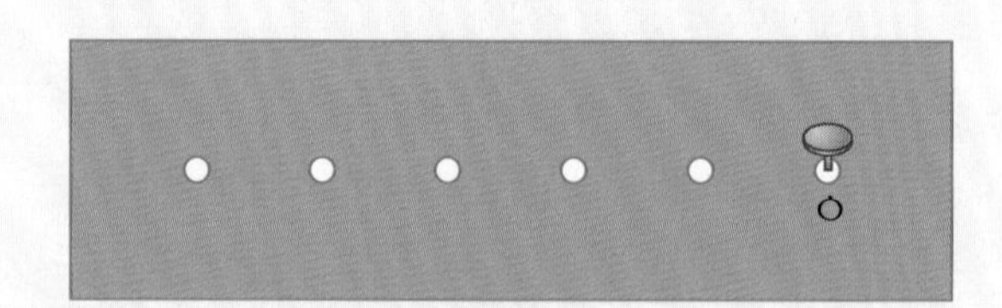

가장 큰 원

지름: □ cm

가장 작은 원

지름: □ cm

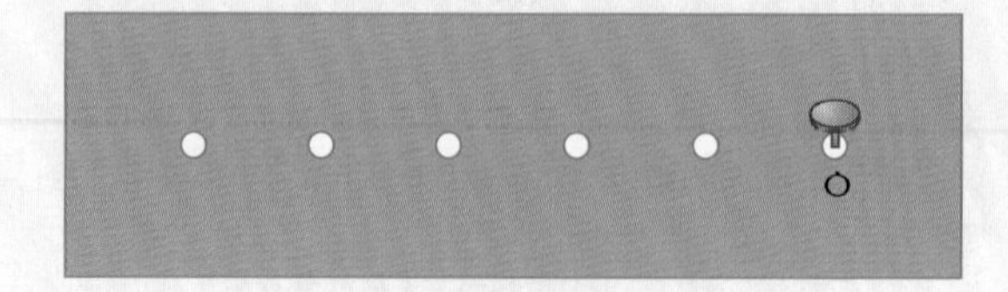

가장 작은 원

지름: □ cm

두 번째로 큰 원

지름: □ cm

두 번째로 작은 원

지름: □ cm

나의 비법 노트

2 주
사고력

가장 큰 원

지름: ☐ cm

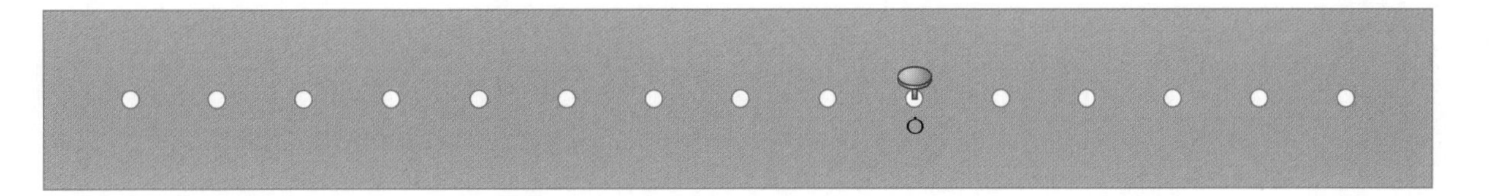

세 번째로 큰 원

지름: ☐ cm

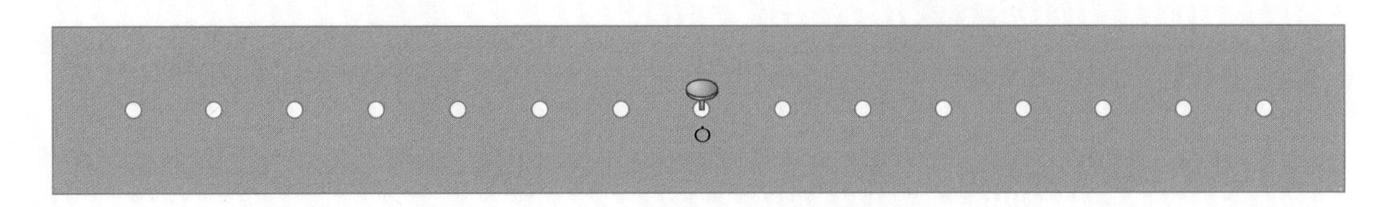

두 번째로 큰 원

지름: ☐ cm

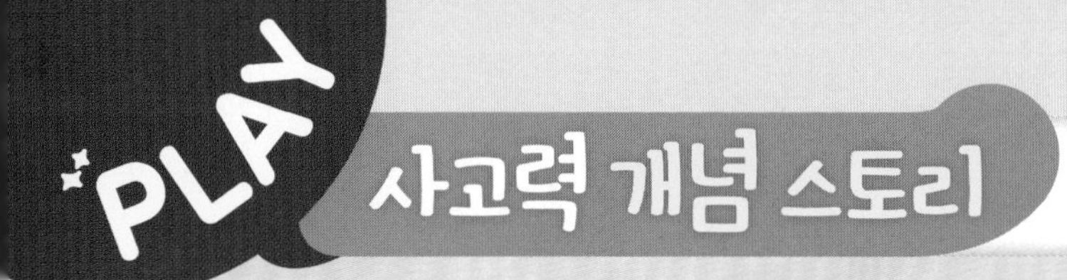

마을 지도 완성하기

준비물 붙임딱지

준수네 마을 지도를 나타낸 그림입니다. 게시판에 적힌 글을 보고 알맞은 건물을 붙여 보세요.

- 학교, 도서관, 문구점, 우체국, 병원, 마트가 원 위에 위치해 있고 원의 중심의 자리에 분수대가 있습니다.
- 두 건물 사이의 거리는 두 곳을 이은 선분의 길이와 같습니다.
- 병원에서 가장 먼 곳에 문구점이 있습니다.
- 우체국에서 가장 먼 곳에 도서관이 있습니다.
- 도서관 옆에 학교가 있고, 문구점 옆에 마트가 있습니다.

준비물 붙임딱지

학교, 주민센터, 경찰서, 수영장, 영화관, 미술관, 기차역 붙임딱지를 붙여 보고 □ 안에 알맞은 건물을 써넣으세요.

- 원의 중심의 자리에 □ 이/가 있습니다.
- □ 에서 가장 먼 곳에 □ 이/가 있습니다.
- □ 에서 가장 먼 곳에 □ 이/가 있습니다.
- □ 옆에 □ 이/가 있고
  □ 옆에 □ 이/가 있습니다.

1단계 교과 사고력 잡기

1 **눈을 굴려 반지름이 20 cm인 얼굴과 반지름이 28 cm인 몸통을 붙여 눈사람을 만들었습니다. 이 눈사람의 전체 높이는 몇 cm인지 구해 보세요. (단, 눈사람의 얼굴과 몸통을 원 모양으로 생각하고 겹치는 부분은 없습니다.)**

① 눈사람 얼굴의 지름은 몇 cm일까요?

( )

② 눈사람 몸통의 지름은 몇 cm일까요?

( )

③ 눈사람의 전체 높이는 몇 cm일까요?

( )

2

지름이 80 cm인 굴렁쇠를 다음과 같이 굴렸습니다. 굴렁쇠의 중심이 이동한 거리는 몇 cm인지 구해 보세요.

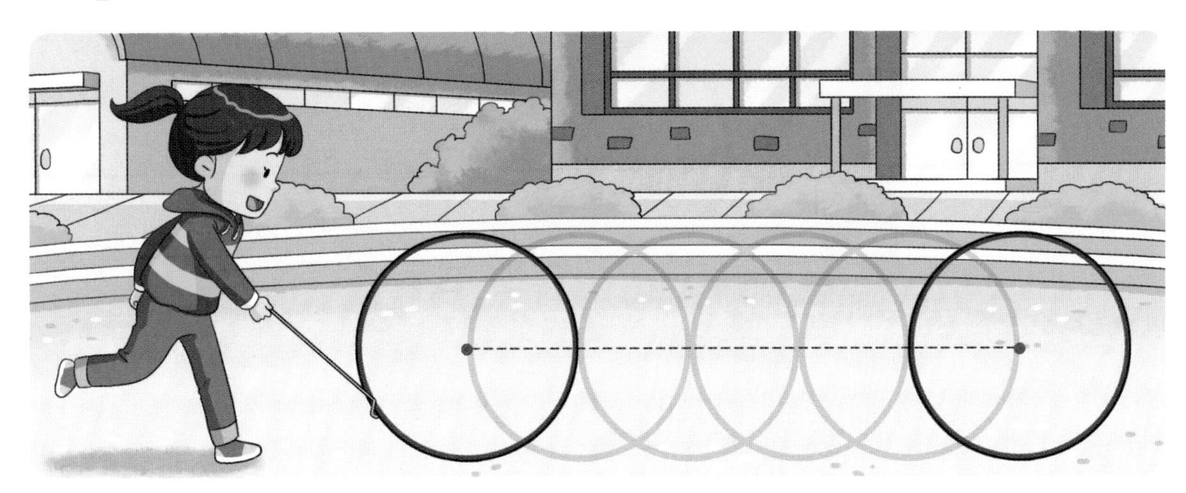

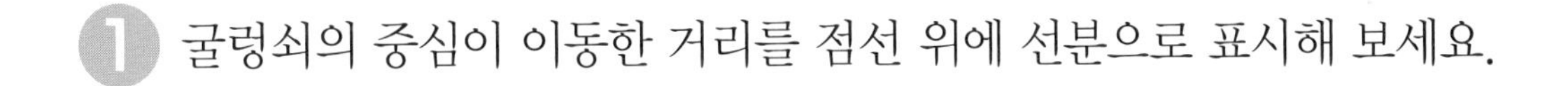

① 굴렁쇠의 중심이 이동한 거리를 점선 위에 선분으로 표시해 보세요.

② 굴렁쇠의 반지름은 몇 cm일까요?

(　　　　　　　　)

③ 굴렁쇠의 중심이 이동한 거리는 굴렁쇠 반지름의 몇 배일까요?

(　　　　　　　　)

④ 굴렁쇠의 중심이 이동한 거리는 몇 cm일까요?

(　　　　　　　　)

3 **지름이 각각 60 cm, 80 cm인 원 모양 훌라후프를 그림과 같이 겹쳐 놓았습니다. 선분 ㄱㄴ의 길이는 몇 cm인지 구해 보세요. (단, 점 ㄱ과 점 ㄴ은 각 원의 중심입니다.)**

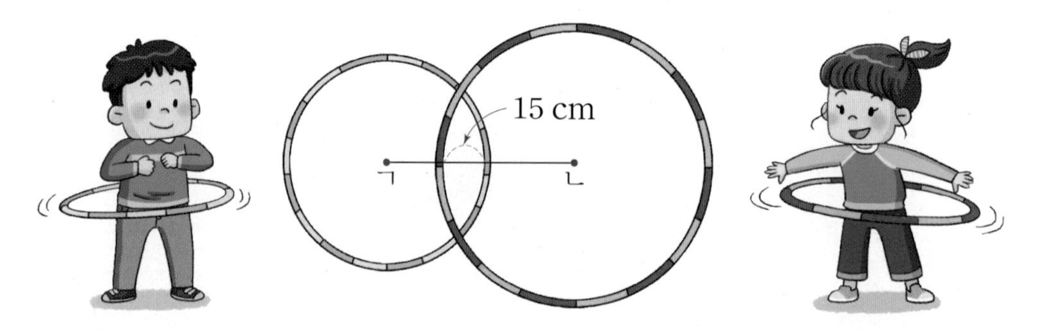

1 작은 훌라후프의 반지름은 몇 cm일까요?

( )

2 큰 훌라후프의 반지름은 몇 cm일까요?

( )

3 □ 안에 알맞은 수를 써넣으세요.

(선분 ㄱㄴ의 길이)
=(작은 훌라후프의 반지름)+(큰 훌라후프의 반지름)−□

4 선분 ㄱㄴ의 길이는 몇 cm일까요?

( )

4 **컴퍼스를 이용하여 다음과 같은 모양을 그려 보세요.**

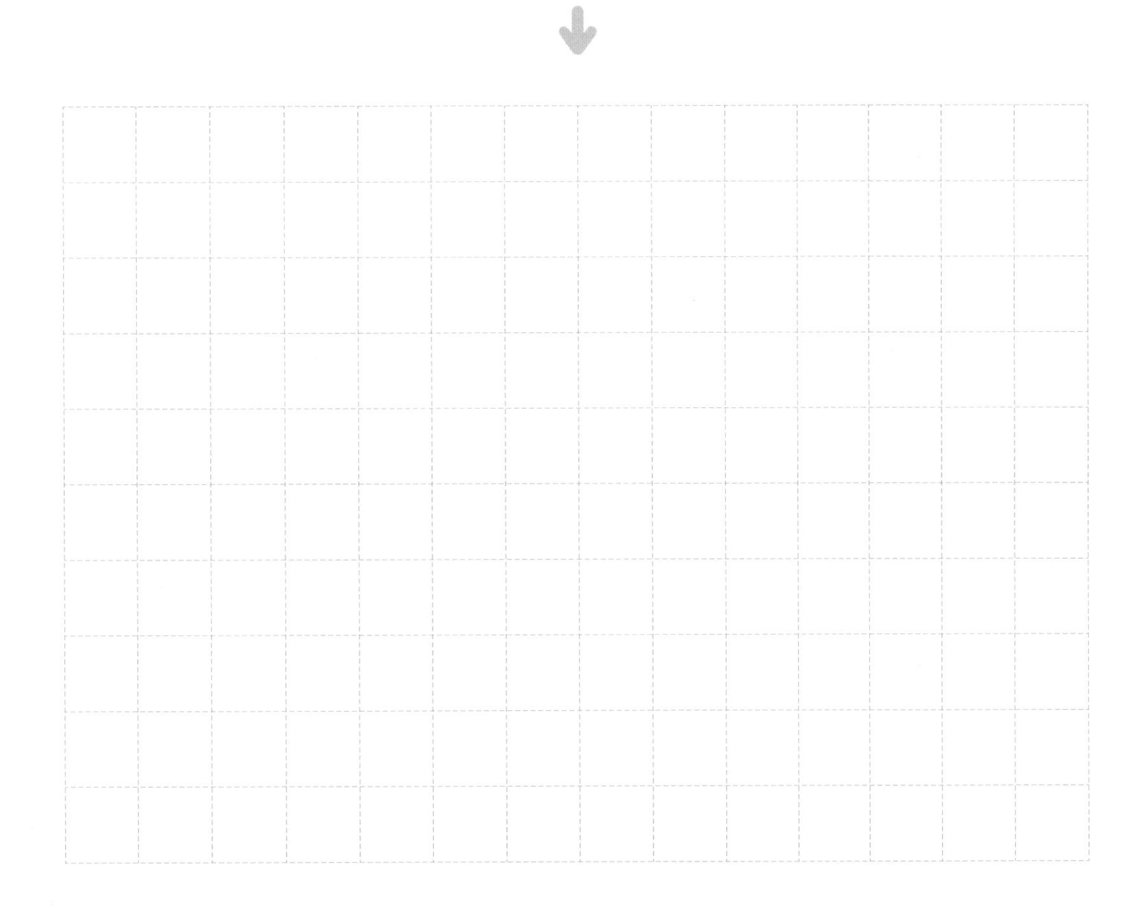

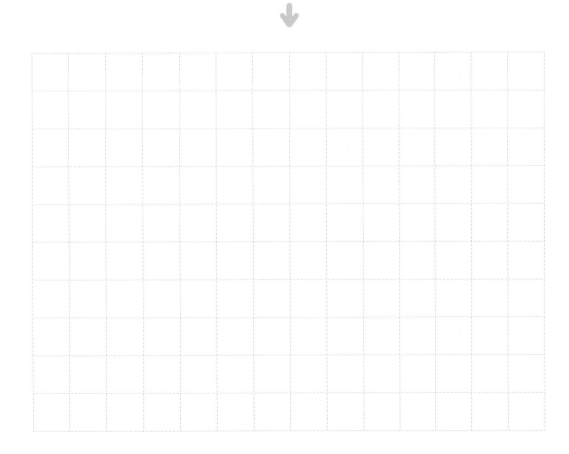

2 단계 교과 사고력 확장

1 **친구들이 미술 시간에 원을 이용해서 그린 모양입니다. 이용한 원의 중심이 가장 많은 모양을 그린 친구는 누구인지 알아보세요.**

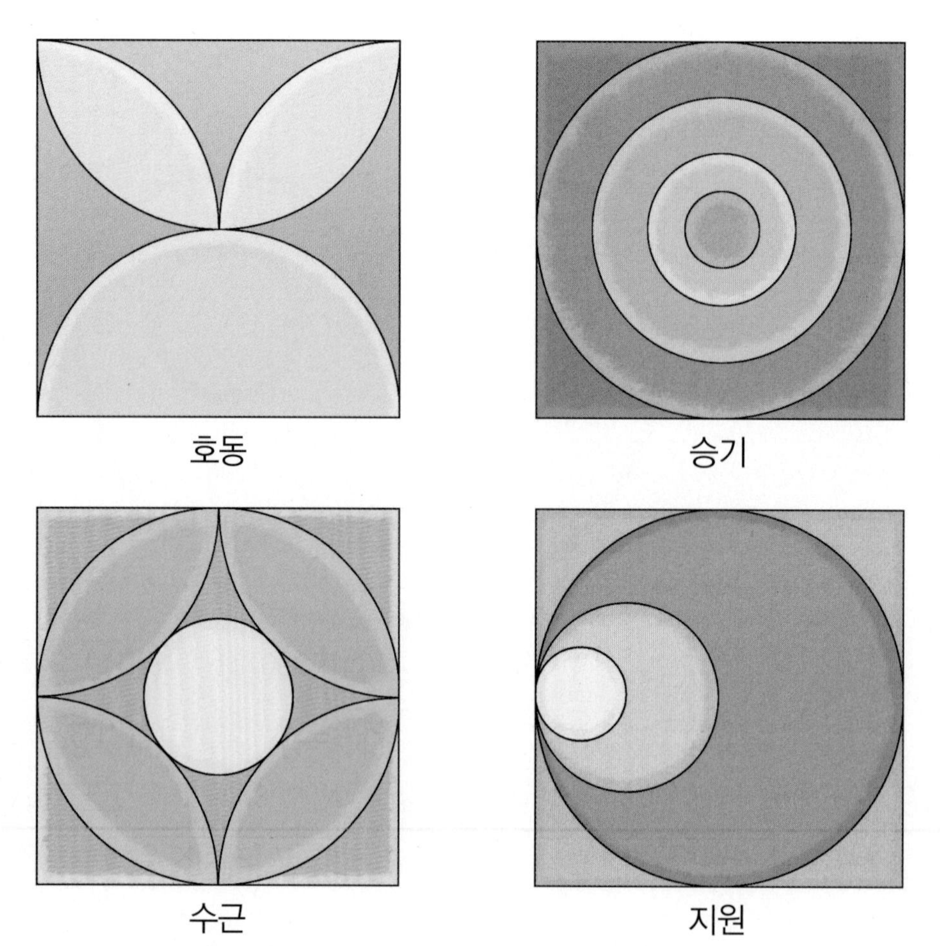

① 친구들이 이용한 원의 중심의 개수를 각각 구해 보세요.

호동 ( ), 승기 ( ),
수근 ( ), 지원 ( )

② 이용한 원의 중심이 가장 많은 모양을 그린 친구는 누구일까요?

( )

2

혜미가 그린 버스 그림입니다. 버스 바퀴의 반지름은 몇 cm인지 구해 보세요. (단, 두 바퀴는 크기가 같은 원 모양입니다.)

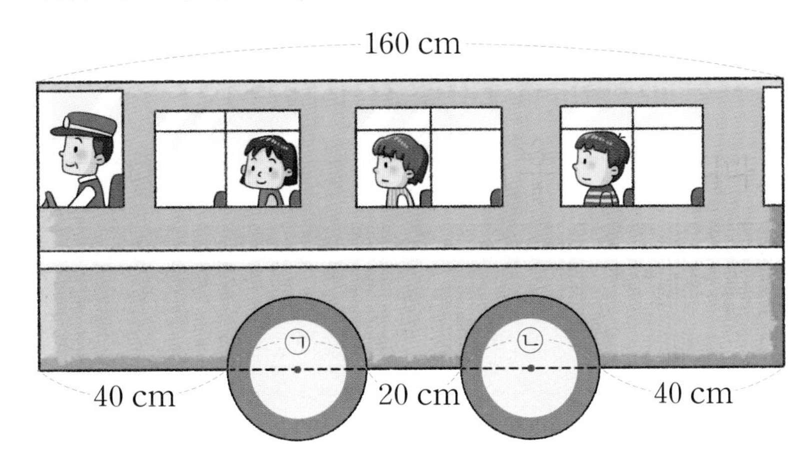

1 ㉠과 ㉡의 길이의 합은 몇 cm일까요?

( )

2 버스 바퀴의 지름은 몇 cm일까요?

( )

3 버스 바퀴의 반지름은 몇 cm일까요?

( )

3

다음과 같이 병원, 우체국, 학교, 시청, 수영장이 원 위에 있습니다. 거리가 가장 먼 두 장소는 어디와 어디인지 구해 보세요. (단, 두 장소 사이의 거리는 두 곳을 이은 선분의 길이와 같습니다.)

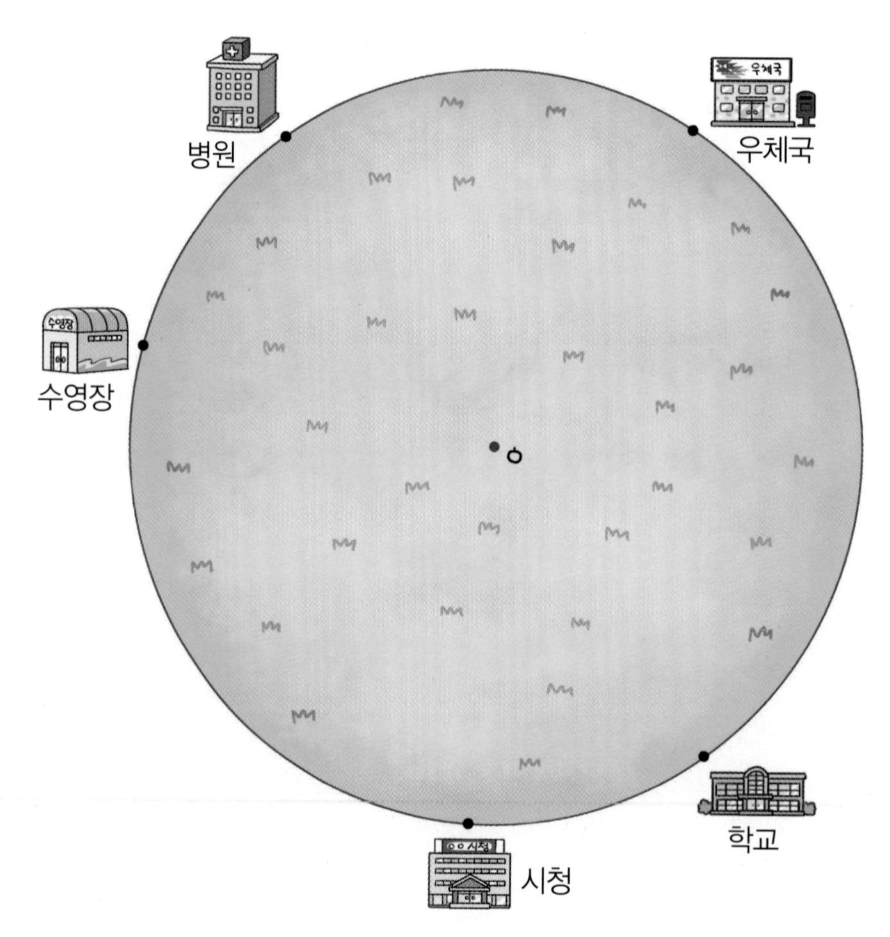

❶ 두 장소끼리 선분으로 모두 이어 보세요.

❷ 거리가 가장 먼 두 장소는 어디와 어디인지 써 보세요.

(,)

❸ ❷와 같이 생각한 이유를 완성해 보세요.

원 안에 그을 수 있는 가장 긴 선분은 원의 [ ]을/를 지나는 선분입니다.
따라서 가장 긴 선분은 [ ]와/과 [ ]을/를 이은 선분입니다.

4

100원짜리 동전의 지름은 24 mm이고 10원짜리 동전의 지름은 18 mm입니다. 맞닿은 세 동전의 중심을 이어서 그린 삼각형 ㄱㄴㄷ의 세 변의 길이의 합은 몇 mm인지 구해 보세요.

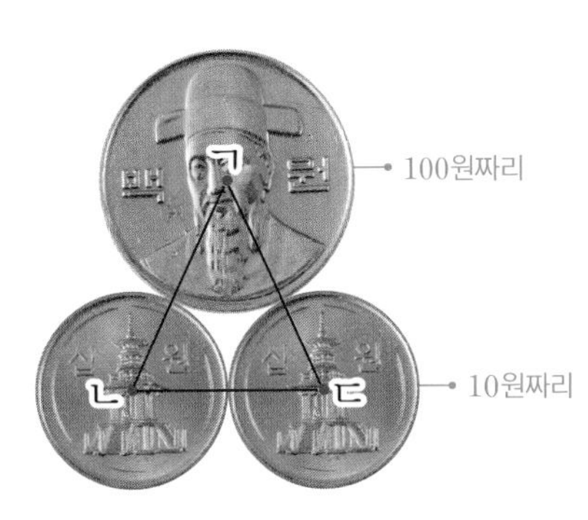

❶ 변 ㄱㄴ의 길이는 몇 mm일까요?

( )

❷ 변 ㄴㄷ의 길이는 몇 mm일까요?

( )

❸ 변 ㄱㄷ의 길이는 몇 mm일까요?

( )

❹ 삼각형 ㄱㄴㄷ의 세 변의 길이의 합은 몇 mm일까요?

( )

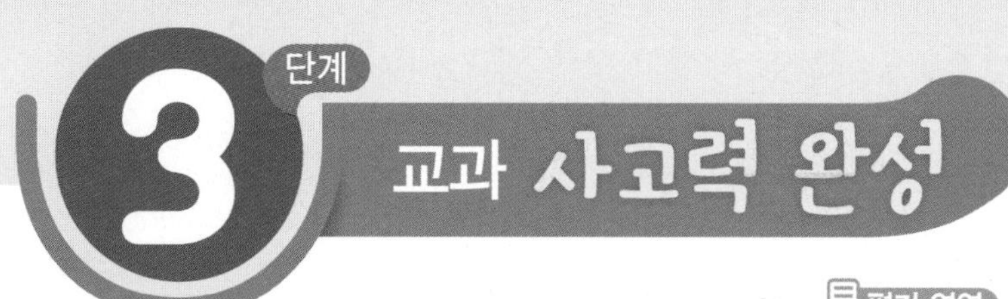

평가 영역 ☑개념 이해력 □개념 응용력 □창의력 □문제 해결력

1 원을 이용하여 다음 모양과 똑같이 그려 보세요.

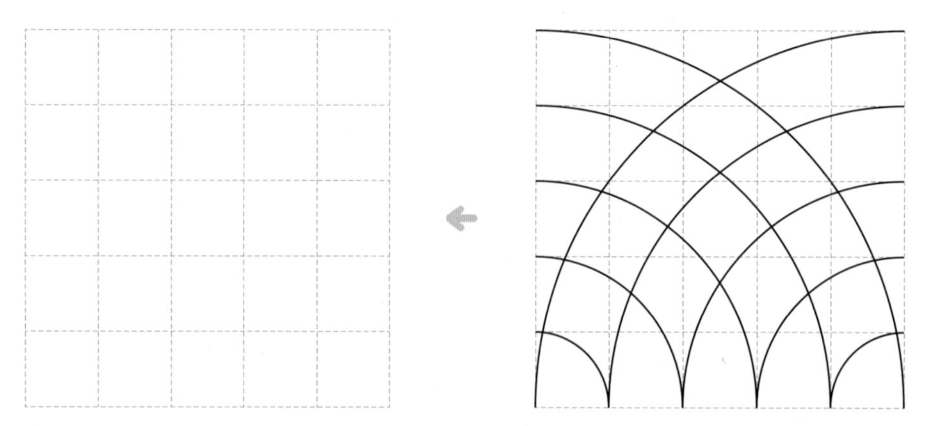

평가 영역 □개념 이해력 ☑개념 응용력 □창의력 □문제 해결력

2 직사각형 안에 다음과 같이 원의 일부분을 그렸습니다. 선분 ㄱㅁ의 길이는 몇 cm인지 구해 보세요.

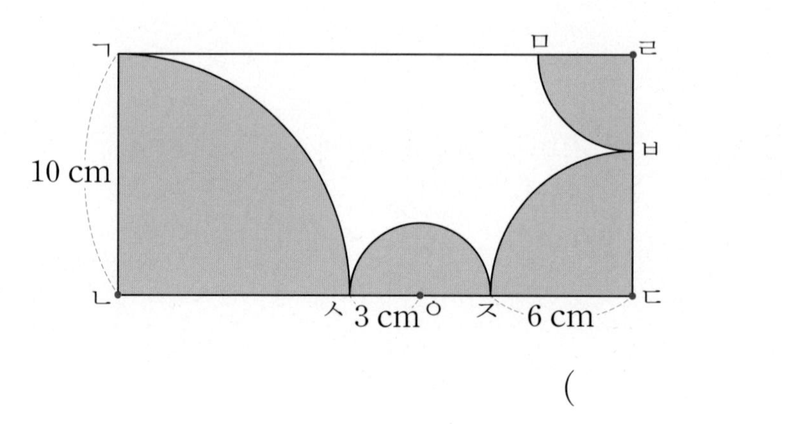

( )

평가 영역 □개념 이해력 □개념 응용력 □창의력 ☑문제 해결력

3

그림과 같이 지름이 6 cm인 원 모양 마카롱의 중심을 이어 삼각형을 만들어 가고 있습니다. 네 번째 삼각형의 세 변의 길이의 합은 몇 cm인지 구해 보세요.

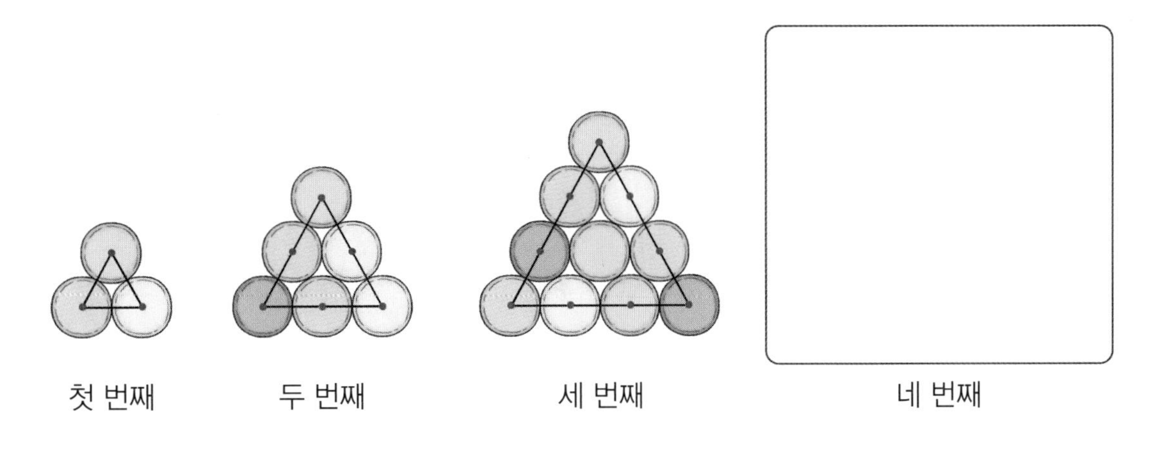

① 각 삼각형의 세 변의 길이는 모두 같을까요, 다를까요?

(　　　　　　　　)

② 네 번째 삼각형의 한 변의 길이는 몇 cm일까요?

(　　　　　　　　)

③ 네 번째 삼각형의 세 변의 길이의 합은 몇 cm일까요?

(　　　　　　　　)

1 점 ㅇ은 원의 중심입니다. 원의 반지름을 나타내는 선분을 찾아 써 보세요.

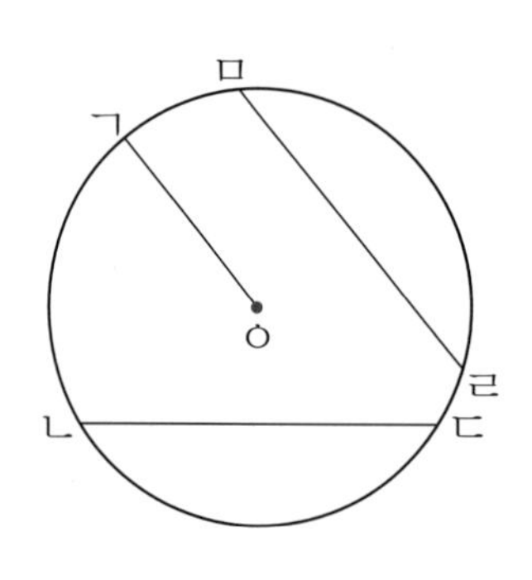

( )

2 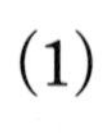 안에 알맞은 수를 써넣으세요.

(1)

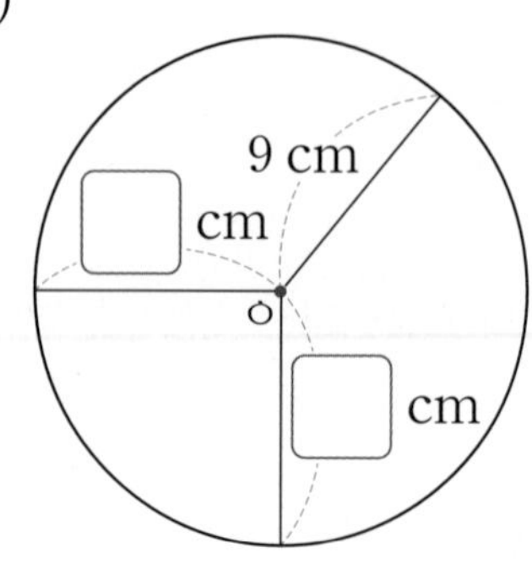

(2)

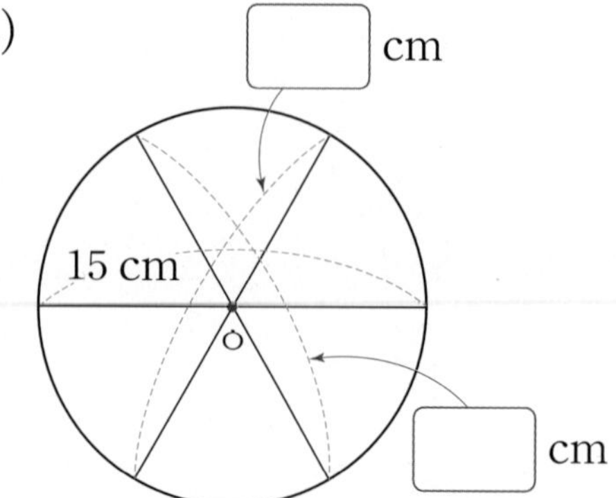

3 원에 지름을 3개 그어 보세요.

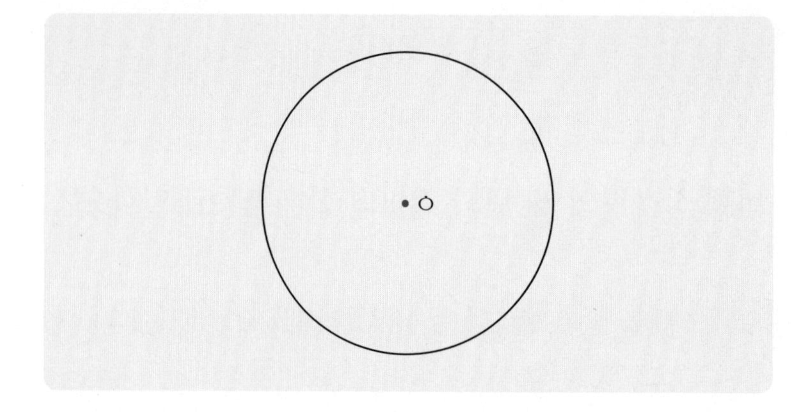

4 컴퍼스를 다음과 같이 벌려서 그린 원의 지름은 몇 cm인지 구해 보세요.

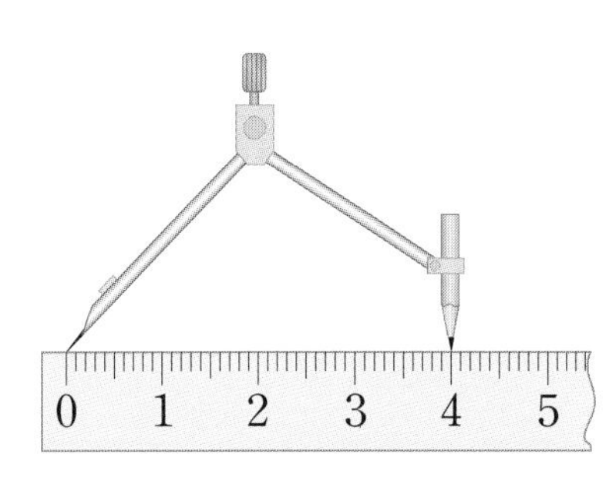

( )

5 컴퍼스를 이용하여 반지름이 2 cm인 원을 그려 보세요.

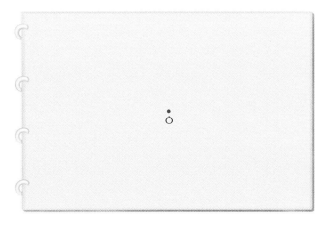

6 주어진 모양을 그리기 위하여 컴퍼스의 침을 꽂아야 할 곳에 모두 •으로 표시해 보세요.

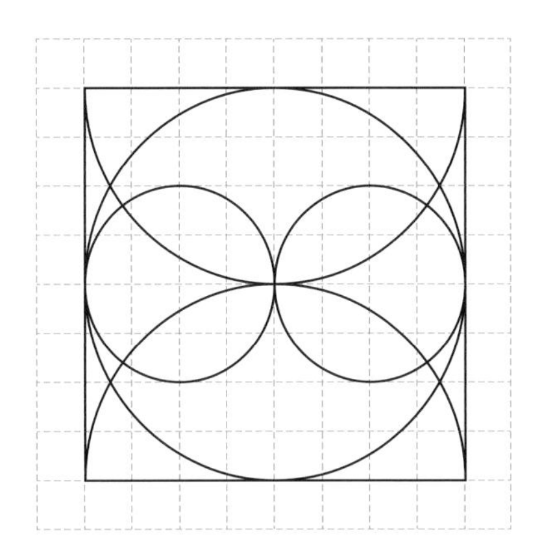

7 주어진 모양과 똑같이 그려 보세요.

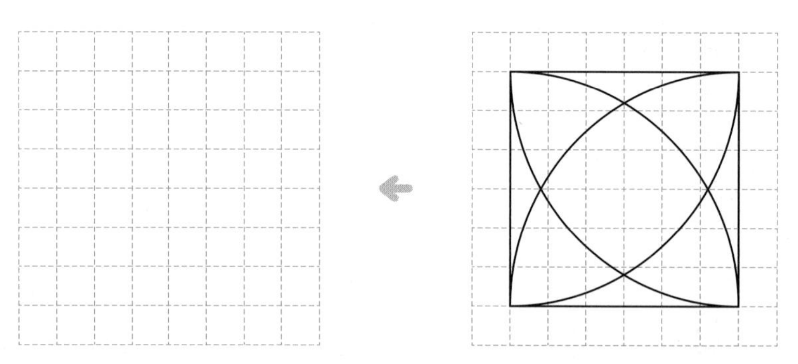

8 크기가 같은 원끼리 선으로 이어 보세요.

반지름이 7 cm인 원 •	• 지름이 18 cm인 원
반지름이 8 cm인 원 •	• 지름이 16 cm인 원
반지름이 9 cm인 원 •	• 지름이 14 cm인 원

9 점 ㄴ, 점 ㄷ은 각 원의 중심입니다. 삼각형 ㄱㄴㄷ의 세 변의 길이의 합은 몇 cm인지 구해 보세요.

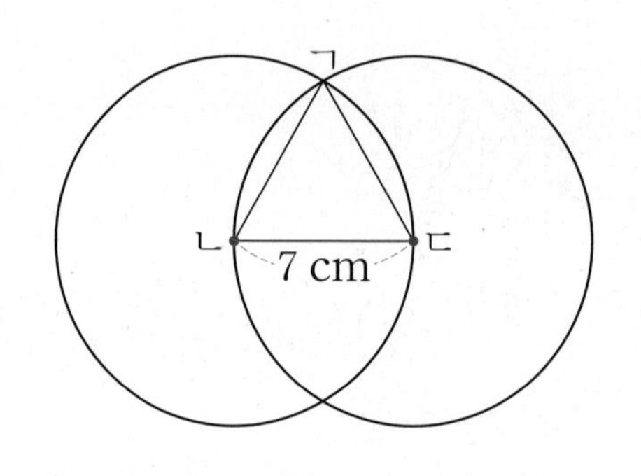

(   )

10 오른쪽과 같이 지름이 48 cm인 원 안에 크기가 같은 원 3개를 그렸습니다. 작은 원의 반지름은 몇 cm인지 구해 보세요.

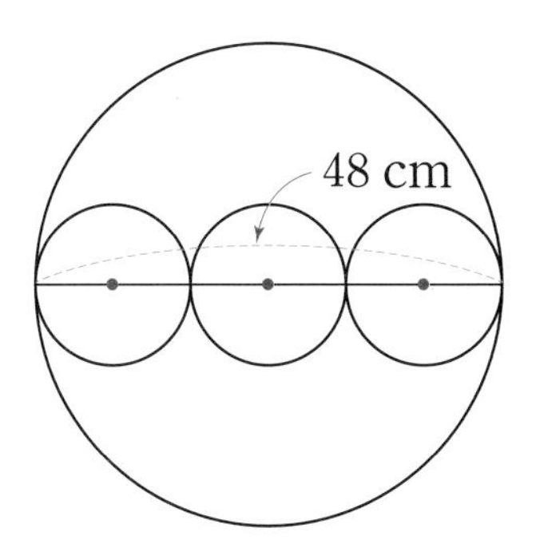

( )

2주 평가

11 점 ㄱ, 점 ㄴ은 각 원의 중심입니다. 큰 원의 지름이 16 cm일 때 작은 원의 반지름은 몇 cm인지 구해 보세요.

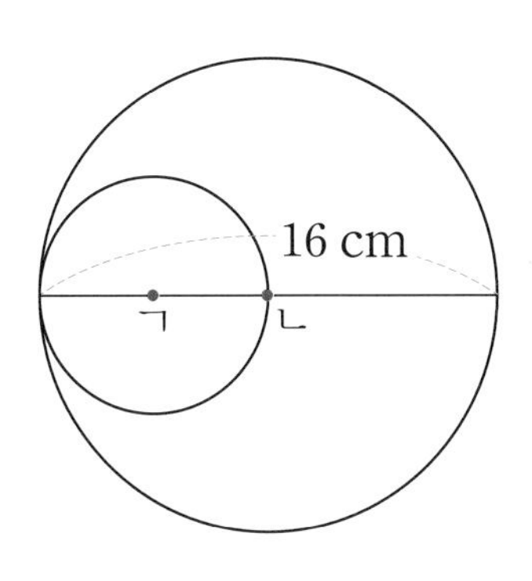

( )

12 직사각형 모양의 상자에 반지름이 5 cm인 원 모양의 쿠키 3개가 들어 있습니다. 상자의 네 변의 길이의 합은 몇 cm인지 구해 보세요.

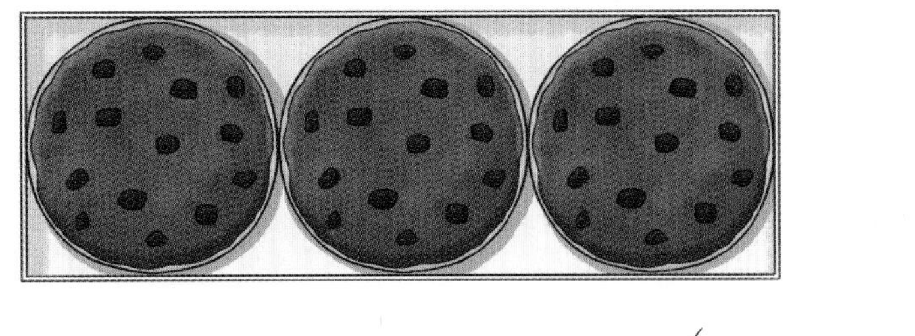

( )

13

다음 중 가장 큰 원을 찾아 기호를 써 보세요.

㉠ 반지름이 7 cm인 원
㉡ 지름이 19 cm인 원
㉢ 반지름이 9 cm인 원
㉣ 지름이 20 cm인 원

( )

14

10원짜리 동전의 지름은 18 mm이고 100원짜리 동전의 지름은 24 mm입니다. 맞닿은 네 동전의 중심을 이어서 그린 사각형 ㄱㄴㄷㄹ의 네 변의 길이의 합은 몇 mm인지 구해 보세요.

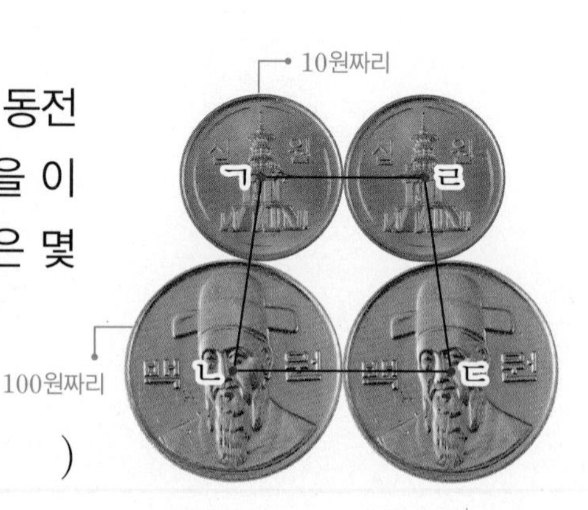

( )

15

직사각형 안에 다음과 같이 원의 일부분을 그렸습니다. 선분 ㄱㅅ의 길이는 몇 cm인지 구해 보세요.

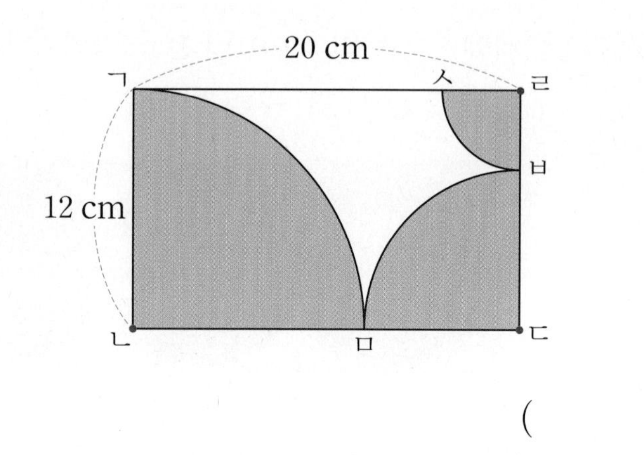

( )

특강 창의·융합 사고력

정답과 풀이 p.12

1 그림과 같이 동욱이네 집과 약국은 각 원의 중심에 있고, 도서관과 마트는 각각 두 원이 만나는 곳에 있습니다. 동욱이가 집에서 출발하여 도서관에 가서 책을 빌리고, 약국에 들러 약을 산 다음, 마트에서 간식을 산 후 집으로 돌아왔습니다. 동욱이가 움직인 거리는 모두 몇 km인지 구해 보세요. (단, 동욱이는 주어진 선분을 따라 움직였습니다.)

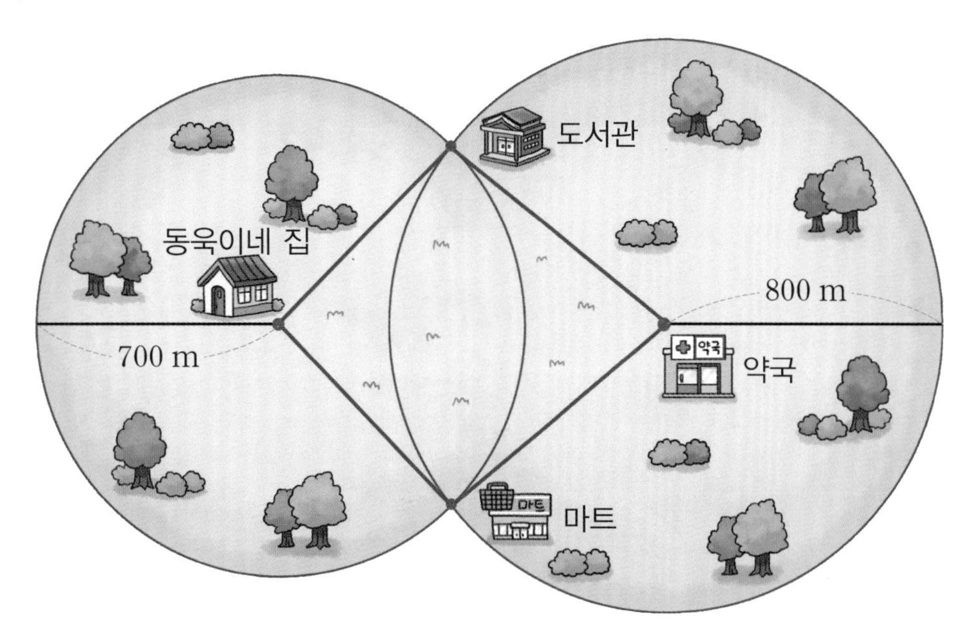

(1) 동욱이가 움직인 거리를 각각 알아보세요.

집부터 도서관까지의 거리 (　　　　　　)

도서관부터 약국까지의 거리 (　　　　　　)

약국부터 마트까지의 거리 (　　　　　　)

마트부터 집까지의 거리 (　　　　　　)

(2) 동욱이가 움직인 거리는 모두 몇 km인지 구해 보세요.

(　　　　　　)

4 분수

단원과 관련된
분수 이야기를
살펴보아요.

분수 이야기

분수가 정확히 언제 생겼는지는 알 수 없지만 고대 이집트나 고대 중국의 기록에 분수가 등장하는 것을 보면 매우 오래 되었다는 것을 알 수 있습니다. 분수가 생겨나게 된 이유는 아마도 문명의 발달로 인한 배분, 즉 똑같이 나누어 갖는 문제를 해결하기 위한 것으로 추측하고 있습니다.

어느 날 많은 재산을 가지고 있던 부자가 아들 삼 형제에게 땅을 나누어 주기 위해 불렀습니다. 이 땅을 삼 형제에게 똑같이 나누어 주는 방법을 알아보세요.

셋이 똑같이
나누어 가지렴.

예

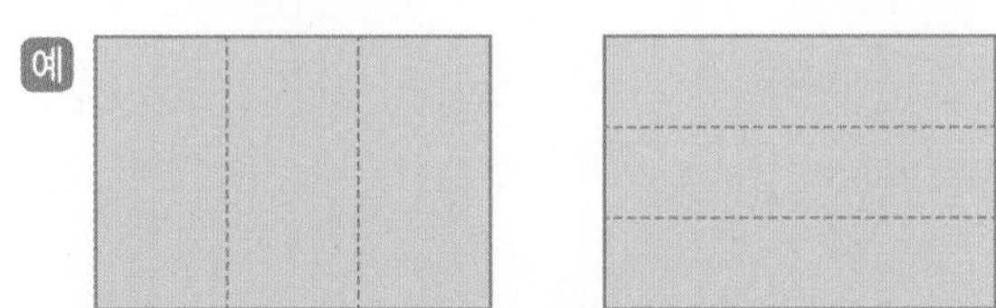

 접시 위에 있는 떡을 세 명이 똑같이 나누어 먹을 수 있게 ◯로 묶어 보세요.

 주어진 도형을 똑같이 세 부분으로 나누어 보세요.

(1)

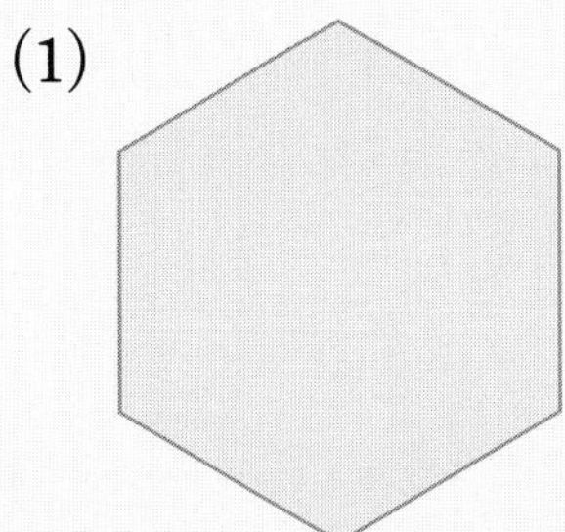

(2)

(3)

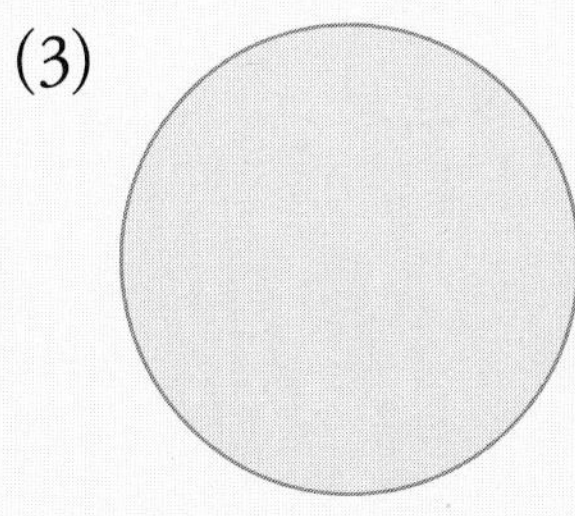

(4)

1단계 교과서 개념 잡기

개념 1 분수로 나타내기

• 사과 8개를 똑같이 2부분으로 나누기

부분  은 전체 를 똑같이 2부분으로 나눈 것 중의 1부분입니다.

• 부분은 전체의 얼마인지 분수로 나타내기

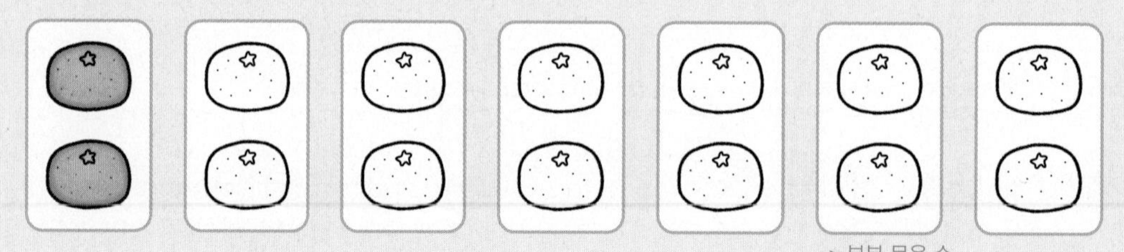

→ 색칠한 부분은 7 묶음 중에서 1 묶음이므로 전체의 $\frac{1}{7}$입니다.

(1 → 부분 묶음 수, 7 → 전체 묶음 수)

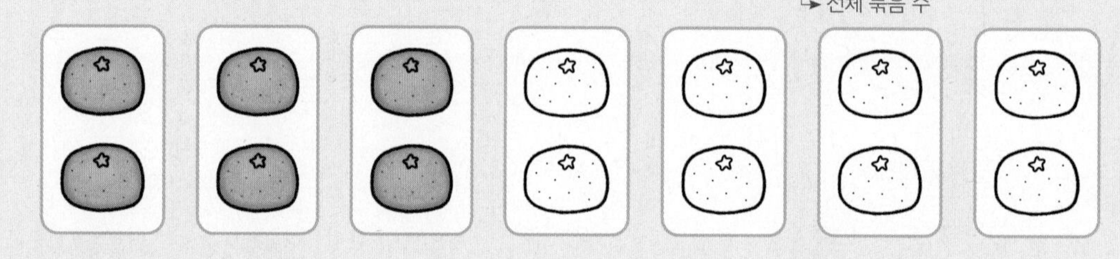

→ 색칠한 부분은 7 묶음 중에서 3 묶음이므로 전체의 $\frac{3}{7}$입니다.

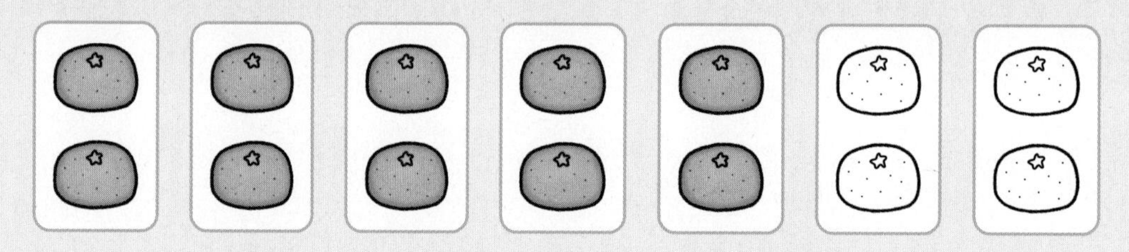

→ 색칠한 부분은 7 묶음 중에서 5 묶음이므로 전체의 $\frac{5}{7}$입니다.

개념 확인 문제

1-1 바둑돌 20개를 똑같이 4부분으로 나누고 □ 안에 알맞은 수를 써넣으세요.

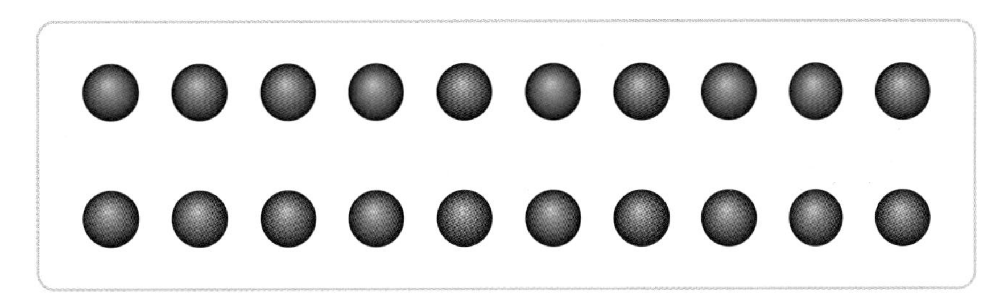

부분 ●●●●● 은 전체를 똑같이 4부분으로 나눈 것 중의 □ 부분입니다.

1-2 색칠한 부분을 분수로 나타내어 보세요.

(1)

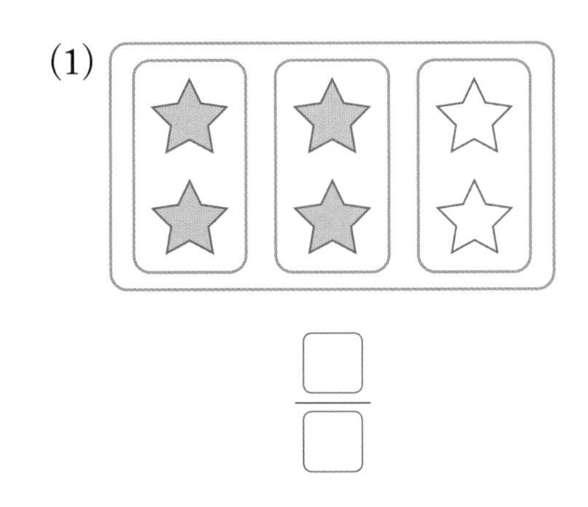

$\frac{\square}{\square}$

(2)

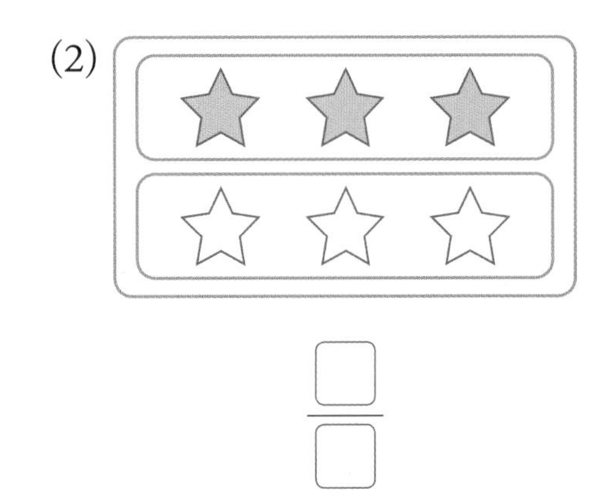

$\frac{\square}{\square}$

1-3 그림을 보고 □ 안에 알맞은 수를 써넣으세요.

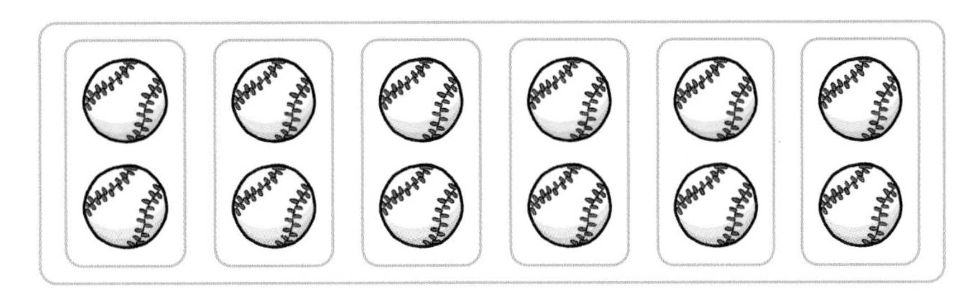

야구공 12개를 2개씩 묶으면 □ 묶음이 됩니다.

8은 12의 $\frac{\square}{\square}$입니다.

개념 2 분수만큼은 얼마인지 알아보기(1)

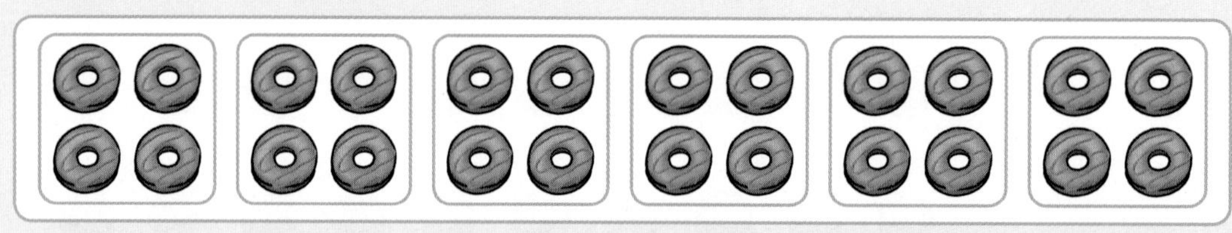

• 도넛 24개를 6묶음으로 똑같이 나누면 1묶음은 전체 묶음의 $\frac{1}{6}$입니다.

➜ 24의 $\frac{1}{6}$은 4입니다.
→ 6묶음 중 1묶음의 수

➜ 24의 $\frac{2}{6}$는 8입니다.
→ 6묶음 중 2묶음의 수

➜ 24의 $\frac{4}{6}$는 16입니다.
→ 6묶음 중 4묶음의 수

개념 3 분수만큼은 얼마인지 알아보기(2)

• 10 cm의 종이띠를 똑같이 5로 나눈 것 중 1칸은 2 cm입니다.

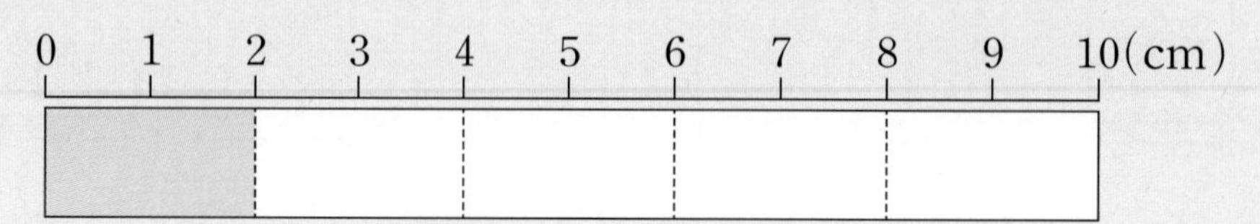

➜ 10 cm의 $\frac{1}{5}$은 2 cm입니다.
→ 5칸 중 1칸의 길이

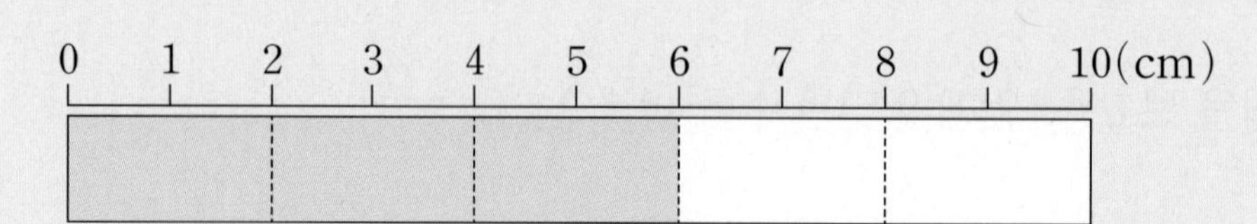

➜ 10 cm의 $\frac{3}{5}$은 6 cm입니다.
→ 5칸 중 3칸의 길이

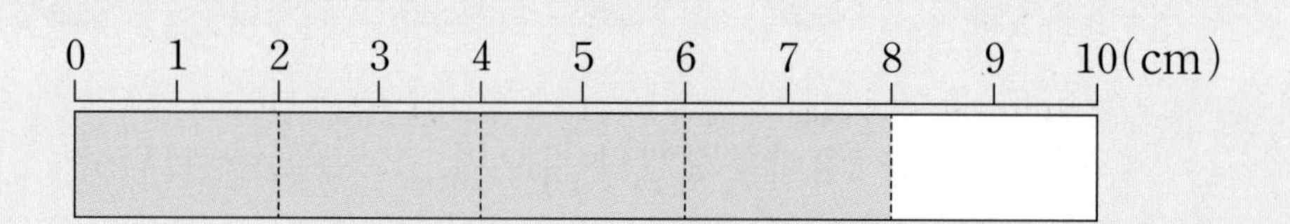

➜ 10 cm의 $\frac{4}{5}$는 8 cm입니다.
→ 5칸 중 4칸의 길이

정답과 풀이 p.14

개념 확인 문제

2-1 그림을 보고 □ 안에 알맞은 수를 써넣으세요.

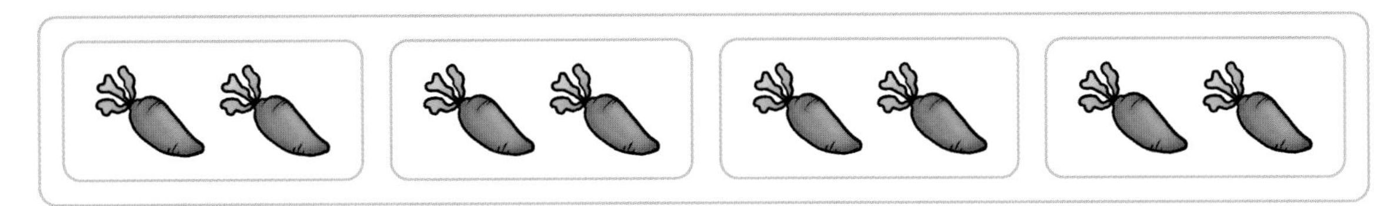

(1) 8의 $\frac{1}{4}$은 □입니다.

(2) 8의 $\frac{3}{4}$은 □입니다.

2-2 그림을 보고 □ 안에 알맞은 수를 써넣으세요.

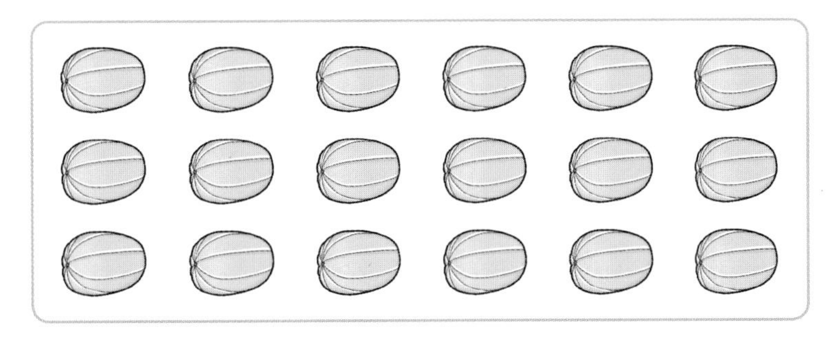

(1) 18의 $\frac{1}{6}$은 □입니다.

(2) 18의 $\frac{2}{3}$는 □입니다.

3 그림을 보고 □ 안에 알맞은 수를 써넣으세요.

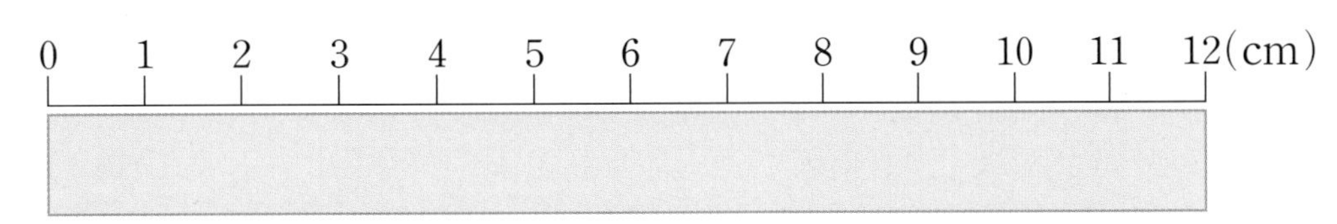

(1) 12 cm의 $\frac{1}{4}$은 □ cm입니다.

(2) 12 cm의 $\frac{5}{6}$는 □ cm입니다.

1단계 교과서 개념 잡기

개념 4 여러 가지 분수 알아보기

• 진분수, 가분수, 자연수 알아보기

진분수: 분자가 분모보다 작은 분수

예 $\frac{1}{2}$, $\frac{2}{3}$, $\frac{3}{5}$, $\frac{3}{4}$, $\frac{2}{6}$

가분수: 분자가 분모와 같거나 분모보다 큰 분수

예 $\frac{5}{5}$, $\frac{7}{3}$, $\frac{20}{11}$, $\frac{9}{4}$

자연수: 1, 2, 3과 같은 수

개념 5 대분수 알아보기

1과 $\frac{1}{3}$은 $1\frac{1}{3}$이라 쓰고 **1과 3분의 1**이라고 읽습니다.

$1\frac{1}{3}$과 같이 **자연수**와 **진분수**로 이루어진 분수를 **대분수**라고 합니다.

개념 6 대분수를 가분수로, 가분수를 대분수로 나타내기

• 대분수를 가분수로 나타내기

예 $2\frac{1}{2}$ ➔ (2와 $\frac{1}{2}$) ➔ ($\frac{4}{2}$와 $\frac{1}{2}$) ➔ $\frac{5}{2}$

• 가분수를 대분수로 나타내기

예 $\frac{7}{4}$ ➔ ($\frac{4}{4}$와 $\frac{3}{4}$) ➔ (1과 $\frac{3}{4}$) ➔ $1\frac{3}{4}$

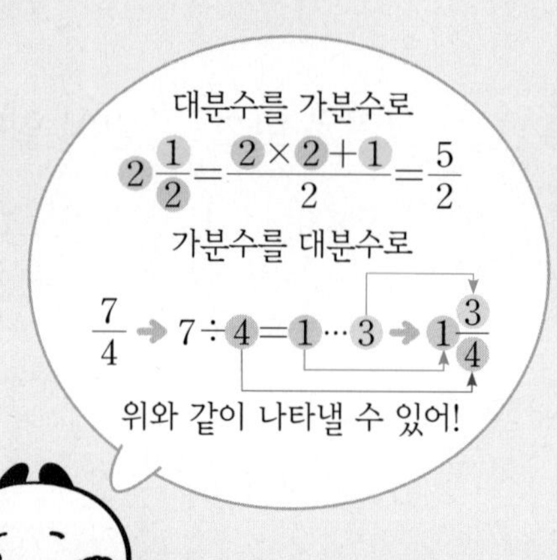

대분수를 가분수로
$2\frac{1}{2}=\frac{2\times2+1}{2}=\frac{5}{2}$
가분수를 대분수로
$\frac{7}{4}$ ➔ $7\div4=1\cdots3$ ➔ $1\frac{3}{4}$
위와 같이 나타낼 수 있어!

개념 확인 문제

4-1 □ 안에 알맞은 수를 써넣으세요.

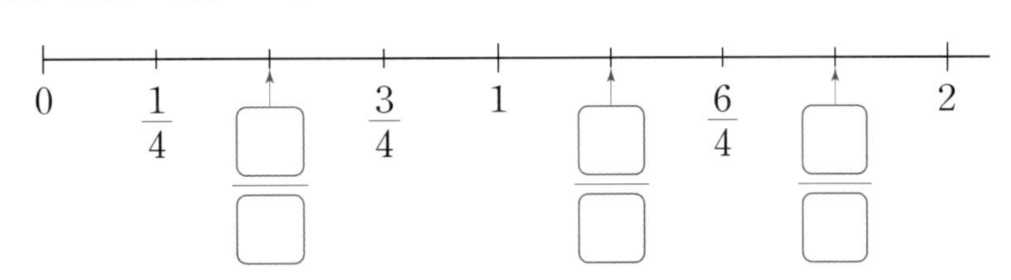

4-2 진분수는 ○표, 가분수는 △표 하세요.

(1) $\frac{8}{3}$ (　　　　)　　(2) $\frac{2}{5}$ (　　　　)

(3) $\frac{6}{7}$ (　　　　)　　(4) $\frac{10}{10}$ (　　　　)

5 그림을 보고 색칠한 부분을 대분수로 나타내어 보고 읽어 보세요.

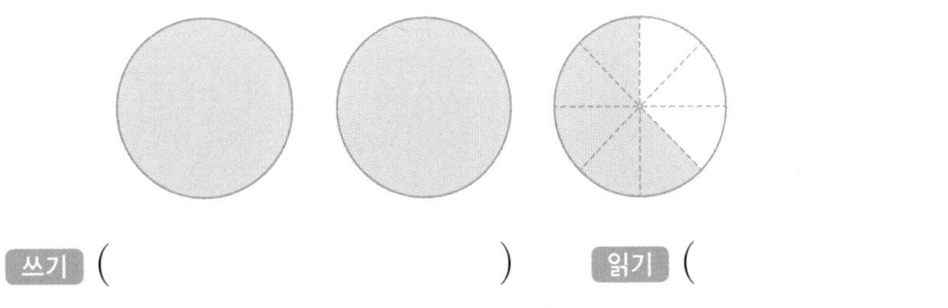

쓰기 (　　　　　　　　)　읽기 (　　　　　　　　)

6 대분수는 가분수로, 가분수는 대분수로 나타내어 보세요.

(1) $2\frac{1}{7}$　　(2) $\frac{9}{2}$

(3) $1\frac{3}{5}$　　(4) $\frac{10}{4}$

1단계 교과서 개념 잡기

개념 7 분모가 같은 분수의 크기 비교하기

- 분모가 같은 가분수의 크기 비교: 분자가 클수록 큰 분수입니다.

  예 $\frac{8}{7} < \frac{9}{7}$, $\frac{3}{2} > \frac{2}{2}$ (8<9, 3>2)

- 분모가 같은 대분수의 크기 비교

  ① 대분수에서 자연수 부분이 다르면 자연수 부분이 클수록 큰 분수입니다.

  예 $2\frac{1}{3} > 1\frac{2}{3}$ (2>1)

  ② 대분수에서 자연수 부분이 같으면 진분수의 분자가 클수록 큰 분수입니다.

  예 $3\frac{1}{4} < 3\frac{3}{4}$ (1<3)

개념 8 분모가 같은 대분수와 가분수의 크기 비교

- $2\frac{2}{3}$와 $\frac{7}{3}$의 크기 비교

  방법 1 모두 가분수로 나타내어 분수의 크기를 비교합니다.

  $2\frac{2}{3}$ → (2와 $\frac{2}{3}$) → ($\frac{6}{3}$과 $\frac{2}{3}$) → $\frac{8}{3}$

  $\frac{8}{3} > \frac{7}{3}$ (8>7) → $2\frac{2}{3}$ ⃝> $\frac{7}{3}$

  방법 2 모두 대분수로 나타내어 분수의 크기를 비교합니다.

  $\frac{7}{3}$ → ($\frac{6}{3}$과 $\frac{1}{3}$) → (2와 $\frac{1}{3}$) → $2\frac{1}{3}$

  $2\frac{2}{3} > 2\frac{1}{3}$ (2>1) → $2\frac{2}{3}$ ⃝> $\frac{7}{3}$

개념 확인 문제

7-1 분수의 크기를 비교하여 ○ 안에 >, =, <를 알맞게 써넣으세요.

(1) $\frac{9}{4}$ ○ $\frac{7}{4}$

(2) $\frac{13}{5}$ ○ $\frac{17}{5}$

(3) $3\frac{2}{9}$ ○ $1\frac{7}{9}$

(4) $1\frac{7}{11}$ ○ $4\frac{9}{11}$

7-2 그림을 보고 분수의 크기를 비교하여 ○ 안에 >, =, <를 알맞게 써넣고, 알맞은 말에 ○표 하세요.

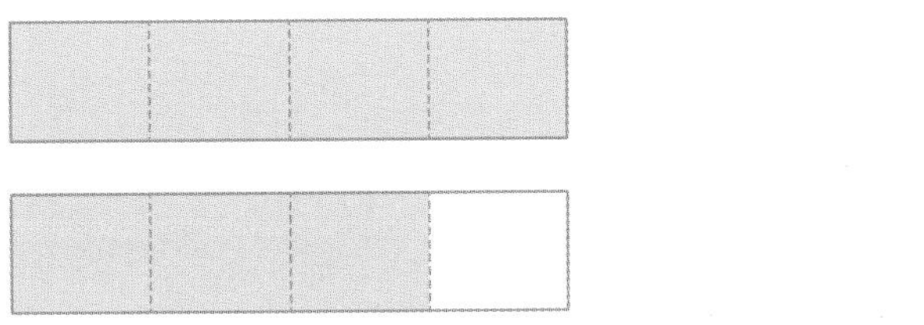

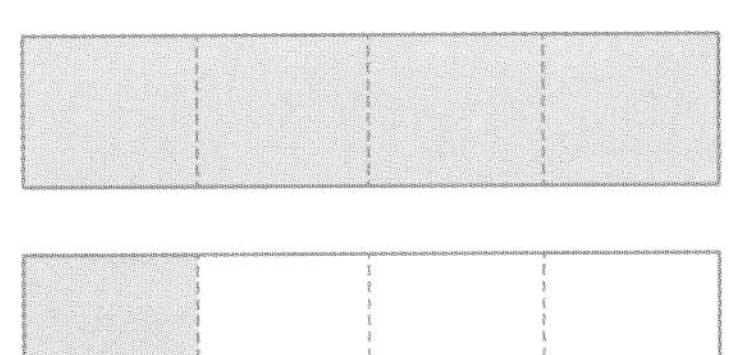

$1\frac{3}{4}$ ○ $1\frac{1}{4}$

대분수의 자연수 부분이 같으므로 분자의 크기를 비교하면
$1\frac{3}{4}$이 $1\frac{1}{4}$보다 더 (큽니다 , 작습니다).

8 $\frac{24}{9}$와 $3\frac{2}{9}$ 중 어느 분수가 더 큰지 알아보세요.

(1) $\frac{24}{9}$를 대분수로 나타내어 보세요.

(　　　　　　　　)

(2) $\frac{24}{9}$와 $3\frac{2}{9}$ 중 어느 분수가 더 큰지 써 보세요.

(　　　　　　　　)

PLAY 교과서 개념 스토리

동물 농장에서 동물 잡기

준비물 붙임딱지

농장 주인의 말에 알맞게 농장에 있는 동물을 그물망으로 잡아 보세요.

12의 $\frac{1}{3}$만큼 잡아야지.
8의 $\frac{1}{4}$만큼 잡아야지.
21의 $\frac{3}{7}$만큼 잡아야지.

자유롭게 분수를 정해 동물을 잡아 보세요.

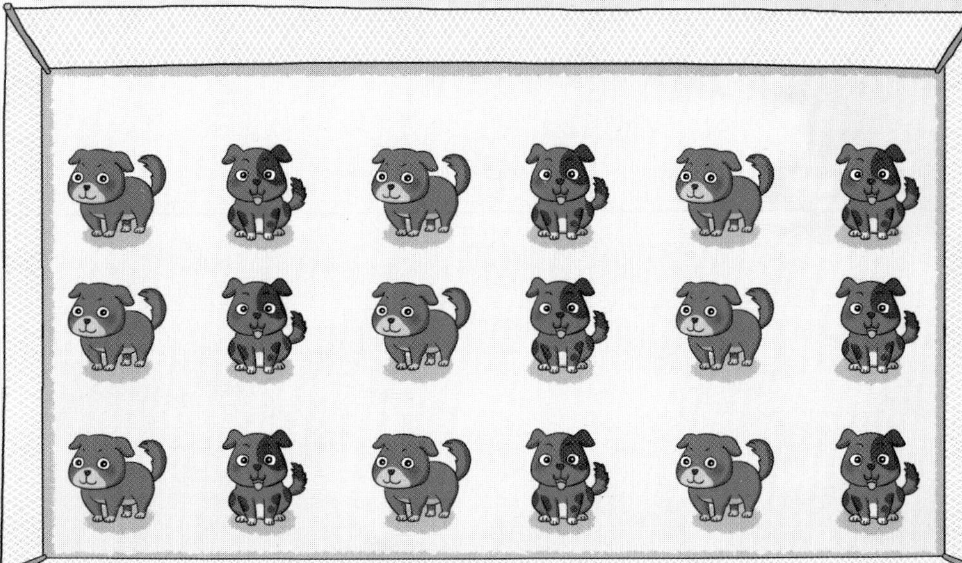

PLAY 교과서 개념 스토리

분류하여 나누어 담기

준비물 붙임딱지

빵집에서 상자 하나에 같은 종류의 분수 빵을 4개씩 담아서 팔고 있습니다. 분수의 크기가 큰 순서대로 상자에 빵을 담아 보세요. (단, 같은 상자에 담긴 빵은 분모가 모두 같습니다.)

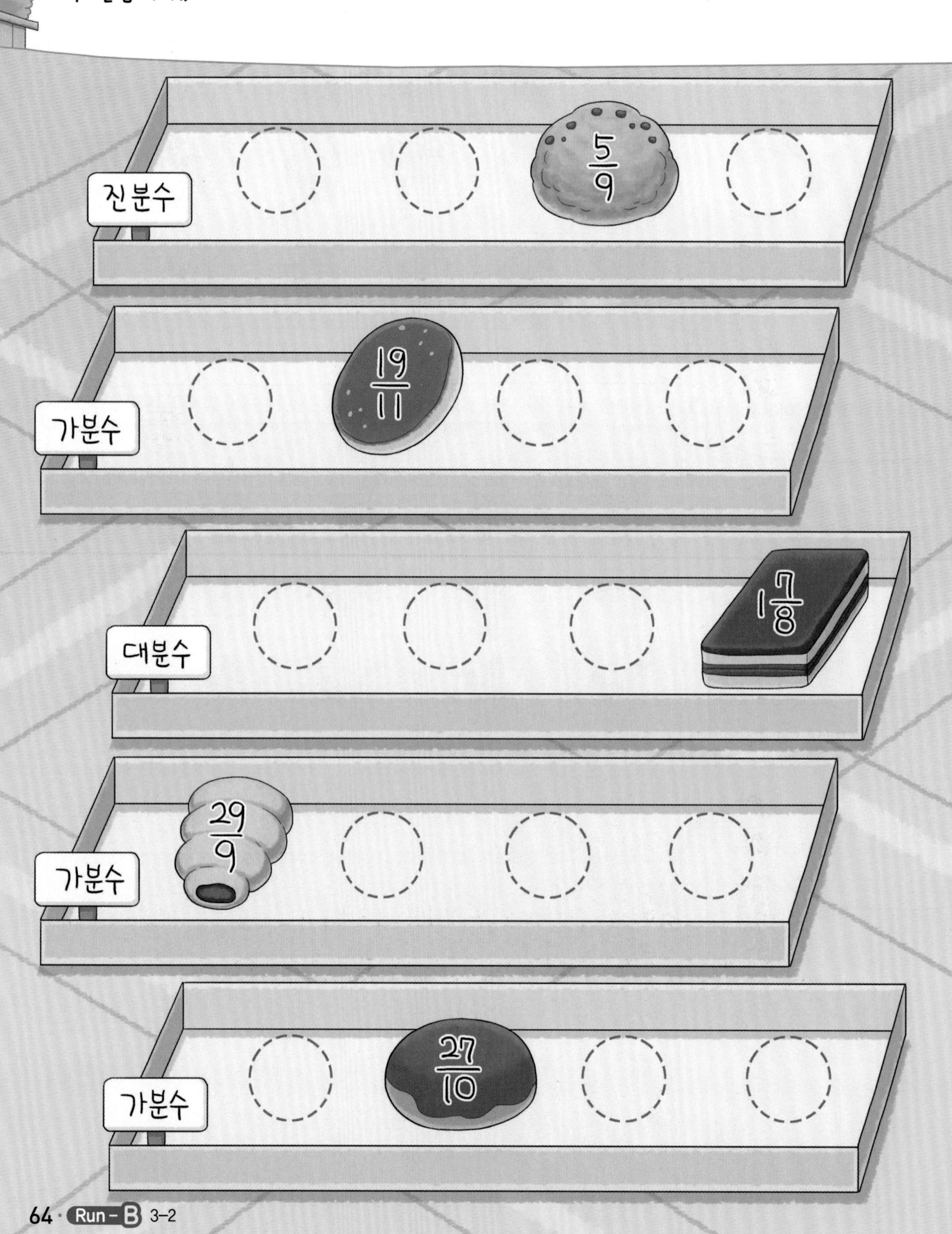

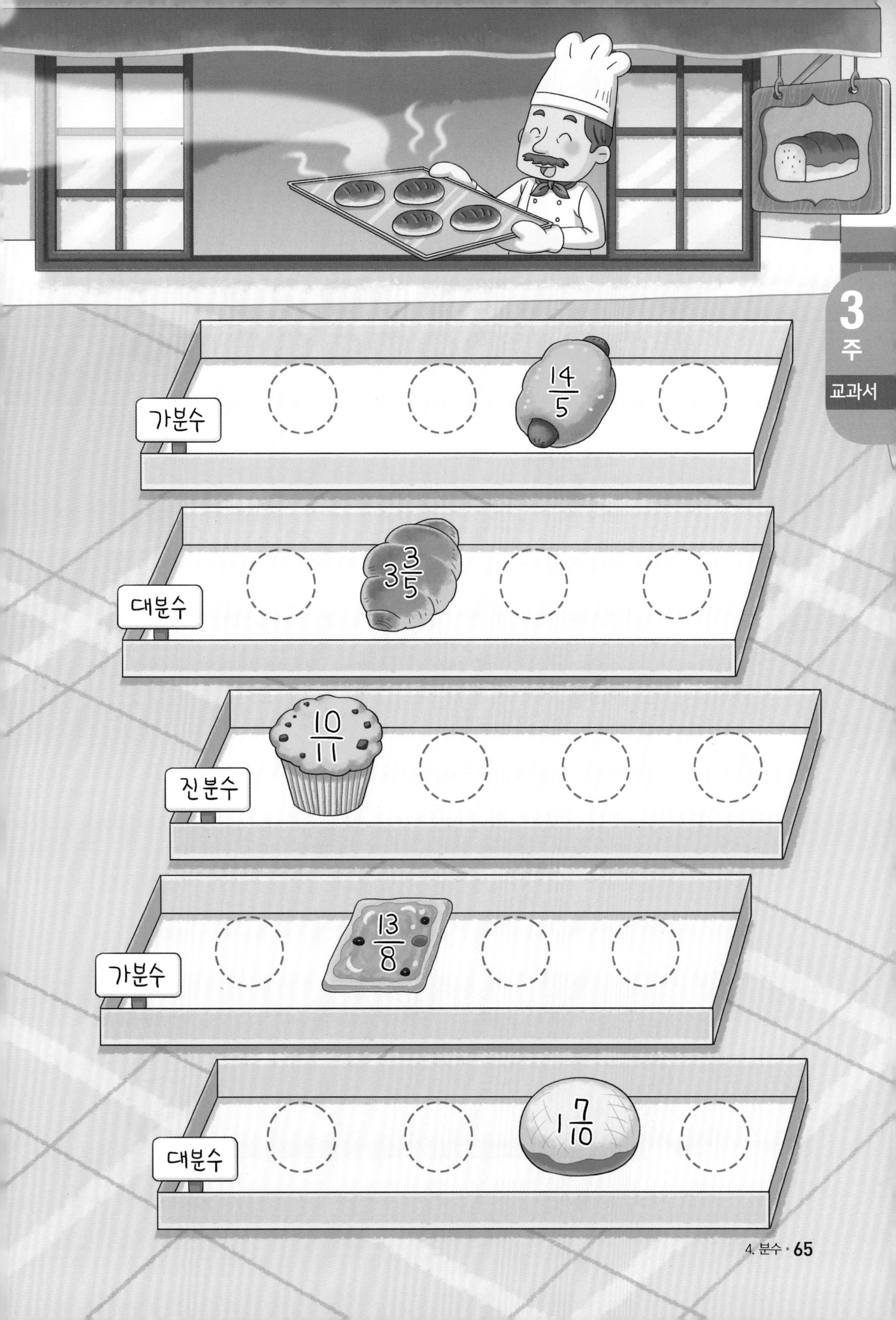
3
주
교과서
가분수
$\frac{14}{5}$
대분수
$3\frac{3}{5}$
진분수
$\frac{10}{11}$
가분수
$\frac{13}{8}$
대분수
$1\frac{7}{10}$

2단계 교과서 개념 다지기

개념 1 분수로 나타내기

01 토마토 24개를 4개씩 묶으면 20은 24의 몇 분의 몇인지 구해 보세요.

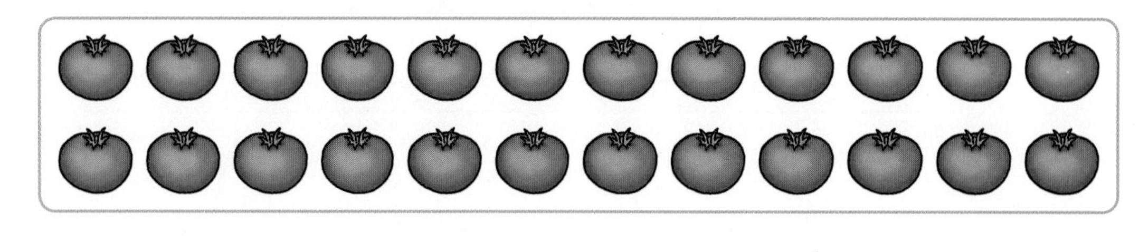

(　　　　　　　　)

02 그림을 보고 □ 안에 알맞은 수를 써넣으세요.

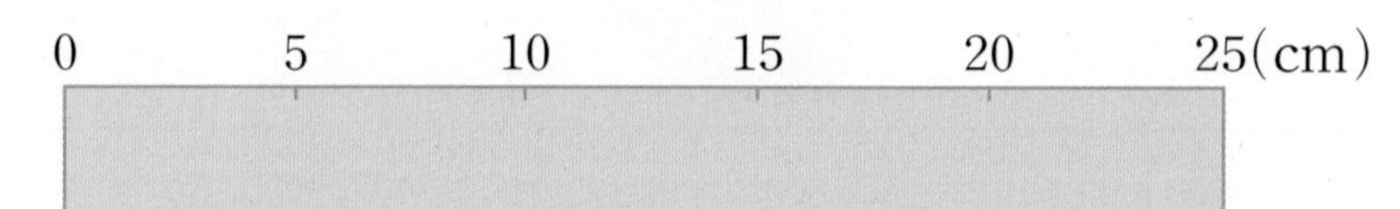

(1) 10 cm는 25 cm의 $\frac{\square}{\square}$입니다.

(2) 20 cm는 25 cm의 $\frac{\square}{\square}$입니다.

03 30과 40을 각각 5씩 묶을 때 □ 안에 알맞은 수를 써넣으세요.

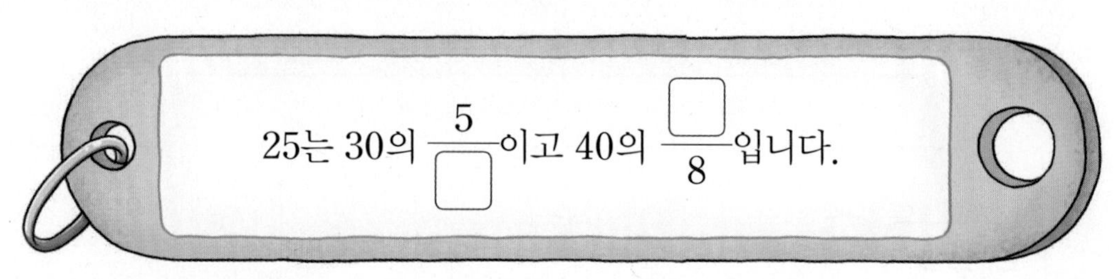

25는 30의 $\frac{5}{\square}$이고 40의 $\frac{\square}{8}$입니다.

정답과 풀이 p.16

개념 2 분수만큼은 얼마인지 알아보기(1)

04 □ 안에 알맞은 수를 써넣고, 초록색과 파란색으로 알맞은 수만큼 색칠해 보세요.

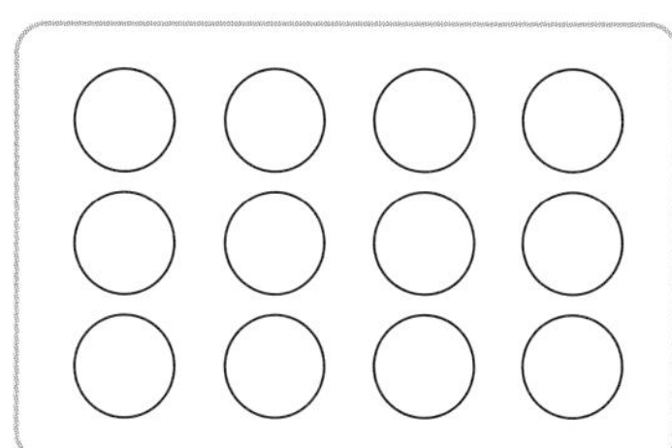

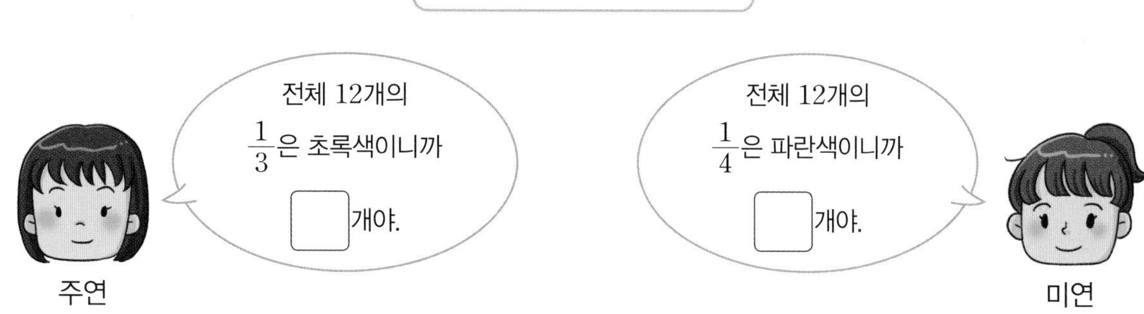

전체 12개의 $\frac{1}{3}$은 초록색이니까 □개야.
주연
전체 12개의 $\frac{1}{4}$은 파란색이니까 □개야.
미연

05 영호는 사탕 36개의 $\frac{4}{9}$를 동생에게 주었습니다. 영호가 동생에게 준 사탕은 몇 개인지 구해 보세요.

(   )

06 크기를 비교하여 더 큰 것에 ○표 하세요.

35의 $\frac{3}{7}$

(   )

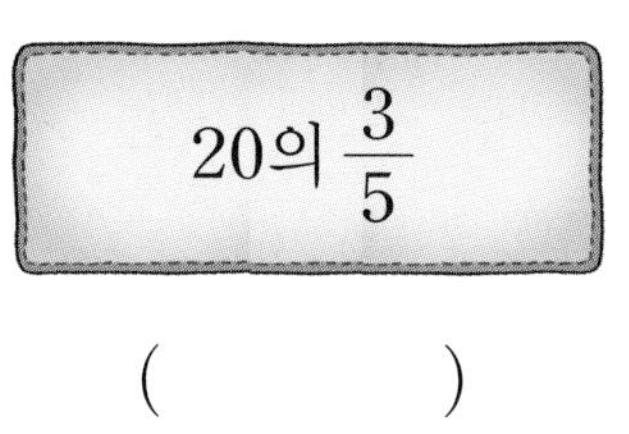

(   )

2단계 교과서 개념 다지기

개념 3 분수만큼은 얼마인지 알아보기(2)

07 그림을 보고 □ 안에 알맞은 수를 써넣으세요.

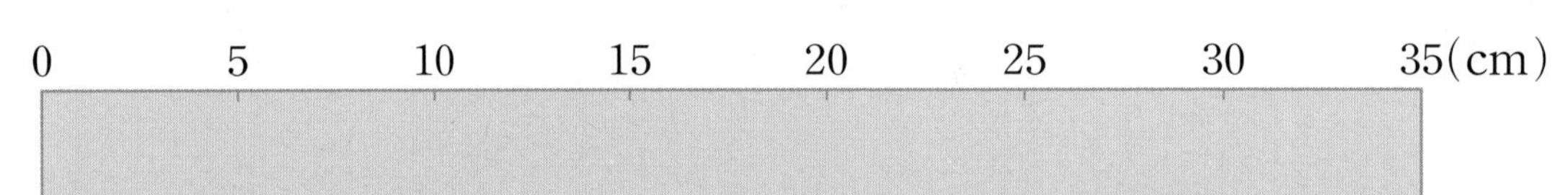

35 cm의 $\frac{4}{7}$는 □ cm이고 $\frac{5}{7}$는 □ cm입니다.

08 그림을 보고 □ 안에 알맞은 수를 써넣으세요.

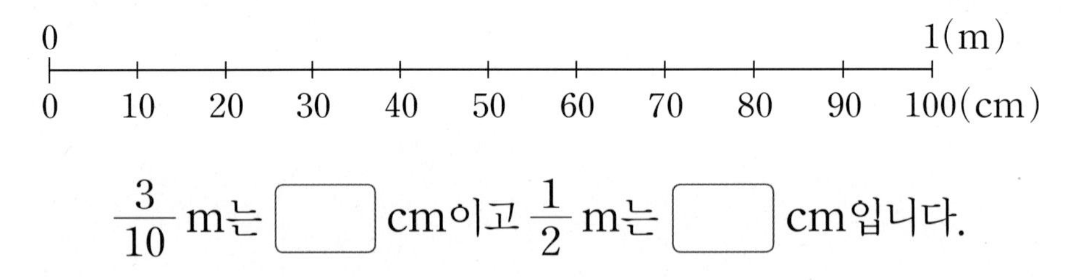

$\frac{3}{10}$ m는 □ cm이고 $\frac{1}{2}$ m는 □ cm입니다.

09 □ 안에 알맞은 수를 써넣으세요.

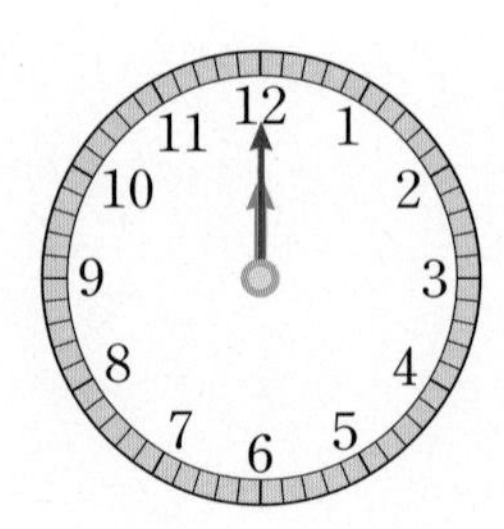

1시간의 $\frac{1}{3}$은 □분입니다.

10 정훈이는 전체 길이가 56 cm인 색 테이프로 카네이션을 만들려고 합니다. 전체 색 테이프의 $\frac{3}{7}$만큼 사용하였다면 남은 색 테이프는 몇 cm인지 구해 보세요.

(　　　　　　　　)

개념 4 여러 가지 분수 알아보기

11 진분수와 가분수로 분류하여 써 보세요.

$\frac{5}{2}$ $\frac{1}{4}$ $\frac{11}{6}$ $\frac{4}{4}$ $\frac{3}{5}$ $\frac{11}{12}$

진분수 (　　　　　　　　)

가분수 (　　　　　　　　)

12 사다리를 타고 내려가 도착한 곳이 참이면 ◯표, 거짓이면 ×표 하세요.

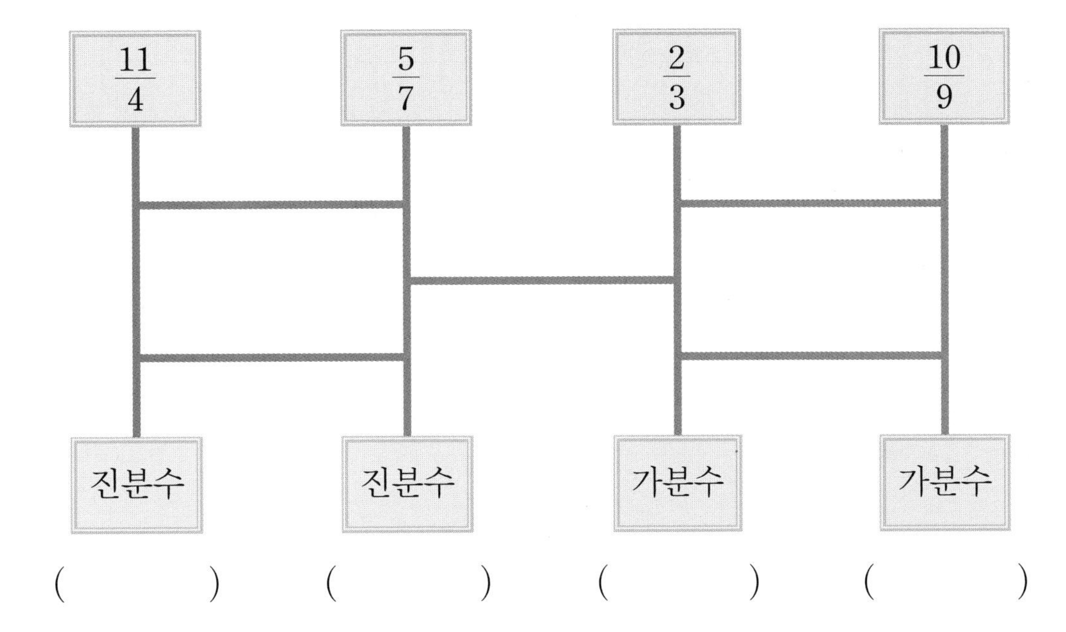

(　　　) (　　　) (　　　) (　　　)

13 레몬 타르트를 만드는 데 필요한 재료입니다. 재료의 양이 진분수, 가분수인 재료를 각각 찾아 써 보세요.

진분수 (　　　　　　　　)

가분수 (　　　　　　　　)

개념 5 대분수 알아보기

14 대분수를 모두 찾아 기호를 써 보세요.

㉠ $3\frac{2}{5}$　㉡ $\frac{7}{8}$　㉢ $\frac{13}{12}$　㉣ $1\frac{1}{4}$

(　　　　　　　　)

15 대분수는 가분수로, 가분수는 대분수로 바르게 나타낸 것을 찾아 이어 보세요.

$\frac{15}{9}$ •	• $2\frac{5}{9}$
$2\frac{2}{9}$ •	• $1\frac{6}{9}$
$\frac{23}{9}$ •	• $\frac{20}{9}$

16 지훈이는 $1\frac{2}{5}$ 시간 동안 컴퓨터 게임을 했습니다. 지훈이가 컴퓨터 게임을 한 시간은 몇 시간인지 가분수로 나타내어 보세요.

(　　　　　　　　)

17 자연수 부분이 6이고 분모가 6인 대분수는 모두 몇 개일까요?

(　　　　　　　　)

개념 6 분수의 크기 비교하기

18 두 분수의 크기를 비교하여 더 큰 분수를 빈칸에 써넣으세요.

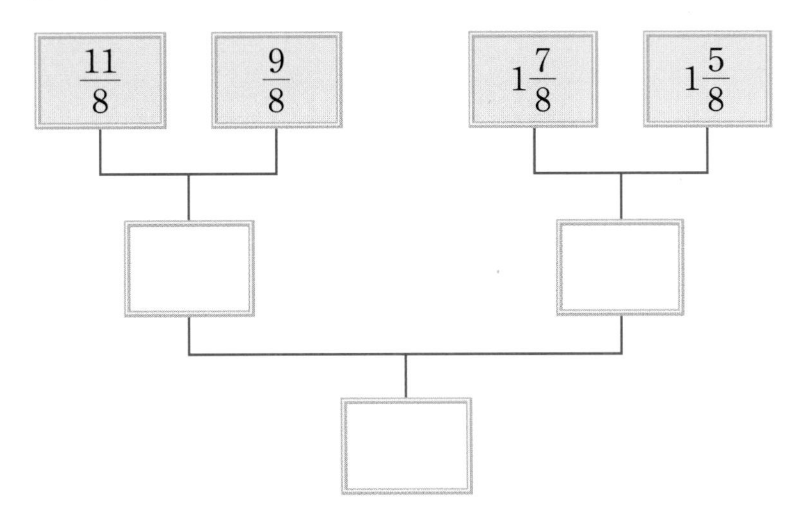

19 $2\frac{1}{4}$보다 큰 분수를 모두 찾아 ○표 하세요.

$1\frac{1}{4}$ $3\frac{1}{4}$ $\frac{11}{4}$ $1\frac{3}{4}$ $\frac{5}{4}$

20 미술 시간에 같은 찰흙을 승호는 $1\frac{3}{7}$봉지, 민지는 $\frac{12}{7}$봉지 사용했습니다. 승호와 민지 중 찰흙을 더 많이 사용한 사람은 누구인지 구해 보세요.

( )

3단계 교과서 실력 다지기

수 카드로 분수 만들기

1 수 카드 3장 중에서 2장을 골라 한 번씩 사용하여 만들 수 있는 진분수를 모두 써 보세요.

답 ____________________

개념 피드백
- 진분수: 분자가 분모보다 작은 분수
- 가분수: 분자가 분모와 같거나 분모보다 큰 분수
- 대분수: 자연수와 진분수로 이루어진 분수

1-1 수 카드 3장 중에서 2장을 골라 한 번씩 사용하여 만들 수 있는 가분수를 모두 써 보세요.

(　　　　　　　　　　)

1-2 수 카드 3장을 한 번씩 모두 사용하여 가장 큰 대분수와 가장 작은 대분수를 만들어 보세요.

가장 큰 대분수 (　　　　　　　　　　)

가장 작은 대분수 (　　　　　　　　　　)

세 분수의 크기 비교하기

2 가장 큰 분수를 찾아 써 보세요.

$\frac{21}{6}$　　$2\frac{5}{6}$　　$3\frac{1}{6}$

답 ______________

개념 피드백
- 가분수와 대분수의 크기 비교

모두 가분수 또는 대분수로 나타내어 비교합니다.

2-1 가장 작은 분수를 찾아 써 보세요.

$2\frac{2}{7}$　　$\frac{20}{7}$　　$\frac{19}{7}$

(　　　　　　　　)

2-2 작은 분수부터 차례로 써 보세요.

$1\frac{5}{11}$　　$\frac{24}{11}$　　$1\frac{9}{11}$

(　　　　　　　　)

3단계 교과서 실력 다지기

분수만큼은 얼마인지 구하기

3 가은이는 사탕을 20개 가지고 있습니다. 정후에게 사탕 20개의 $\frac{3}{5}$을 주고 남규에게 사탕 20개의 $\frac{1}{4}$을 주었습니다. 가은이가 정후와 남규에게 준 사탕은 몇 개인지 구해 보세요.

답 ________________

• 분수만큼은 얼마인지 알아보기

자연수의 $\frac{▲}{■}$는 자연수를 똑같이 ■묶음으로 나눈 것 중의 ▲묶음입니다.

3-1 전체가 72쪽인 책이 있습니다. 어제 이 책 전체의 $\frac{4}{9}$만큼 읽고 오늘 전체의 $\frac{2}{8}$만큼 읽었습니다. 어제와 오늘 읽은 쪽수를 구해 보세요.

( )

3-2 귤이 32개 있습니다. 영호는 전체의 $\frac{1}{4}$을, 수지는 전체의 $\frac{3}{8}$을 먹었습니다. 두 사람이 먹고 남은 귤은 몇 개인지 구해 보세요.

( )

전체의 양 구하기

4 □ 안에 알맞은 수를 써넣으세요.

□의 $\frac{1}{5}$은 6입니다.

개념 피드백

■의 $\frac{1}{▲}$은 ★입니다.

① ■를 똑같이 ▲묶음으로 나눈 것 중의 1묶음은 ★입니다.

② 1묶음이 ★이므로 전체 ■=★×▲입니다.

4-1 어떤 수의 $\frac{3}{8}$은 12입니다. 어떤 수는 얼마인지 구해 보세요.

(　　　　　　)

4-2 어떤 수의 $\frac{2}{9}$는 8입니다. 어떤 수의 $\frac{3}{4}$은 얼마인지 구해 보세요.

(　　　　　　)

★ □ 안에 들어갈 수 있는 수 구하기

5 □ 안에 들어갈 수 있는 자연수는 모두 몇 개인지 구해 보세요.

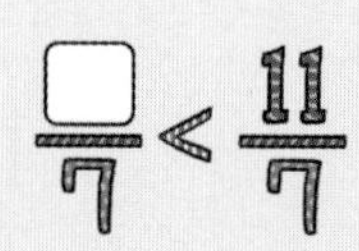

답 ____________________

개념 피드백

- 분모가 같은 분수의 크기 비교

① 가분수끼리의 비교: 분자가 클수록 더 큽니다.
② 대분수끼리의 비교: 자연수가 클수록 더 크고, 자연수가 같을 때에는 분자가 클수록 더 큽니다.
③ 가분수와 대분수의 비교: 모두 가분수 또는 대분수로 나타내어 비교합니다.

5-1 □ 안에 들어갈 수 있는 자연수를 모두 써 보세요.

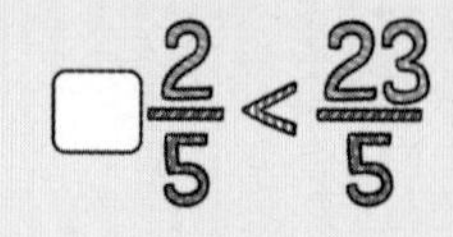

(   )

5-2 □ 안에 들어갈 수 있는 자연수를 모두 써 보세요.

$$\frac{20}{9} < \square\frac{4}{9} < 7\frac{1}{9}$$

(   )

조건을 만족하는 분수 구하기

6 다음 조건을 모두 만족하는 분수를 구해 보세요.

- 가분수입니다.
- 분모는 7입니다.
- 분모와 분자의 합은 15입니다.

답 ____________________

개념 피드백
① 분모가 7인 가분수를 씁니다.
② ①의 가분수 중 분모와 분자의 합이 15인 분수를 찾습니다.

6-1 다음 조건을 모두 만족하는 분수를 구해 보세요.

- 진분수입니다.
- 분자는 3입니다.
- 분모와 분자의 차는 2입니다.

(　　　　　　　　)

6-2 다음 조건을 모두 만족하는 분수를 구해 보세요.

- 진분수입니다.
- 분모와 분자의 합은 14입니다.
- 분모와 분자의 차는 4입니다.

(　　　　　　　　)

교과서 서술형 연습

서술형 연습 **1** 색종이가 35장 있습니다. 민우는 35장의 $\frac{2}{7}$ 만큼을, 현우는 35장의 $\frac{1}{5}$ 만큼을 사용했습니다. 누가 색종이를 몇 장 더 많이 사용했는지 구해 보세요.

구하려는 것, 주어진 것에 선을 그어 봅니다.

해결하기 민우가 사용한 색종이는 □장입니다.

현우가 사용한 색종이는 □장입니다.

따라서 □가 색종이를 □−□=□(장) 더 많이 사용했습니다.

답 구하기 □, □

서술형 실전 **2** 초콜릿이 36개 있습니다. 혜미는 36개의 $\frac{4}{9}$ 만큼을, 언니는 36개의 $\frac{1}{4}$ 만큼을 먹었습니다. 누가 초콜릿을 몇 개 더 많이 먹었는지 차례로 구해 보세요.

구하려는 것, 주어진 것에 선을 그어 봅니다.

해결하기

답 구하기 ______, ______

3 3장의 수 카드가 있습니다. 수 카드를 한 번씩 모두 사용하여 가장 작은 대분수를 만들어 그 대분수를 가분수로 나타내어 보세요.

2 3 5

구하려는 것, 주어진 것에 선을 그어 봅니다.

해결하기 가장 작은 수인 □를 자연수 부분에 놓으면 만들 수 있는 가장 작은 대분수는 $\square\frac{\square}{\square}$입니다. 이 대분수를 가분수로 나타내면 $\frac{\square}{\square}$입니다.

답 구하기 □

4 3장의 수 카드가 있습니다. 수 카드를 한 번씩 모두 사용하여 가장 큰 대분수를 만들어 그 대분수를 가분수로 나타내어 보세요.

구하려는 것, 주어진 것에 선을 그어 봅니다.

해결하기

답 구하기

PLAY 사고력 개념 스토리 과수원에서 과일 따기

준비물 붙임딱지

처음 나무에 열려 있던 과일을 분수만큼 따서 접시에 놓았습니다. 과일을 따기 전 처음 나무에 열려 있던 과일 수를 알아보고 과일 붙임딱지를 더 붙여 보세요.

분수를 자유롭게 정하여 처음 과일 수를 알아보고 과일 붙임딱지를 더 붙여 보세요.

PLAY 사고력 개념 스토리

절벽 건너기

준비물 붙임딱지

원숭이들이 줄을 타고 절벽 건너편으로 가려고 합니다. 매듭은 각각 수를 나타내고 줄마다 일정한 간격으로 놓여 있습니다. 줄을 타고 무사히 절벽을 건널 수 있게 빈 곳에 튼튼한 매듭 붙임딱지를 붙여 보세요.

1
2
3
4
5
6
3
4
5
6
3
4
5
6
7
8
3
4
5
6
7
4
주
사고력

1단계 교과 사고력 잡기

1 **준수의 몸무게는 $42\ \mathrm{kg}$입니다. 미라의 몸무게는 준수 몸무게의 $\frac{5}{6}$이고 가영이의 몸무게는 준수 몸무게의 $\frac{6}{7}$입니다. 다음과 같이 미라와 가영이가 시소에 올라탄다면 시소는 미라와 가영이 중 어느 쪽으로 기울어지는지 구해 보세요.**

└ 무게의 단위, 킬로그램이라고 읽습니다.

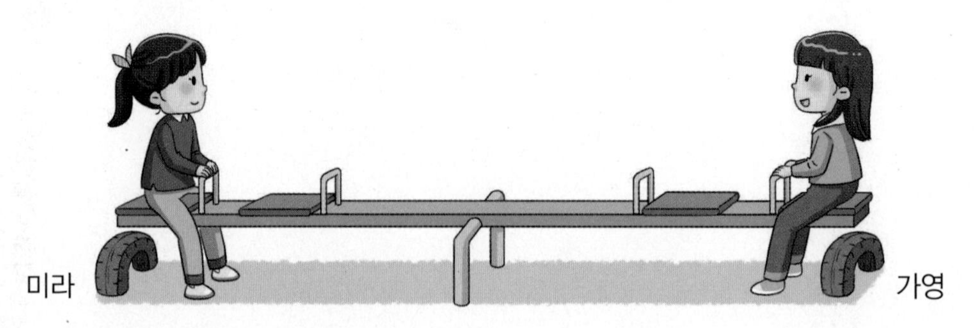

① 미라의 몸무게는 몇 kg일까요?

(　　　　　　　　)

② 가영이의 몸무게는 몇 kg일까요?

(　　　　　　　　)

③ 시소는 어느 쪽으로 기울어질까요?

(　　　　　　　　)

정답과 풀이 p.21

2 **떨어뜨린 높이의 $\frac{2}{3}$만큼 튀어 오르는 공이 있습니다. 90 m의 높이에서 공을 떨어뜨리고 두 번째로 튀어 오를 때까지 공이 위아래로 움직인 거리의 합은 몇 m인지 구해 보세요.**

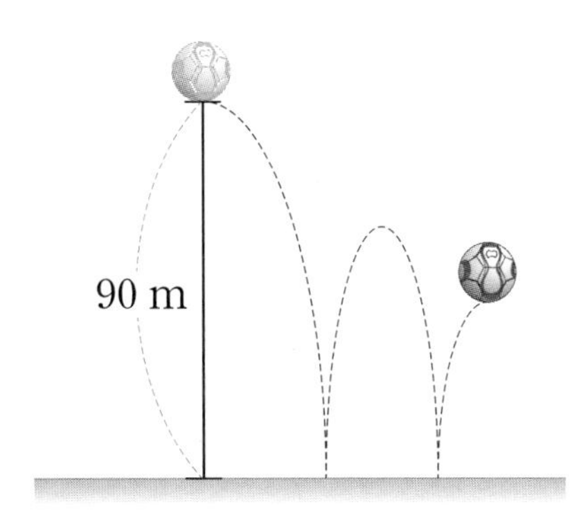

① 첫 번째로 튀어 오른 높이는 몇 m일까요?

( )

② 두 번째로 튀어 오른 높이는 몇 m일까요?

( )

③ 두 번째로 튀어 오를 때까지 공이 위아래로 움직인 거리의 합을 구해 보세요.

( )

3 **다음 4장의 분수 카드를 4명이 각각 한 장씩 가지고 있습니다. 대화를 읽고 □ 안에 알맞은 분수를 구해 보세요.**

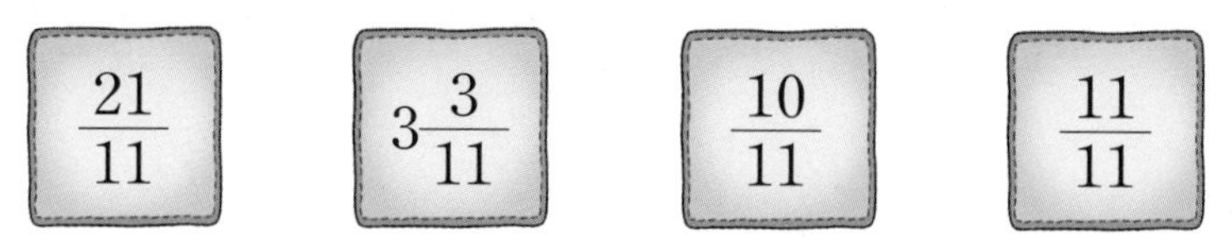

난 진분수 카드를 가지고 있지 않아.
해숙
난 가분수 카드를 가지고 있어.
현수
난 가장 큰 분수가 적힌 카드를 가지고 있어.
정훈
난 분수 □가 적힌 카드를 가지고 있어.
동호

(   )

정답과 풀이 p.21

4 □ 안에 들어갈 수 있는 가장 큰 수는 얼마인지 구해 보세요.

$$2\frac{3}{5} > \frac{\square}{5}$$

① $2\frac{3}{5}$ 을 가분수로 바꾸어 보세요.

(　　　　　　　　)

② □ 안에 들어갈 수 있는 자연수를 모두 써 보세요.

(　　　　　　　　　　　　　　)

③ □ 안에 들어갈 수 있는 가장 큰 수를 구해 보세요.

(　　　　　　　　)

2 단계

교과 사고력 확장

1 **같은 모양은 같은 수를 나타냅니다. ♥에 알맞은 수를 구해 보세요.**

- 28의 $\frac{5}{7}$는 ■입니다.
- ■의 $\frac{3}{5}$은 ▲입니다.
- ▲의 $\frac{1}{4}$은 ♥입니다.

1 ■에 알맞은 수를 구해 보세요.

( )

2 ▲에 알맞은 수를 구해 보세요.

( )

3 ♥에 알맞은 수를 구해 보세요.

( )

2 헨젤과 그레텔이 과자로 만든 집을 찾아가기 위해 크기가 더 큰 분수를 따라갔습니다. 헨젤과 그레텔이 간 길을 찾아 그려 보세요.

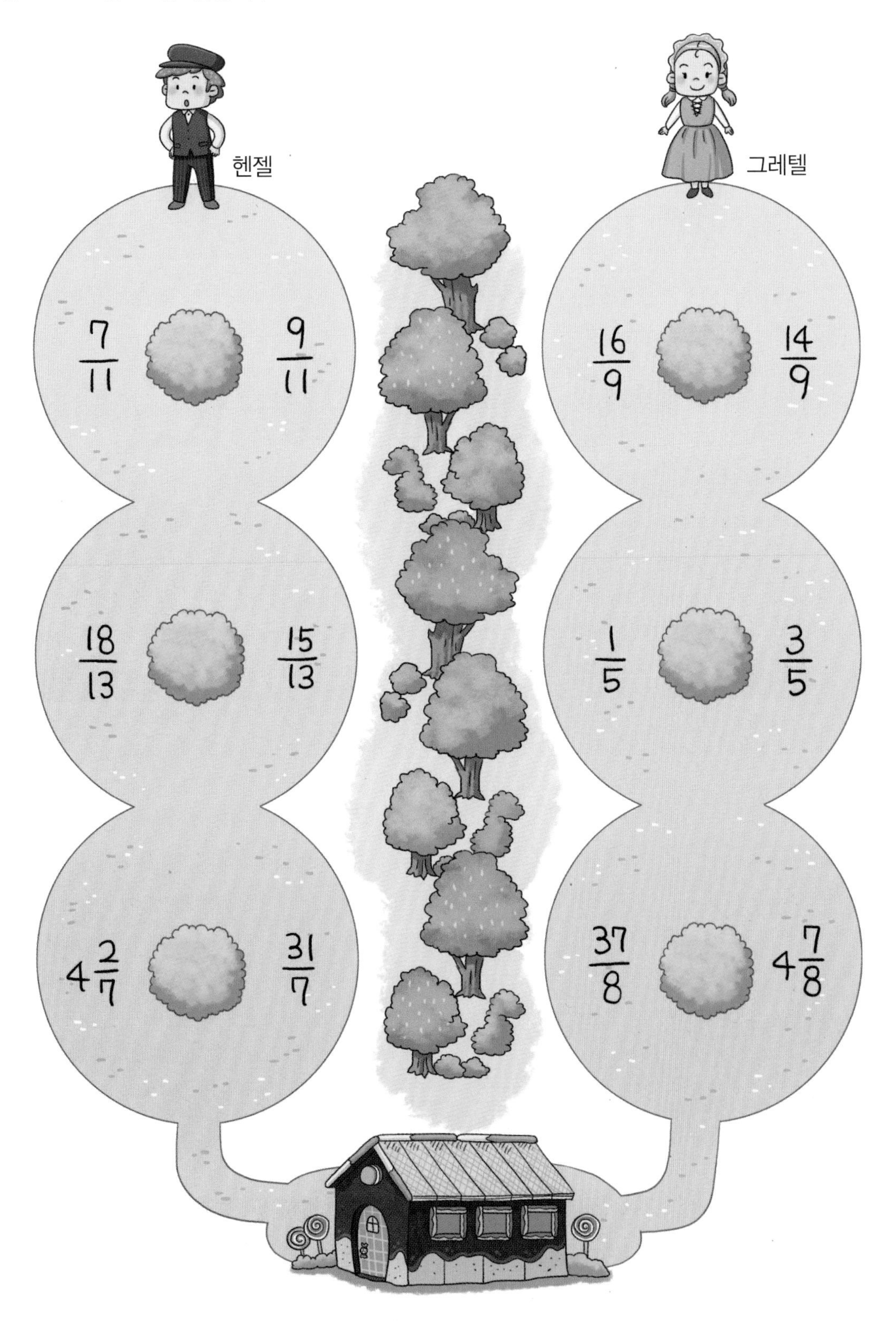

3 **과일이 각각 15개씩 열린 사과 나무와 배 나무에서 주어진 양만큼 사과와 배를 땄습니다. 어느 나무에 과일이 더 많이 남았는지 구해 보세요.**

전체 사과의 $\frac{4}{5}$만큼 땄습니다.
전체 배의 $\frac{2}{3}$만큼 땄습니다.

1. 남은 사과의 수만큼 색칠해 보세요.

2. 남은 배의 수만큼 색칠해 보세요.

3. 어느 나무에 과일이 더 많이 남았는지 구해 보세요.

( )

4

작년 3학년 남학생 수는 64명이었고, 여학생 수는 72명이었습니다. 올해는 남학생 수가 작년보다 $\frac{3}{8}$만큼 늘었고, 여학생 수는 작년보다 $\frac{2}{9}$만큼 줄었습니다. 올해 3학년 전체 학생 수는 몇 명인지 구해 보세요.

1. 올해 3학년 남학생 수는 몇 명인지 구해 보세요.

( )

2. 올해 3학년 여학생 수는 몇 명인지 구해 보세요.

( )

3. 올해 3학년 전체 학생 수는 몇 명인지 구해 보세요.

( )

3 단계 교과 사고력 완성

평가 영역 □개념 이해력 □개념 응용력 □창의력 ☑문제 해결력

1 도형에서 색칠한 부분은 전체를 똑같이 몇으로 나눈 것 중의 3입니다. 도형 전체 넓이가 63일 때 색칠한 부분의 넓이를 구해 보세요.

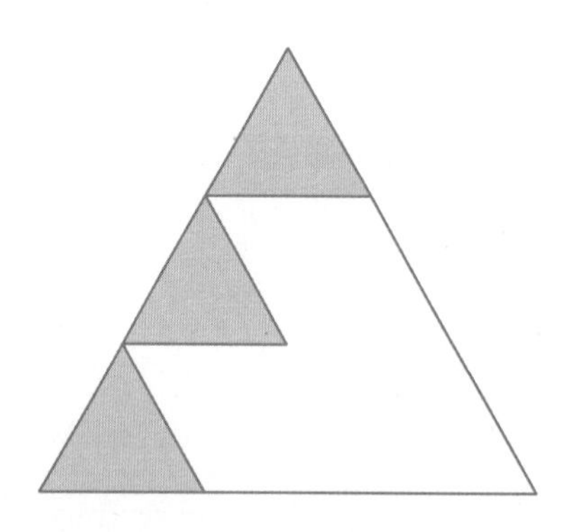

① 색칠한 부분이 전체의 3이 되도록 도형을 똑같이 나누어 보세요.

② 색칠한 부분은 전체의 몇 분의 몇일까요?

(　　　　　　　　)

③ 색칠한 부분의 넓이는 얼마인지 구해 보세요.

(　　　　　　　　)

평가 영역 ☑개념 이해력 □개념 응용력 □창의력 □문제 해결력

2 현수와 정훈이가 치즈 케이크를 만들었습니다. 치즈 케이크를 만드는 틀은 원 모양과 $\frac{1}{6}$조각 모양 2가지입니다. 두 사람이 만든 치즈 케이크가 다음과 같을 때 누가 치즈 케이크를 더 많이 만들었는지 써 보세요.

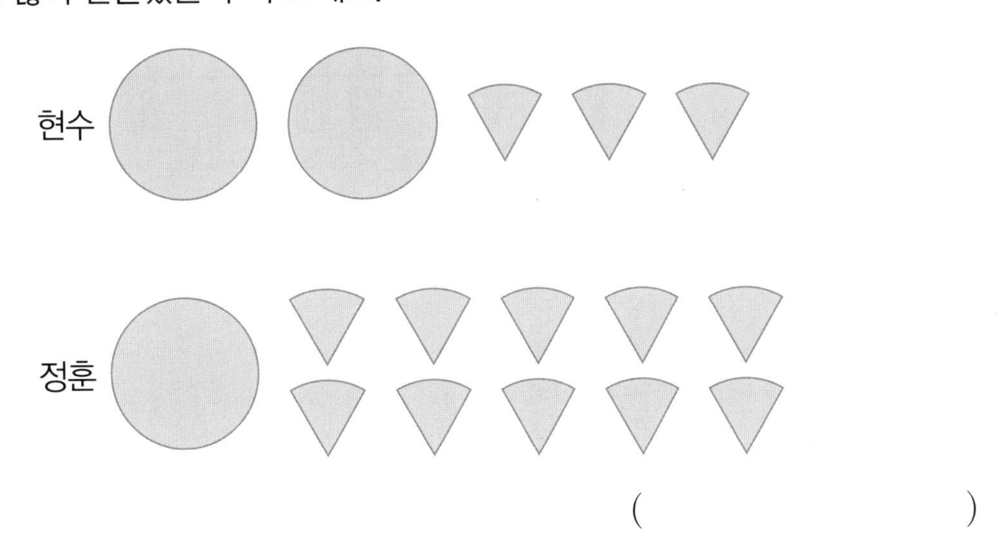

(　　　　　　　　)

평가 영역 □개념 이해력 ☑개념 응용력 □창의력 □문제 해결력

3 길이가 72 cm인 색 테이프가 있습니다. 혜미는 전체의 $\frac{1}{6}$만큼, 민정이는 전체의 $\frac{1}{3}$만큼, 수아는 두 사람이 사용하고 남은 색 테이프의 $\frac{1}{2}$만큼 사용하였습니다. 세 사람이 사용하고 남은 색 테이프는 몇 cm인지 구해 보세요.

(　　　　　　　　)

맞은 개수

1 그림을 보고 □ 안에 알맞은 수를 써넣으세요.

18을 3씩 묶으면 15는 18의 $\frac{\square}{\square}$입니다.

2 □ 안에 알맞은 수를 써넣으세요.

(1) 28의 $\frac{2}{7}$는 □입니다.

(2) 32의 $\frac{3}{8}$은 □입니다.

3 그림을 보고 □ 안에 알맞은 수를 써넣으세요.

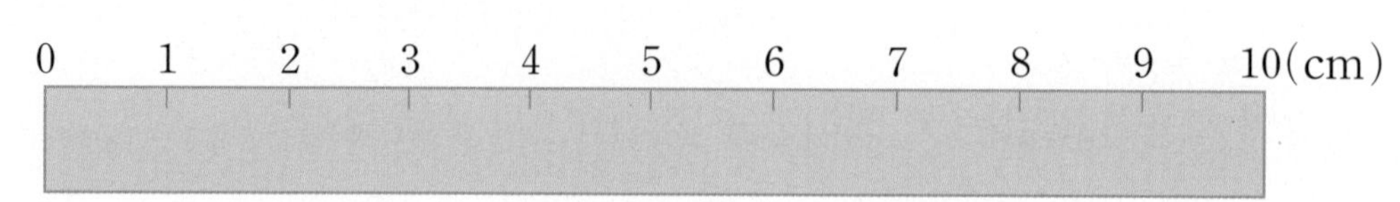

10 cm의 $\frac{3}{5}$은 □ cm입니다.

4 그림을 보고 색칠한 부분을 가분수로 나타내어 보세요.

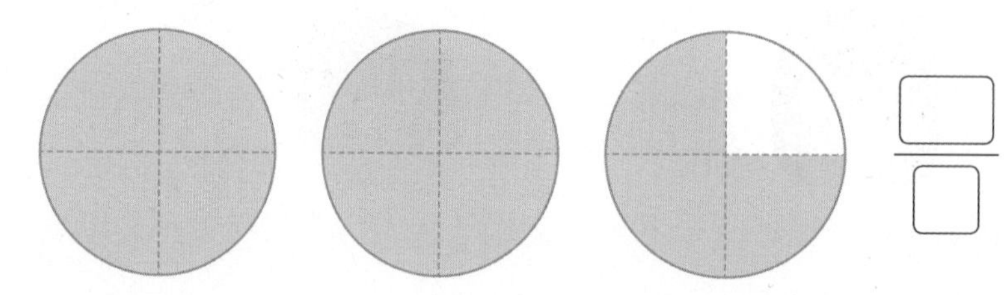

5 분수를 진분수와 가분수로 분류하여 써 보세요.

$\frac{4}{5}$　　$\frac{11}{9}$　　$\frac{2}{7}$　　$\frac{10}{11}$　　$\frac{9}{8}$　　$\frac{7}{3}$

진분수 (　　　　　　　　　　)

가분수 (　　　　　　　　　　)

6 가분수를 대분수로 바르게 나타낸 것을 찾아 선으로 이어 보세요.

$\frac{13}{5}$　　$\frac{9}{5}$

$2\frac{4}{5}$　　$1\frac{4}{5}$　　$2\frac{3}{5}$

7 분모가 6인 진분수는 모두 몇 개일까요?

(　　　　　　　　　　)

8 더 큰 수의 기호를 써 보세요.

㉠ 32의 $\frac{5}{8}$　　㉡ 30의 $\frac{5}{6}$

(　　　　　　　　　　)

9 두 분수의 크기를 비교하여 ◯ 안에 >, =, <를 알맞게 써넣으세요.

(1) $3\frac{1}{5}$ ◯ $\frac{14}{5}$

(2) $\frac{30}{7}$ ◯ $4\frac{5}{7}$

10 □ 안에 알맞은 수를 써넣으세요.

1시간의 $\frac{3}{4}$은 □분입니다.

11 수직선 위에 표시된 ㉠이 나타내는 분수를 가분수로 나타내어 보세요.

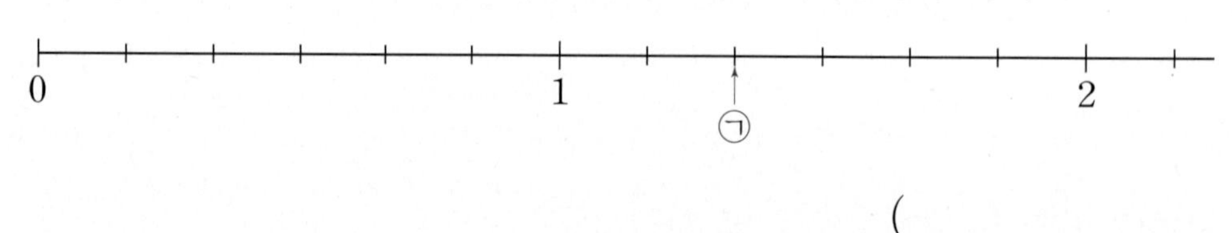

(   )

12 □ 안에 알맞은 수를 구해 보세요.

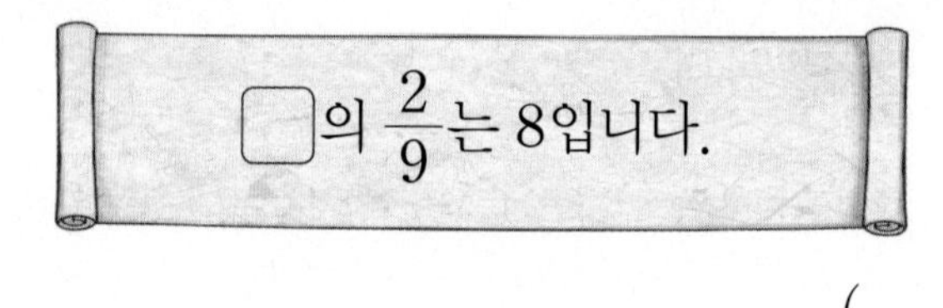

(   )

13 다음과 같이 3장의 수 카드가 있습니다. 수 카드 2장을 골라 만들 수 있는 가분수를 모두 써 보세요.

2 3 7

( )

14 혜영이는 72쪽짜리 동화책을 모두 읽으려고 합니다. 지금까지 전체의 $\frac{5}{8}$만큼 읽었다면 앞으로 몇 쪽을 더 읽어야 하는지 구해 보세요.

( )

15 수 카드 3장을 한 번씩 모두 사용하여 가장 큰 대분수를 만들었습니다. 만든 대분수를 가분수로 나타내어 보세요.

( )

16 □ 안에 들어갈 수 있는 수를 모두 써 보세요.

$$\frac{11}{7} < \frac{\square}{7} < 2\frac{1}{7}$$

( )

17 다음 조건을 모두 만족하는 분수를 구해 보세요.

- 진분수입니다.
- 분모와 분자의 합은 21입니다.
- 분모와 분자의 차는 1입니다.

( )

18 도형에서 색칠한 부분은 전체를 똑같이 몇으로 나눈 것 중의 3입니다. 전체 넓이가 104일 때 색칠한 부분의 넓이를 구해 보세요.

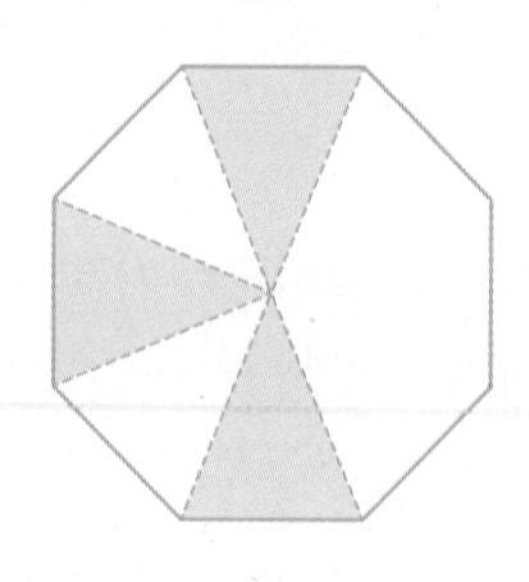

( )

19 가영이는 가지고 있던 연필 15자루 중에서 전체의 $\frac{1}{5}$은 동생에게 주고 전체의 $\frac{1}{3}$은 친구에게 주었습니다. 가영이에게 남은 연필은 몇 자루인지 구해 보세요.

( )

정답과 풀이 p.24

1 정은이네 집에서 우체국, 경찰서, 은행까지의 거리를 나타낸 것입니다. 정은이네 집에서 가까운 곳부터 순서대로 써 보세요.

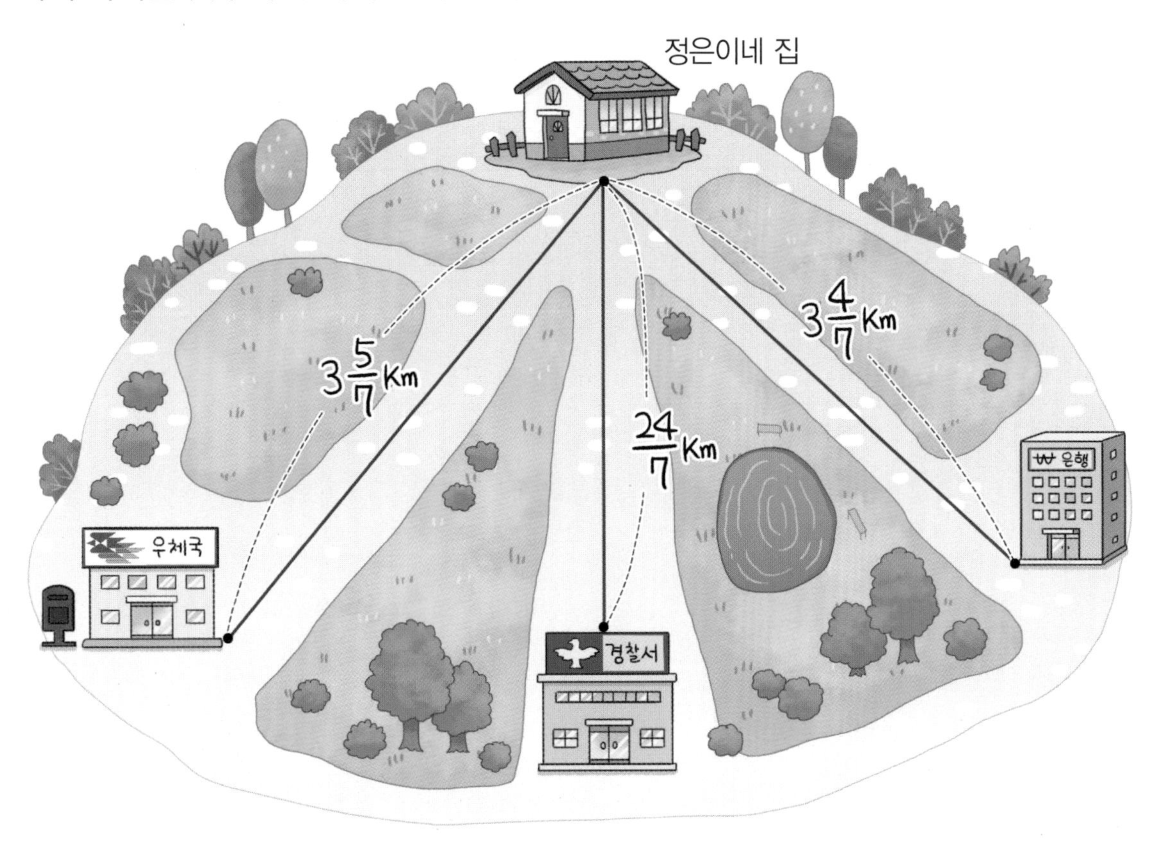

(1) $\frac{24}{7}$ 를 대분수로 나타내어 보세요.

(　　　　　　　　)

(2) 정은이네 집에서 우체국, 경찰서, 은행까지의 거리를 비교해 보세요.

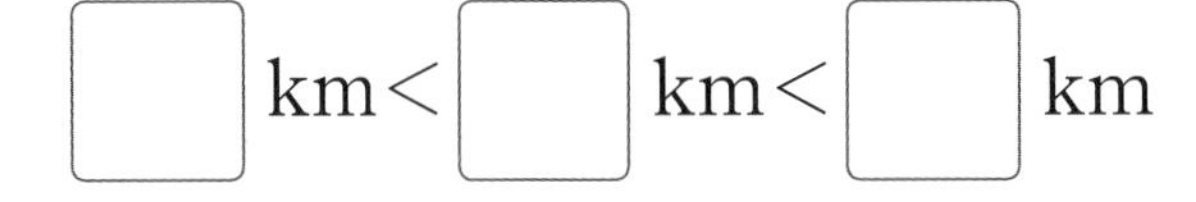

(3) 정은이네 집에서 가까운 곳부터 순서대로 써 보세요.

(　　　　　　　　)

Memo

3-2 Run - B호 Play 붙임딱지

문제의 알맞은 곳에 붙임딱지를 붙여보세요.

5쪽

14~15쪽

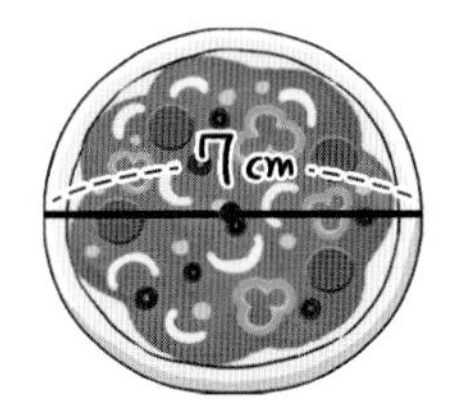

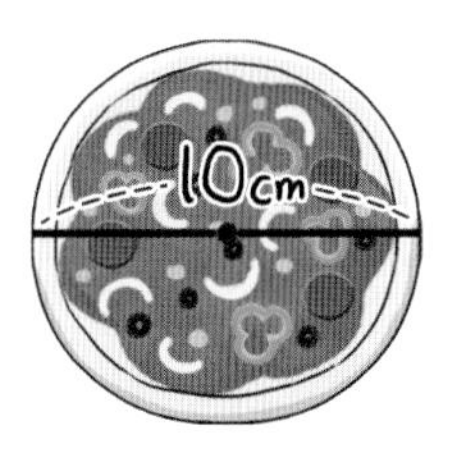

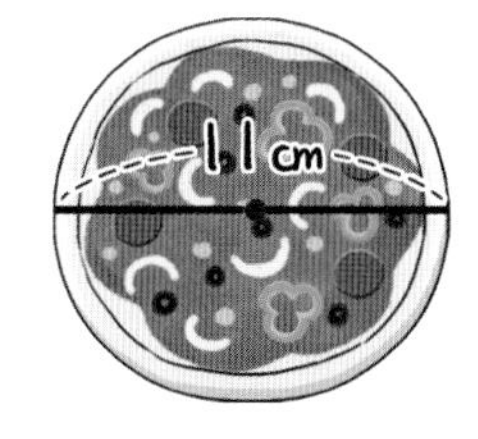

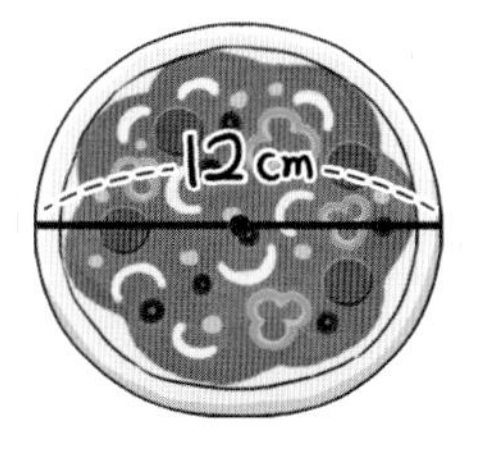

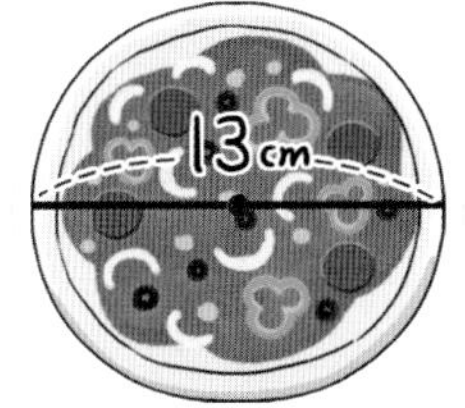

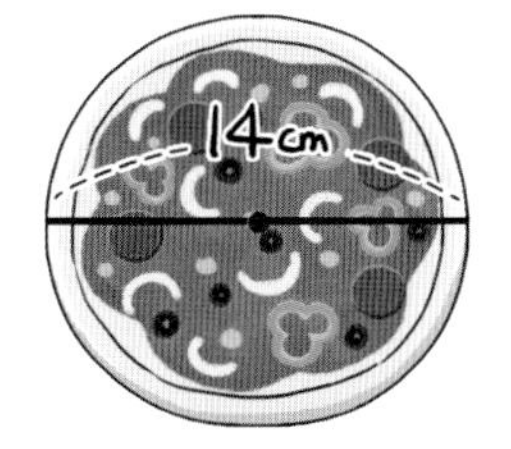

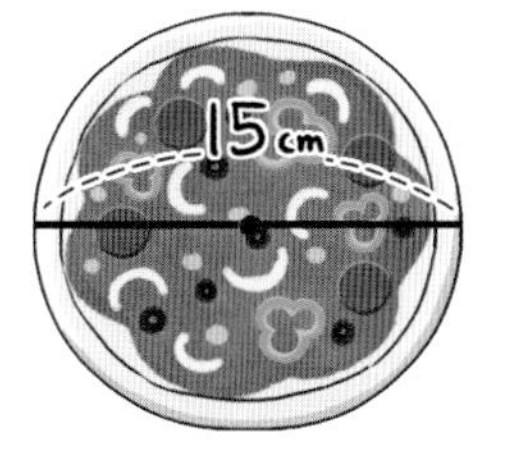

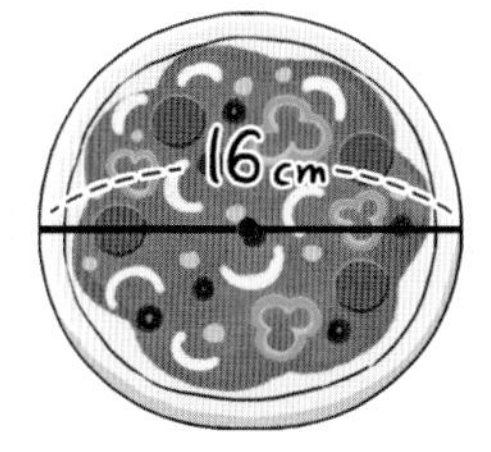

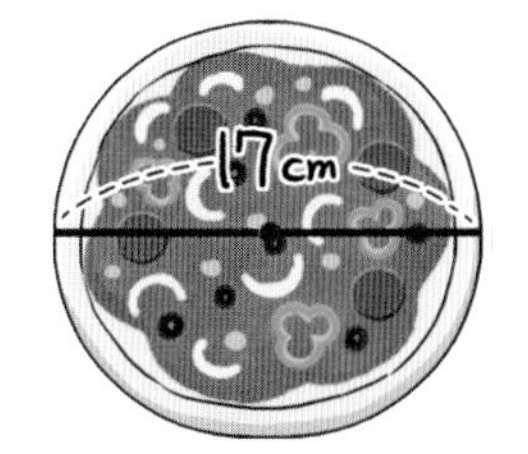

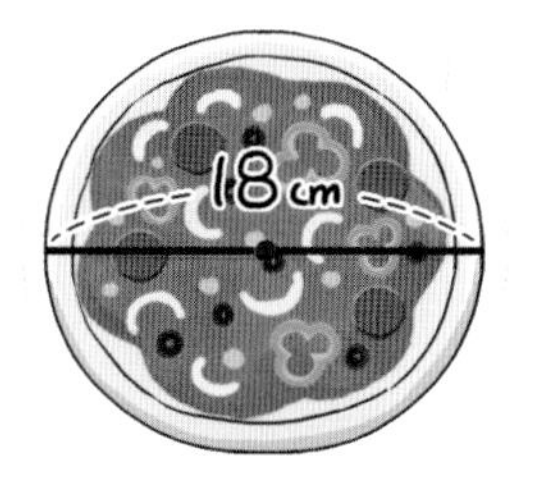

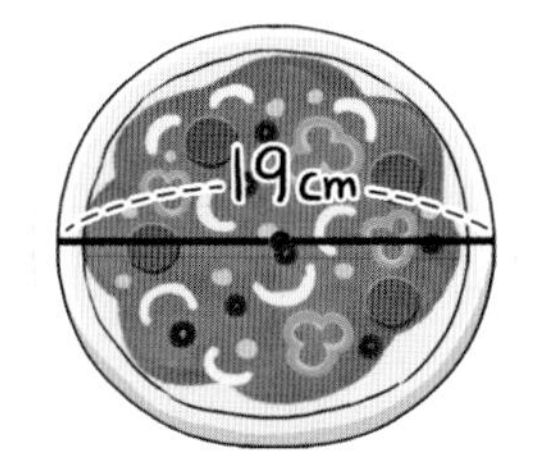

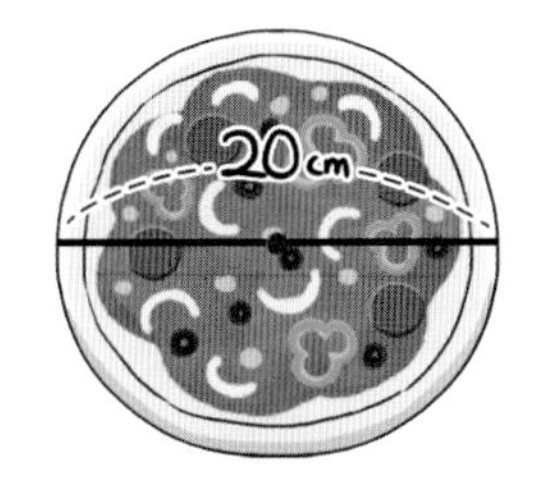

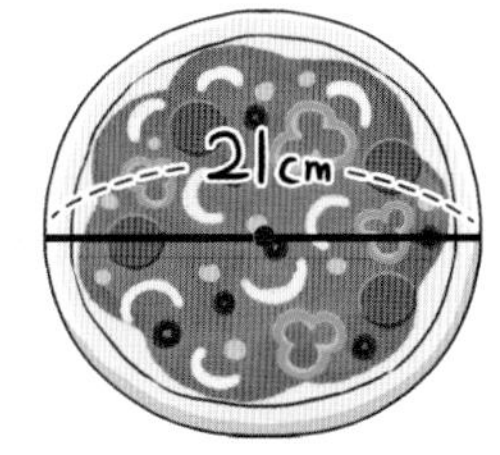

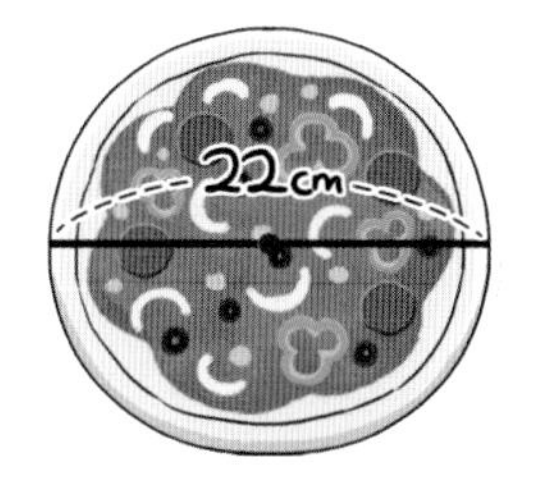

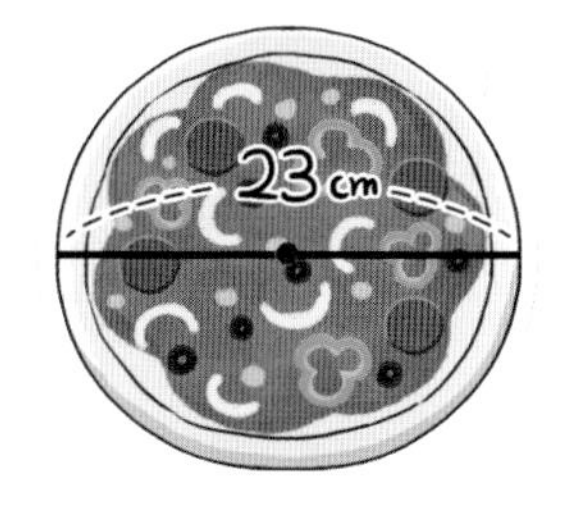

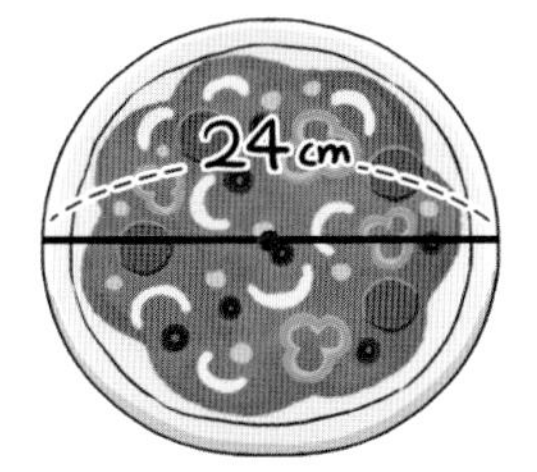

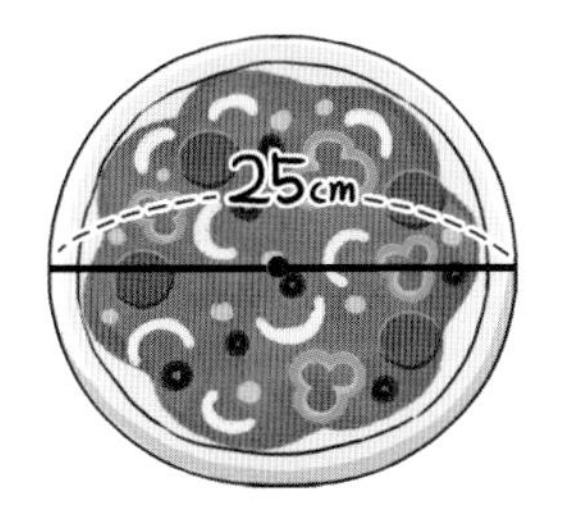

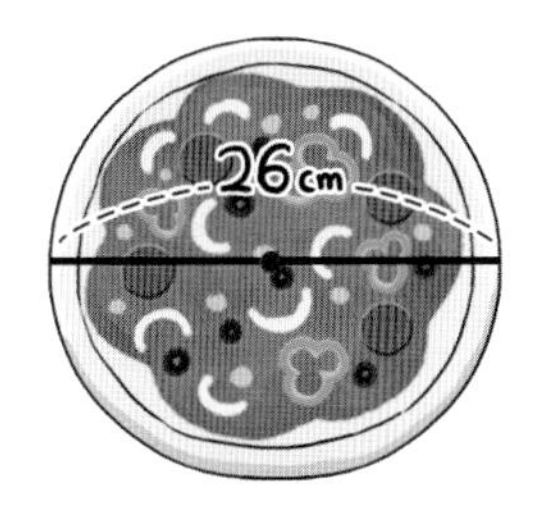

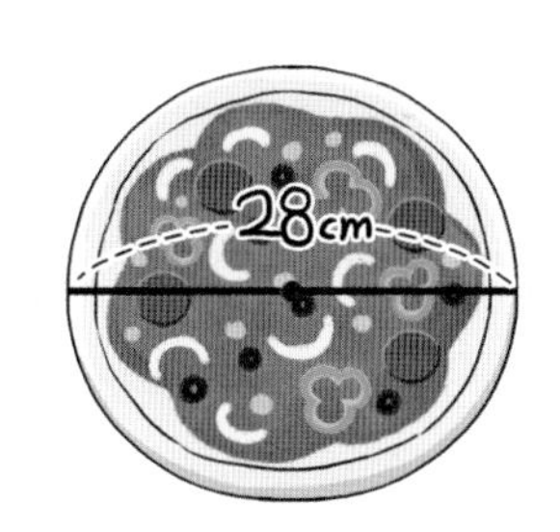

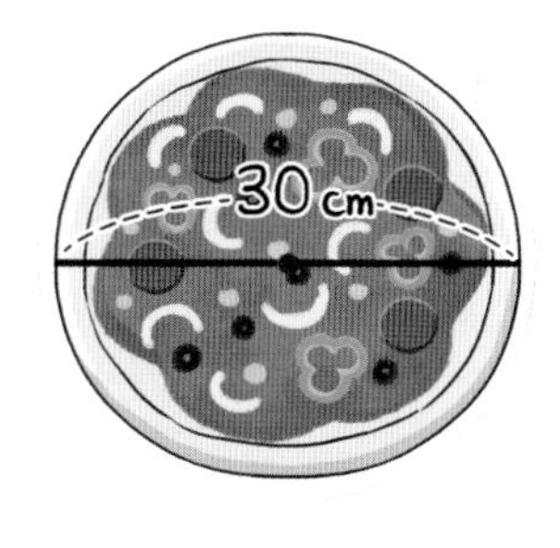

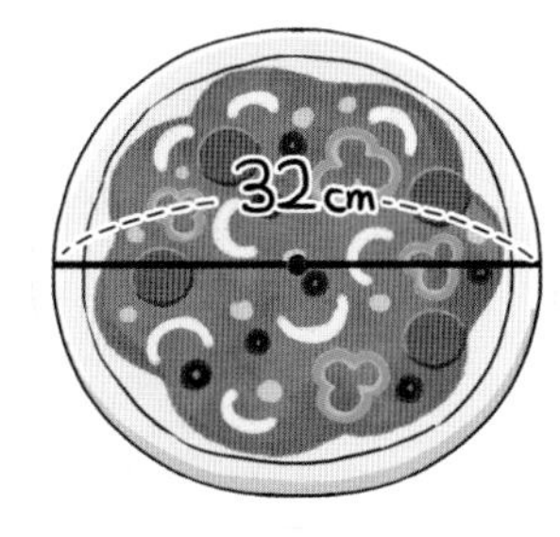

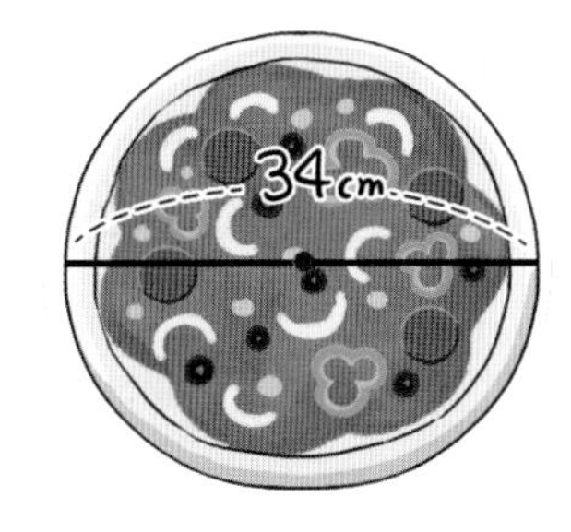

16~17쪽

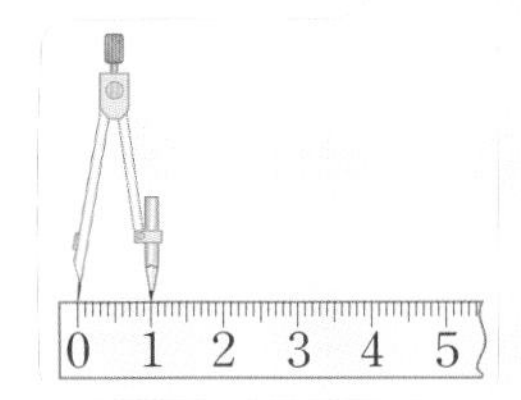

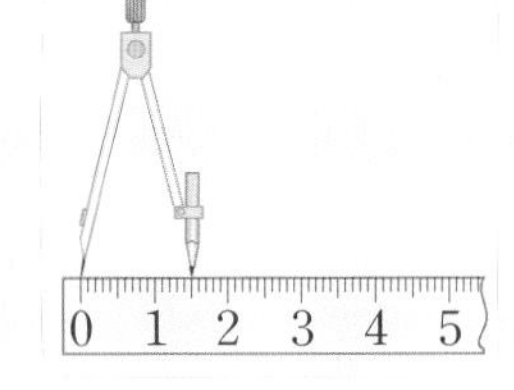

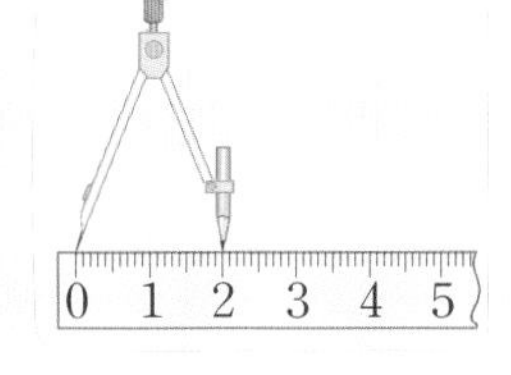

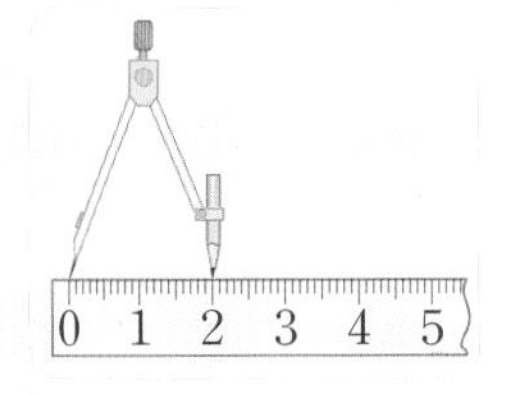

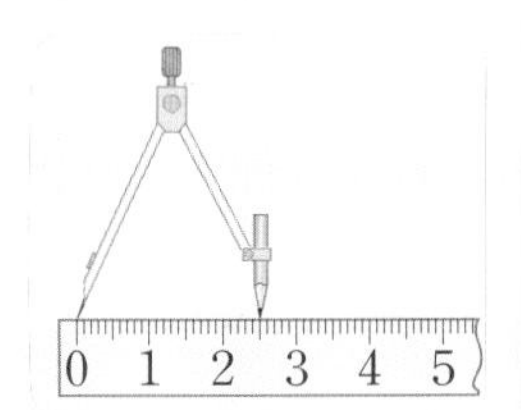

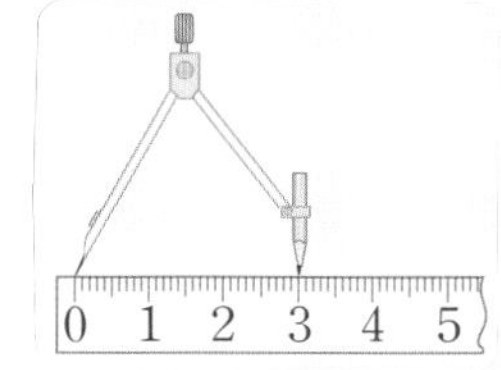

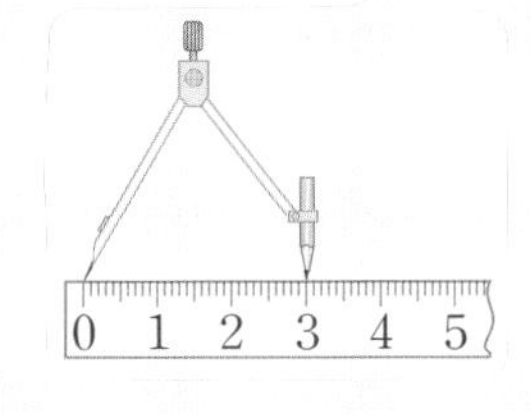

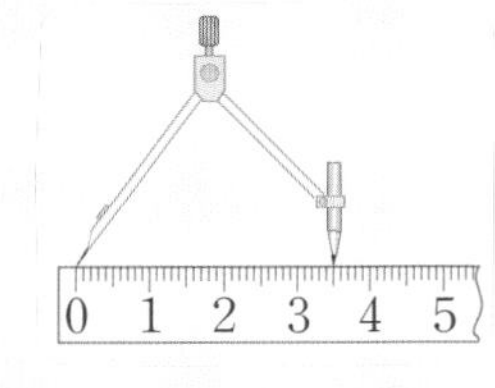

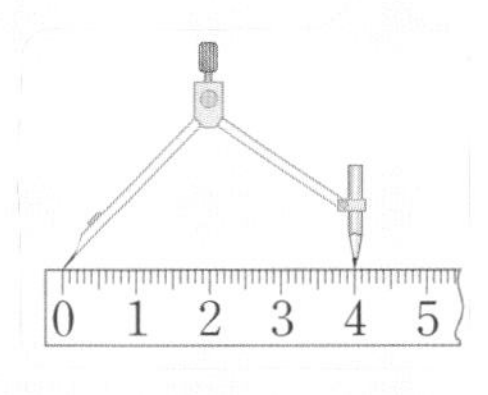

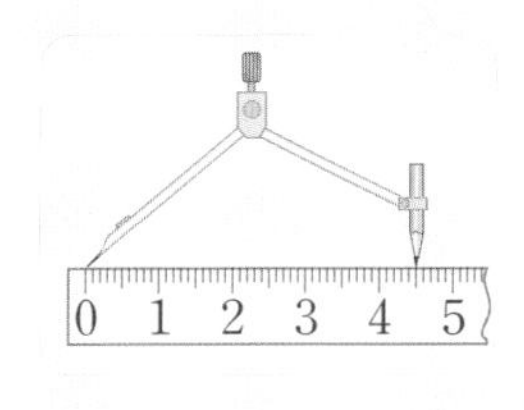

자르는 선

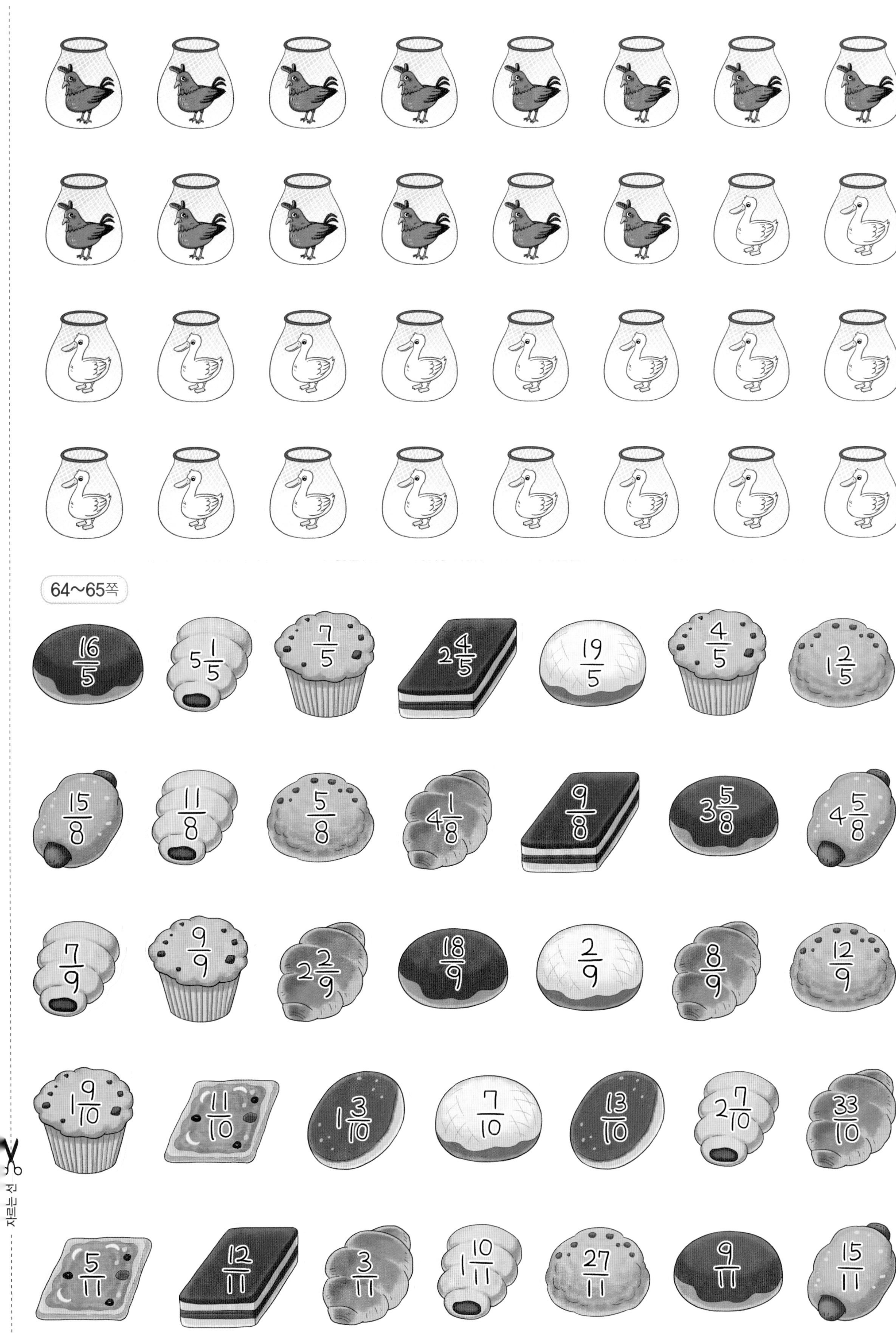
64~65쪽
$\frac{16}{5}$
$5\frac{1}{5}$
$\frac{7}{5}$
$2\frac{4}{5}$
$\frac{19}{5}$
$\frac{4}{5}$
$1\frac{2}{5}$
$\frac{15}{8}$
$\frac{11}{8}$
$\frac{5}{8}$
$4\frac{1}{8}$
$\frac{9}{8}$
$3\frac{5}{8}$
$4\frac{5}{8}$
$\frac{7}{9}$
$\frac{9}{9}$
$2\frac{2}{9}$
$\frac{18}{9}$
$\frac{2}{9}$
$\frac{8}{9}$
$\frac{12}{9}$
$1\frac{9}{10}$
$\frac{11}{10}$
$1\frac{3}{10}$
$\frac{7}{10}$
$\frac{13}{10}$
$2\frac{7}{10}$
$\frac{33}{10}$
$\frac{5}{11}$
$\frac{12}{11}$
$\frac{3}{11}$
$1\frac{10}{11}$
$\frac{27}{11}$
$\frac{9}{11}$
$\frac{15}{11}$
자르는 선

Go!
매쓰
GO!

사고력 중심

교과서 GO! 사고력 GO!

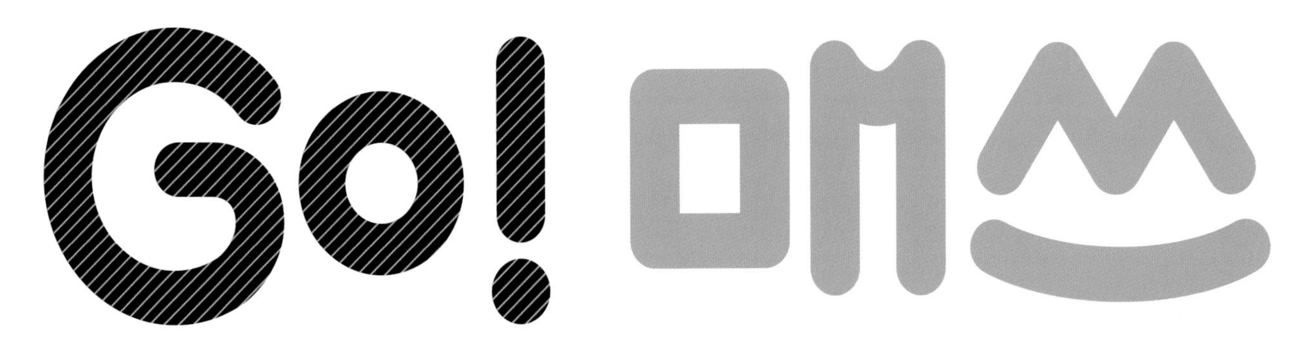

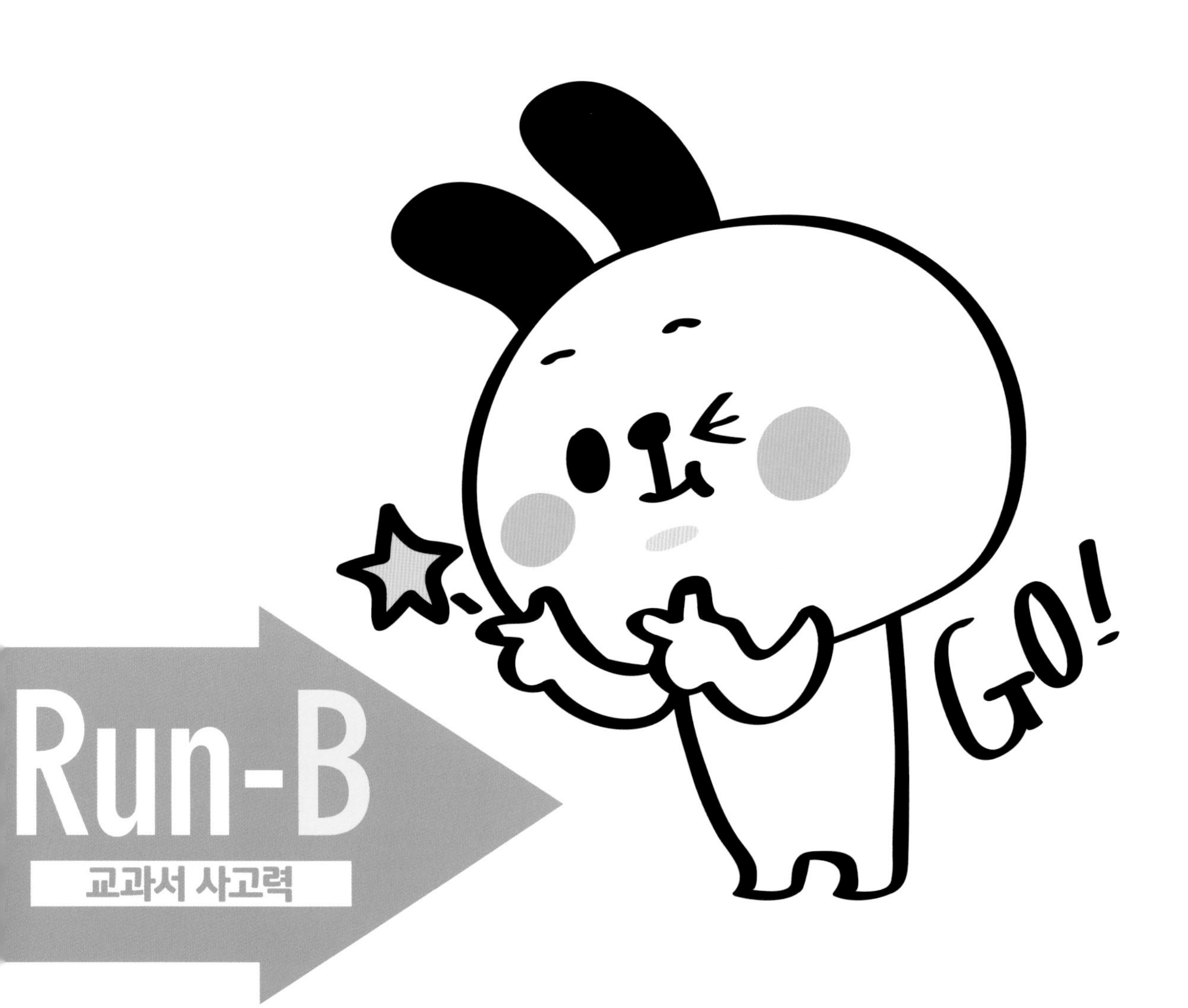

정답과 풀이

수학 3-2

열심히
풀었으니까,
한 번 맞춰 볼까?

3 원

원 이야기

같은 길이로 삼각형, 사각형, 원 모양을 만들었을 때, 가장 넓은 공간을 만들 수 있는 것은 바로 원 모양입니다.

우리가 가장 많아.

우리 주변에서 원의 성질을 활용한 것에는 무엇이 있는지 알아볼까요?

안 빠져요~

원의 지름은 어느 방향에서 재어도 일정하기 때문에 원 모양으로 맨홀 구멍과 뚜껑을 만들면 맨홀 뚜껑은 구멍으로 절대 빠지지 않습니다.

원 모양 테이블이야.
원 모양이라서 많은 음식을 올려놓을 수 있어.

둥근 테이블은 사람들 사이의 평등을 나타냅니다. 또한 다른 어떤 모양보다도 넓기 때문에 더 많은 접시를 올려놓을 수 있습니다.

원 모양을 찾아 색칠해 보세요.

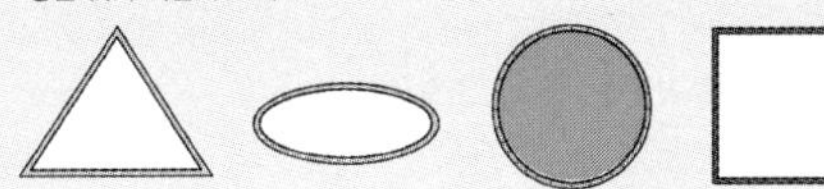

오른쪽 자전거의 바퀴 모양을 보고 자전거 바퀴가 어떻게 돌 것인지 써 보세요.

예 바퀴의 중심에서 바닥에 닿는 곳까지의 길이가 달라서 덜컹거리며 돌 것입니다.

붙임딱지

자전거에 알맞은 바퀴 붙임딱지를 붙여 보고, 그 바퀴를 붙인 이유를 써 보세요.

예

이유 **예 바퀴의 중심에서 바닥에 닿는 곳까지의 길이가 모두 같은 바퀴이므로 부드럽게 돌아갑니다.**

1단계 교과서 개념 잡기

개념 1 원 그리기

① 자로 점을 찍어 그리기

→ 중심점으로부터 자로 길이를 잰 후 같은 거리만큼 표시하여 원을 그립니다.
점을 많이 표시할수록 더 정확한 원을 그릴 수 있습니다.

② 누름 못과 띠 종이를 이용하여 그리기

→ 띠 종이를 누름 못으로 고정한 후 연필을 구멍에 넣어 한 바퀴 돌려 원을 그립니다.

개념 2 원의 중심, 반지름, 지름

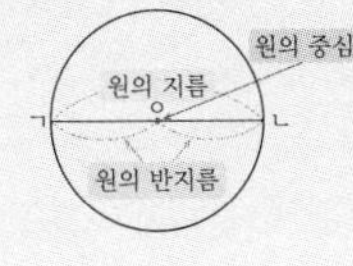

원의 중심: 원을 그릴 때에 누름 못이 꽂혔던 점
원의 반지름: 원의 중심과 원 위의 한 점을 이은 선분
원의 지름: 원 위의 두 점을 이은 선분 중 원의 중심을 지나는 선분

한 원에서 원의 중심은 1개 뿐입니다.	한 원에서 원의 반지름의 길이는 모두 같습니다.	한 원에서 원의 지름의 길이는 모두 같습니다.
	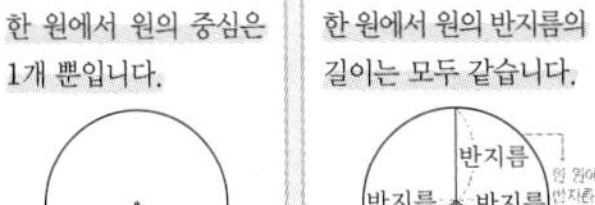	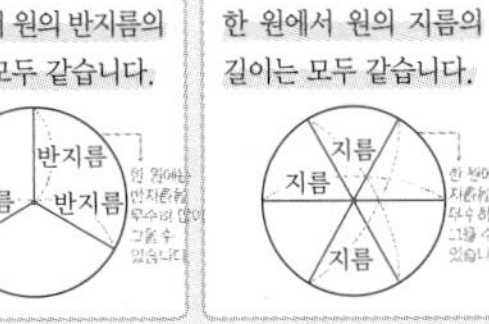

개념 확인 문제

정답과 풀이 p.1

1 자로 점을 찍어 원을 그려 보세요.

예

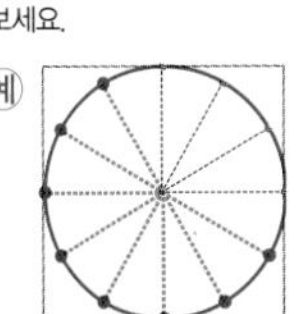

❖ 중심점으로부터 자로 길이를 잰 후 같은 거리만큼 표시하여 원을 그립니다.

2-1 원의 중심을 찾아 • 으로 표시해 보세요.

(1)

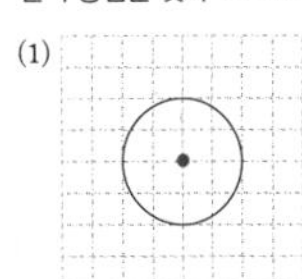

(2)

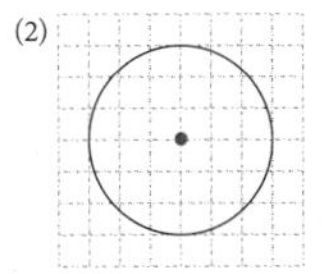

❖ 원의 한가운데에 있는 점을 찾습니다.

2-2 잘못 설명한 친구를 찾아 이름을 써 보세요.

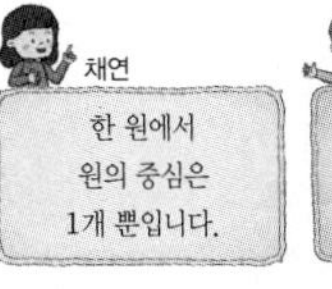
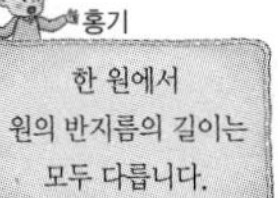

채연	홍기	지은
한 원에서 원의 중심은 1개 뿐입니다.	한 원에서 원의 반지름의 길이는 모두 다릅니다.	한 원에서 원의 지름의 길이는 모두 같습니다.

(**홍기**)

❖ 홍기: 한 원에서 원의 반지름의 길이는 모두 같습니다.

개념 3 원의 성질 알아보기

원의 성질 1 **원의 지름은 원을 둘로 똑같이 나눕니다.**

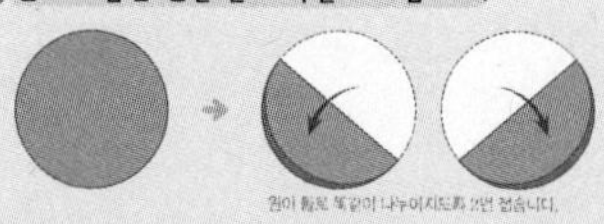

➜ 접었을 때 생기는 선분들이 만나는 점이 원의 중심입니다.
즉, 원이 둘로 똑같이 나누어지도록 접은 선은 원의 지름입니다.

원의 성질 2 **원의 지름은 원 안에 그을 수 있는 가장 긴 선분입니다.**

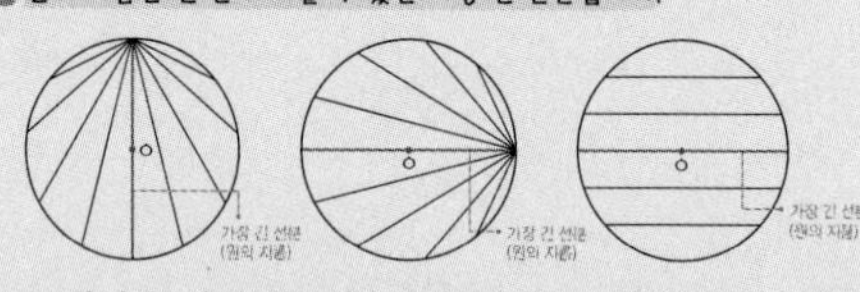

➜ 원 안에 그을 수 있는 선분 중 길이가 가장 긴 선분은 원의 중심을 지나는 원의 지름입니다.

원의 성질 3 **한 원에서 지름은 반지름의 2배입니다.**

원의 성질 4 **한 원에서 반지름은 지름의 반입니다.**

원의 반지름 원의 반지름 원의 지름

(원의 지름)=(원의 반지름)×2
(원의 반지름)=(원의 지름)÷2

개념 확인 문제 정답과 풀이 p.2

3-1 □ 안에 알맞은 말을 써넣으세요.

원의 지름 은/는 원을 둘로 똑같이 나눕니다.

3-2 그림을 보고 □ 안에 알맞게 써넣으세요.

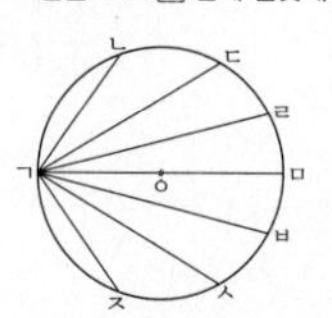

(1) 길이가 가장 긴 선분은 선분 ㄱㅁ 입니다. 또는 ㅁㄱ
(2) 원의 지름은 선분 ㄱㅁ 입니다. 또는 ㅁㄱ
(3) 원 안에 그을 수 있는 가장 긴 선분은 원의 지름 입니다.

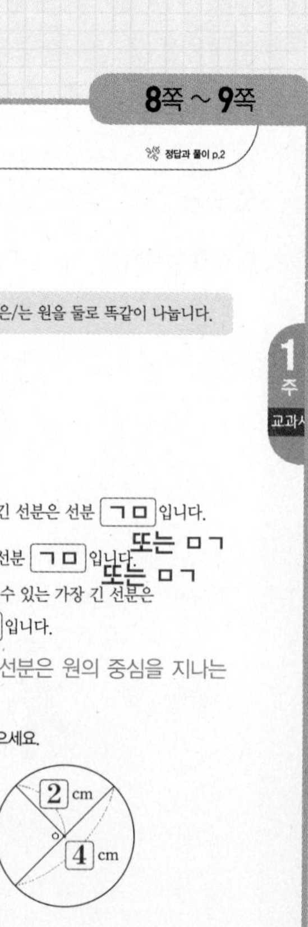

✣ (3) 원 안에 그을 수 있는 가장 긴 선분은 원의 중심을 지나는 선분인 원의 지름입니다.

3-3 선분의 길이를 재어 □ 안에 알맞은 수를 써넣으세요.

(1)

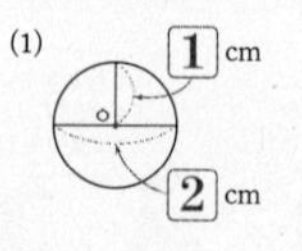

(2)

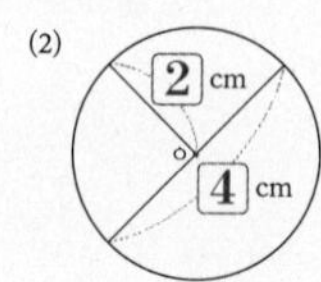

3-4 위 3-3을 보고 □ 안에 알맞은 수를 써넣으세요.

(원의 지름)=(원의 반지름)× 2

✣ 3-3에서 (1)은 지름 2 cm가 반지름 1 cm의 2배이고, (2)는 지름 4 cm가 반지름 2 cm의 2배입니다.

개념 4 컴퍼스를 이용하여 원 그리기

• 반지름이 4 cm인 원 그리기

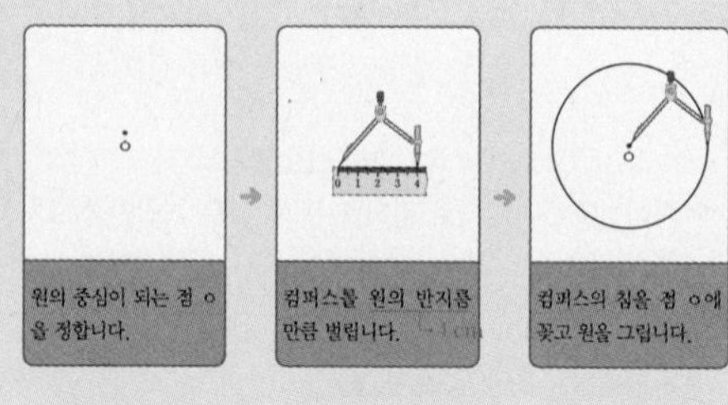

원의 중심이 되는 점 ㅇ을 정합니다.
컴퍼스를 원의 반지름만큼 벌립니다.
컴퍼스의 침을 점 ㅇ에 꽂고 원을 그립니다.

• 시계와 크기가 같은 원 그리기

컴퍼스를 시계의 반지름만큼 벌립니다.

컴퍼스의 침을 원의 중심에 꽂고 원을 그립니다.

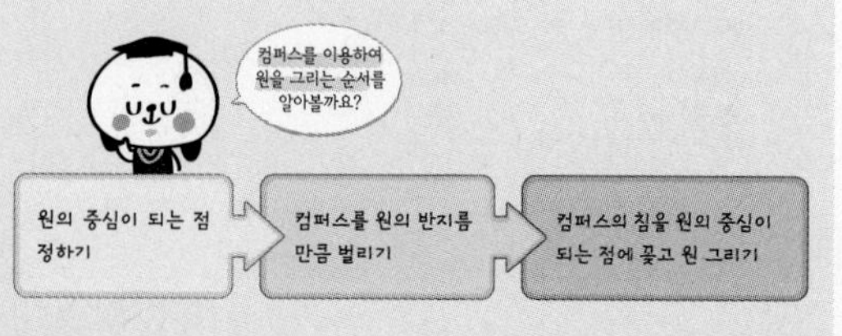

컴퍼스를 이용하여 원을 그리는 순서를 알아볼까요?
원의 중심이 되는 점 정하기
컴퍼스를 원의 반지름만큼 벌리기
컴퍼스의 침을 원의 중심이 되는 점에 꽂고 원 그리기

개념 확인 문제 정답과 풀이 p.2

4-1 컴퍼스를 이용하여 반지름이 3 cm인 원을 그리려고 합니다. 컴퍼스를 바르게 벌린 것을 찾아 기호를 써 보세요.

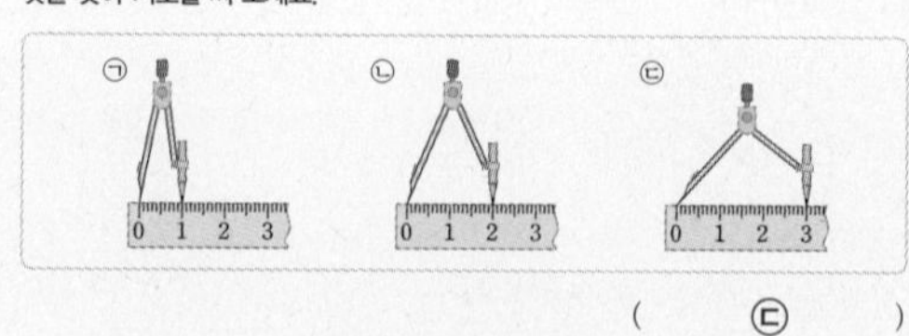

(㉢)

✣ 반지름이 3 cm인 원을 그리려면 컴퍼스를 3 cm만큼 벌려야 합니다. 컴퍼스를 3 cm만큼 벌린 것은 ㉢입니다.

4-2 다음과 같이 컴퍼스를 벌려 원을 그렸습니다. 그린 원의 반지름은 몇 cm일까요?

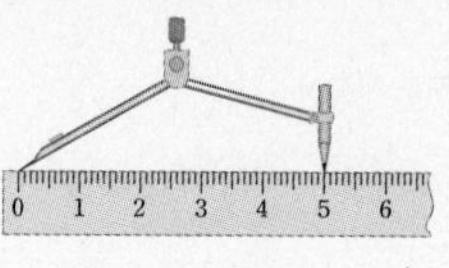

(5 cm)

✣ 컴퍼스를 5 cm만큼 벌린 것이므로 그린 원의 반지름은 5 cm입니다.

4-3 컴퍼스를 이용하여 주어진 접시와 크기가 같은 원을 그려 보세요.

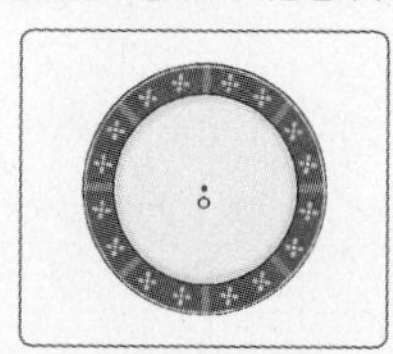

✣ 컴퍼스를 주어진 접시의 반지름만큼 벌리고 컴퍼스의 침을 점 ㅇ에 꽂아 원을 그립니다.

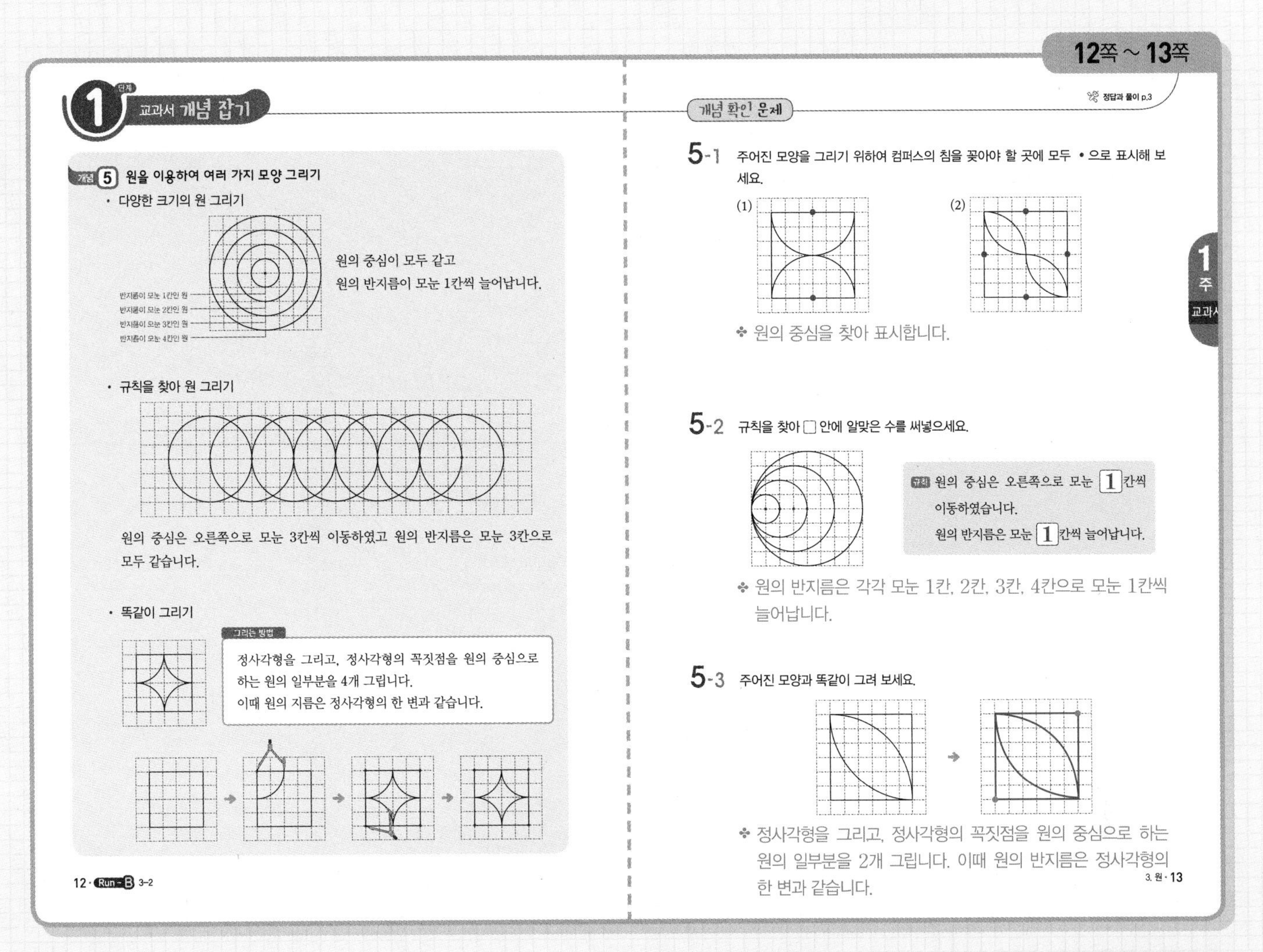
1단계 교과서 개념 잡기
개념 5 원을 이용하여 여러 가지 모양 그리기
• 다양한 크기의 원 그리기
반지름이 모눈 1칸인 원
반지름이 모눈 2칸인 원
반지름이 모눈 3칸인 원
반지름이 모눈 4칸인 원
원의 중심이 모두 같고
원의 반지름이 모눈 1칸씩 늘어납니다.
• 규칙을 찾아 원 그리기
원의 중심은 오른쪽으로 모눈 3칸씩 이동하였고 원의 반지름은 모눈 3칸으로 모두 같습니다.
• 똑같이 그리기
그리는 방법
정사각형을 그리고, 정사각형의 꼭짓점을 원의 중심으로 하는 원의 일부분을 4개 그립니다.
이때 원의 지름은 정사각형의 한 변과 같습니다.
12 · Run-B 3-2
개념 확인 문제
정답과 풀이 p.3
5-1 주어진 모양을 그리기 위하여 컴퍼스의 침을 꽂아야 할 곳에 모두 • 으로 표시해 보세요.
(1)
(2)
✤ 원의 중심을 찾아 표시합니다.
5-2 규칙을 찾아 □ 안에 알맞은 수를 써넣으세요.
규칙 원의 중심은 오른쪽으로 모눈 1 칸씩 이동하였습니다.
원의 반지름은 모눈 1 칸씩 늘어납니다.
✤ 원의 반지름은 각각 모눈 1칸, 2칸, 3칸, 4칸으로 모눈 1칸씩 늘어납니다.
5-3 주어진 모양과 똑같이 그려 보세요.
✤ 정사각형을 그리고, 정사각형의 꼭짓점을 원의 중심으로 하는 원의 일부분을 2개 그립니다. 이때 원의 반지름은 정사각형의 한 변과 같습니다.
3. 원 · 13
1주 교과서

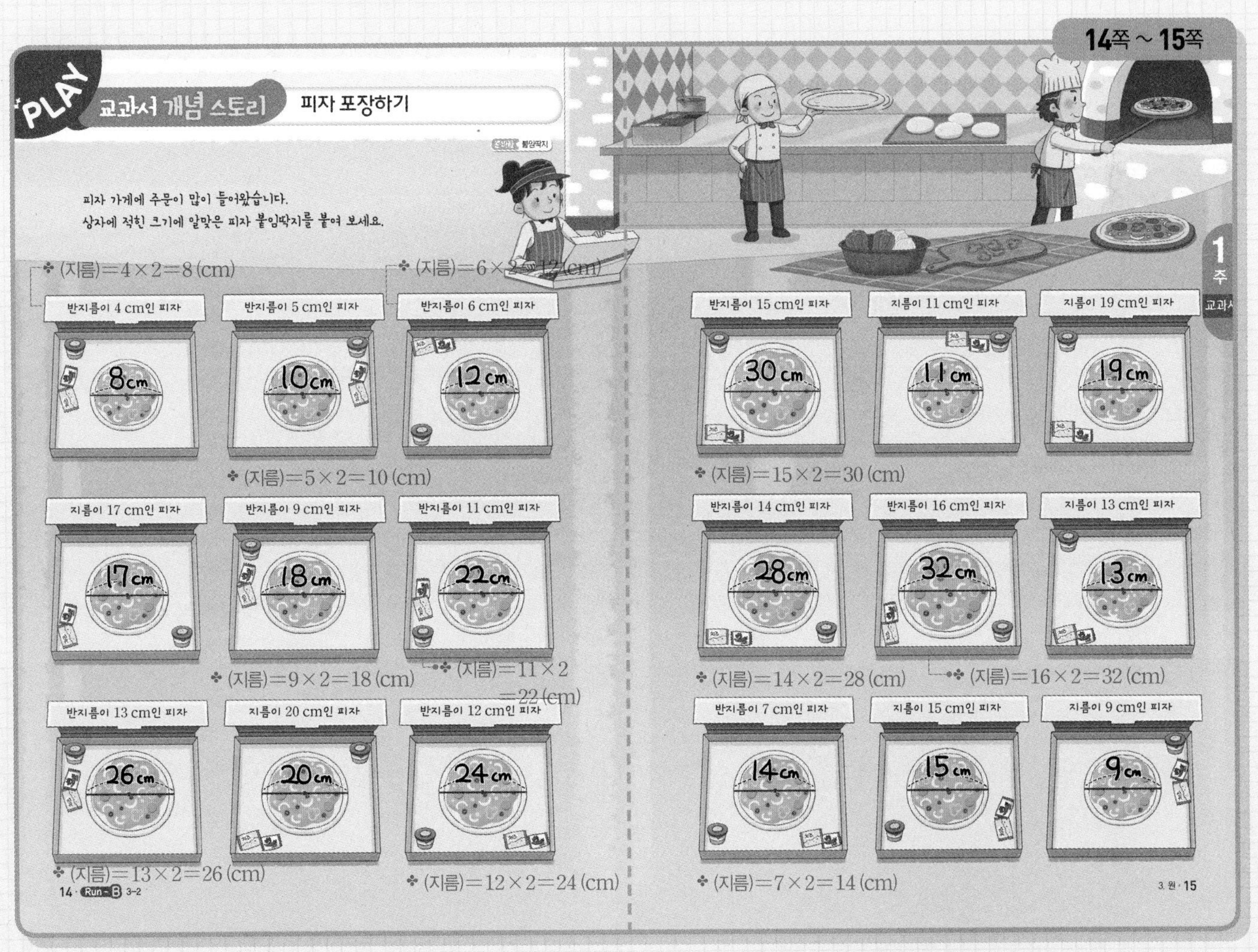
PLAY 교과서 개념 스토리
피자 포장하기
붙임딱지 활용학지
피자 가게에 주문이 많이 들어왔습니다.
상자에 적힌 크기에 알맞은 피자 붙임딱지를 붙여 보세요.
✤ (지름)=4×2=8 (cm)
✤ (지름)=6×2=12 (cm)
반지름이 4 cm인 피자
8cm
반지름이 5 cm인 피자
10cm
반지름이 6 cm인 피자
12cm
✤ (지름)=5×2=10 (cm)
지름이 17 cm인 피자
17cm
반지름이 9 cm인 피자
18cm
반지름이 11 cm인 피자
22cm
✤ (지름)=9×2=18 (cm)
✤ (지름)=11×2=22 (cm)
반지름이 13 cm인 피자
26cm
지름이 20 cm인 피자
20cm
반지름이 12 cm인 피자
24cm
✤ (지름)=13×2=26 (cm)
✤ (지름)=12×2=24 (cm)
14 · Run-B 3-2
반지름이 15 cm인 피자
30cm
지름이 11 cm인 피자
11cm
지름이 19 cm인 피자
19cm
✤ (지름)=15×2=30 (cm)
반지름이 14 cm인 피자
28cm
반지름이 16 cm인 피자
32cm
지름이 13 cm인 피자
13cm
✤ (지름)=14×2=28 (cm)
✤ (지름)=16×2=32 (cm)
반지름이 7 cm인 피자
14cm
지름이 15 cm인 피자
15cm
지름이 9 cm인 피자
9cm
✤ (지름)=7×2=14 (cm)
3. 원 · 15
1주 교과서

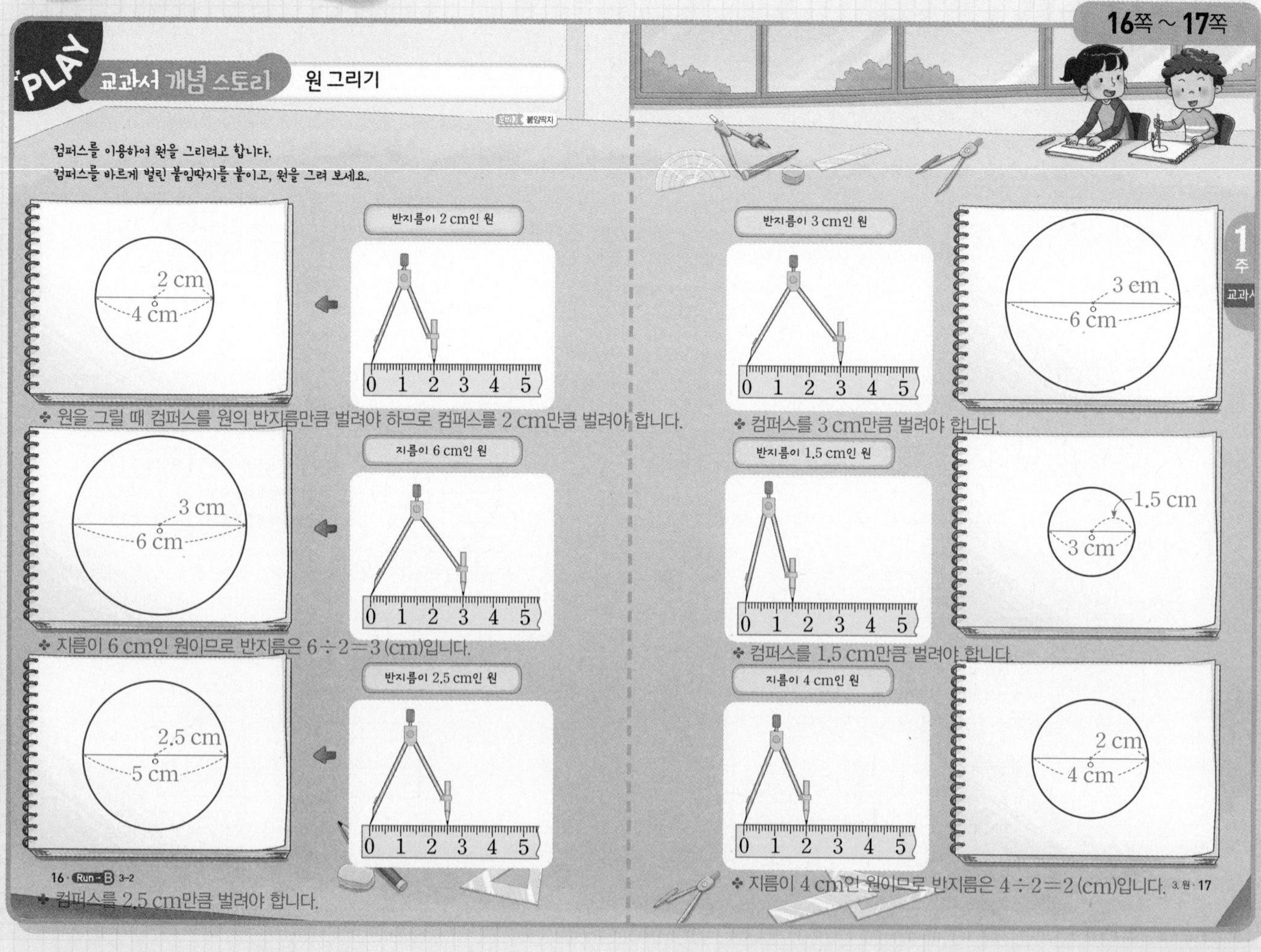
16쪽 ~ 17쪽

PLAY 교과서 개념 스토리 원 그리기

컴퍼스를 이용하여 원을 그리려고 합니다.
컴퍼스를 바르게 벌린 붙임딱지를 붙이고, 원을 그려 보세요.

반지름이 2 cm인 원

❖ 원을 그릴 때 컴퍼스를 원의 반지름만큼 벌려야 하므로 컴퍼스를 2 cm만큼 벌려야 합니다.

지름이 6 cm인 원

❖ 지름이 6 cm인 원이므로 반지름은 $6 \div 2 = 3$ (cm)입니다.

반지름이 2.5 cm인 원

❖ 컴퍼스를 2.5 cm만큼 벌려야 합니다.

반지름이 3 cm인 원

❖ 컴퍼스를 3 cm만큼 벌려야 합니다.

반지름이 1.5 cm인 원

❖ 컴퍼스를 1.5 cm만큼 벌려야 합니다.

지름이 4 cm인 원

❖ 지름이 4 cm인 원이므로 반지름은 $4 \div 2 = 2$ (cm)입니다.

16 · Run - B 3-2 / 3. 원 · 17

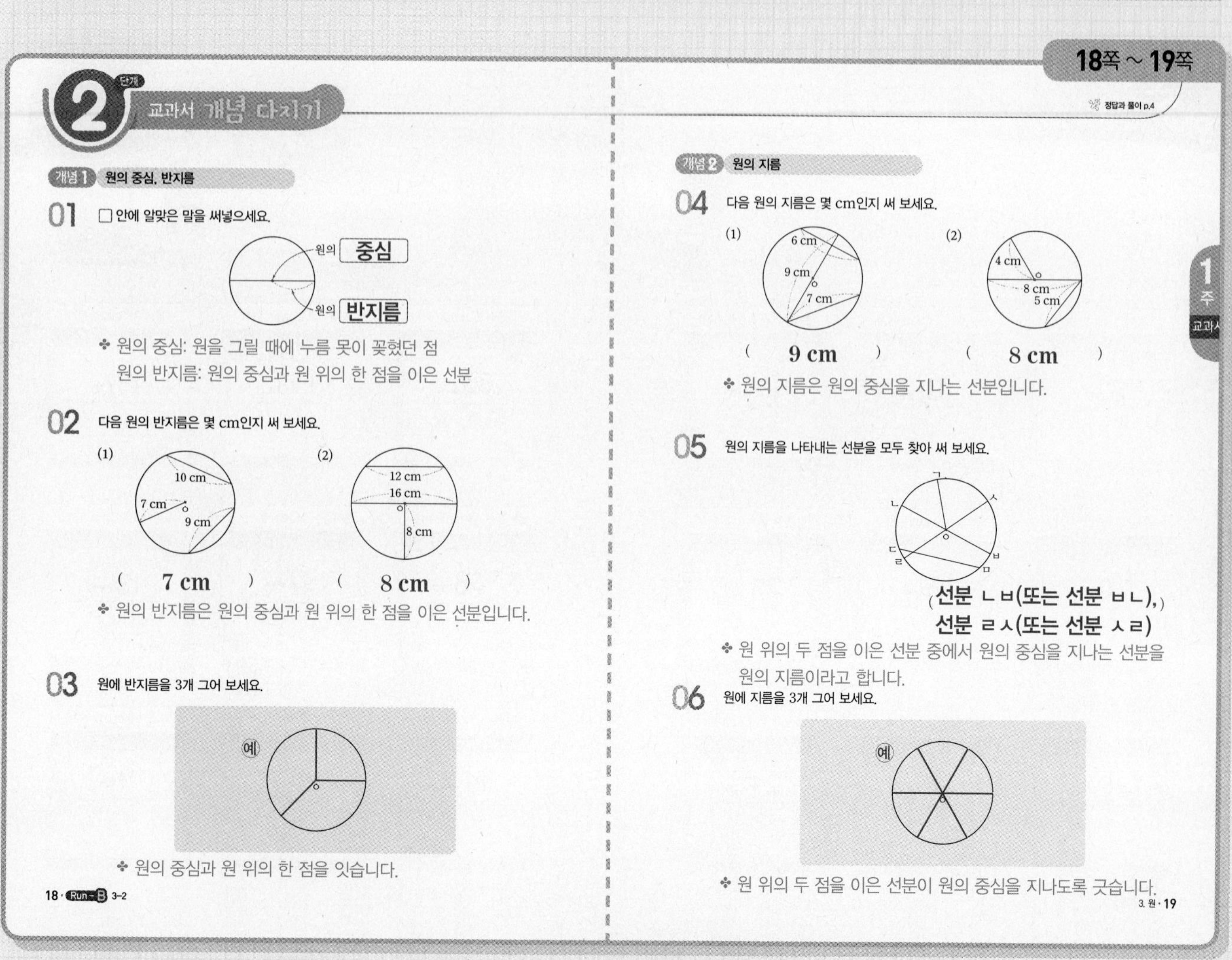
18쪽 ~ 19쪽

2단계 교과서 개념 다지기

정답과 풀이 p.4

개념 1 원의 중심, 반지름

01 □ 안에 알맞은 말을 써넣으세요.

원의 중심
원의 반지름

❖ 원의 중심: 원을 그릴 때에 누름 못이 꽂혔던 점
원의 반지름: 원의 중심과 원 위의 한 점을 이은 선분

02 다음 원의 반지름은 몇 cm인지 써 보세요.

(1) (7 cm) (2) (8 cm)

❖ 원의 반지름은 원의 중심과 원 위의 한 점을 이은 선분입니다.

03 원에 반지름을 3개 그어 보세요.

❖ 원의 중심과 원 위의 한 점을 잇습니다.

개념 2 원의 지름

04 다음 원의 지름은 몇 cm인지 써 보세요.

(1) (9 cm) (2) (8 cm)

❖ 원의 지름은 원의 중심을 지나는 선분입니다.

05 원의 지름을 나타내는 선분을 모두 찾아 써 보세요.

(선분 ㄴㅂ(또는 선분 ㅂㄴ), 선분 ㄹㅅ(또는 선분 ㅅㄹ))

❖ 원 위의 두 점을 이은 선분 중에서 원의 중심을 지나는 선분을 원의 지름이라고 합니다.

06 원에 지름을 3개 그어 보세요.

❖ 원 위의 두 점을 이은 선분이 원의 중심을 지나도록 긋습니다.

18 · Run - B 3-2 / 3. 원 · 19

정답과 풀이 p.5

2단계 교과서 개념 다지기

개념3 원의 성질

[07~08] 그림을 보고 □ 안에 알맞은 말을 써넣으세요.

07

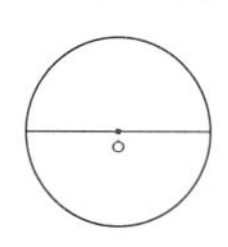

원을 둘로 똑같이 나누는 선분은 원의 **지름** 입니다.

08

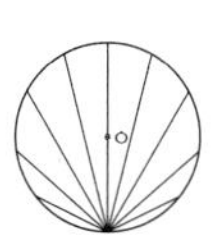

원 안의 선분 중에서 가장 긴 선분은 원의 **지름** 입니다.

09 투명 종이 2장에 각각 똑같은 크기의 원을 그리고 반을 접었다가 폈더니 선이 생겼습니다. 원 2개가 겹치도록 투명 종이를 포개었을 때 □ 안에 알맞은 말을 써넣으세요.

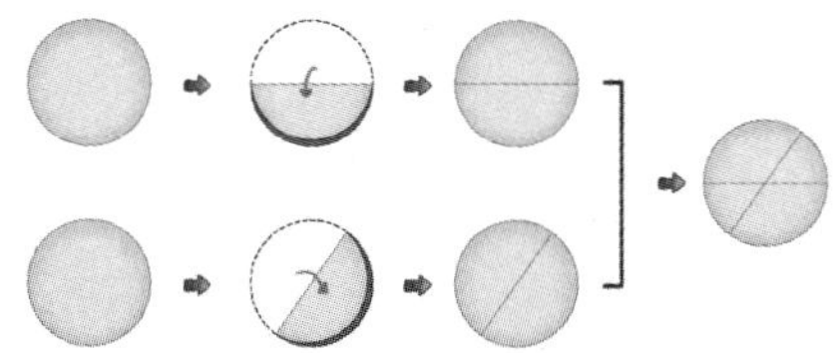

반을 접어 생긴 선분은
원의 지름 입니다.

두 선분이 만나는 점은
원의 중심 입니다.

개념4 원의 지름과 반지름 사이의 관계

10 □ 안에 알맞은 말을 써넣으세요.

(1) (원의 지름)=(원의 **반지름**)×2

(2) (원의 반지름)=(원의 **지름**)÷2

11 □ 안에 알맞은 수를 써넣으세요.

(1)

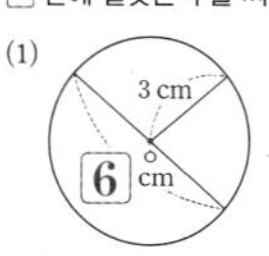

(2)

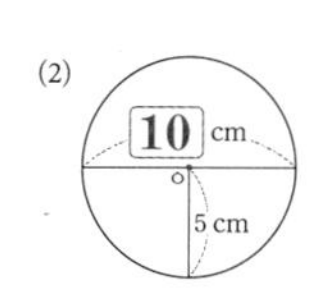

✤ 한 원에서 지름은 반지름의 2배입니다.
(1) (지름)$=3\times2=6$ (cm)
(2) (지름)$=5\times2=10$ (cm)

12 원의 반지름은 몇 cm인지 구해 보세요.

(1)

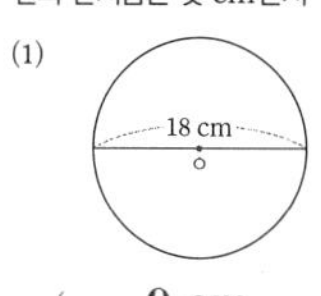

(**9 cm**)

(2)

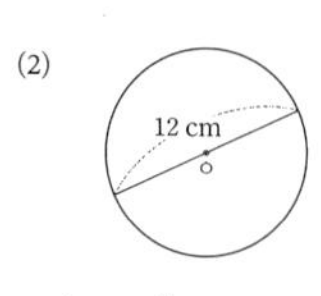

(**6 cm**)

✤ 한 원에서 반지름은 지름의 반입니다.
(1) (반지름)$=18\div2=9$ (cm)
(2) (반지름)$=12\div2=6$ (cm)

정답과 풀이 p.5

2단계 교과서 개념 다지기

개념5 컴퍼스를 이용하여 원 그리기

13 컴퍼스를 이용하여 반지름이 3 cm인 원을 그리려고 합니다. 그리는 순서대로 ( ) 안에 1, 2, 3을 써 보세요.

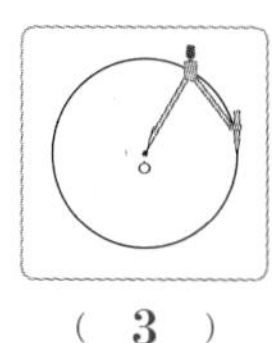

(**3**)

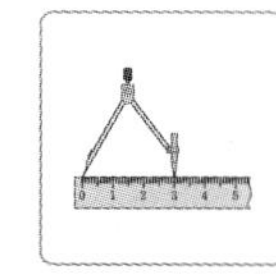

(**2**)

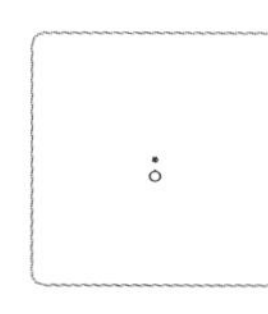

(**1**)

✤ ① 원의 중심이 되는 점 ㅇ를 정합니다. ② 컴퍼스를 원의 반지름만큼 벌립니다. ③ 컴퍼스의 침을 점 ㅇ에 꽂고 원을 그립니다.

14 컴퍼스를 다음과 같이 벌려서 그린 원의 반지름은 몇 cm일까요?

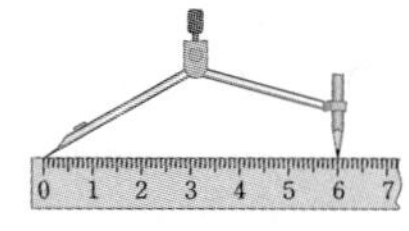

(**6 cm**)

✤ 컴퍼스를 이용하여 원을 그릴 때 컴퍼스의 침과 연필심 사이의 거리가 원의 반지름이므로 원의 반지름은 6 cm입니다.

15 컴퍼스를 이용하여 주어진 선분을 반지름으로 하는 원을 그려 보세요.

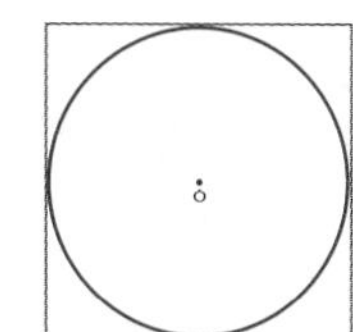

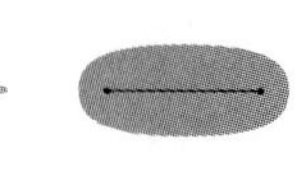

✤ 컴퍼스를 주어진 선분만큼 벌려서 원을 그립니다.

개념6 원을 이용하여 여러 가지 모양 그리기

16 그림과 같이 원을 4개 그릴 때 컴퍼스의 침을 꽂아야 할 곳은 몇 군데일까요?

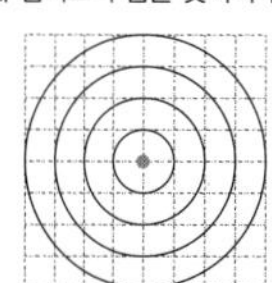

(**1군데**)

✤ 네 원은 원의 중심이 모두 같습니다.
따라서 컴퍼스의 침을 꽂아야 할 곳은 1군데입니다.

17 주어진 모양과 똑같이 그려 보세요.

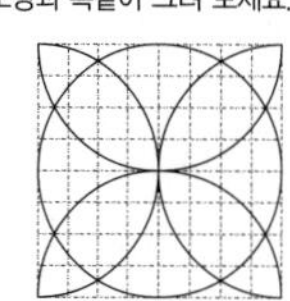

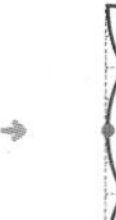

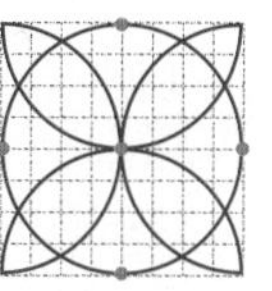

✤ 컴퍼스의 침을 꽂아야 할 곳을 찾아 똑같이 그려 봅니다.

18 그림을 보고 규칙을 찾아 원을 1개 더 그려 보세요.

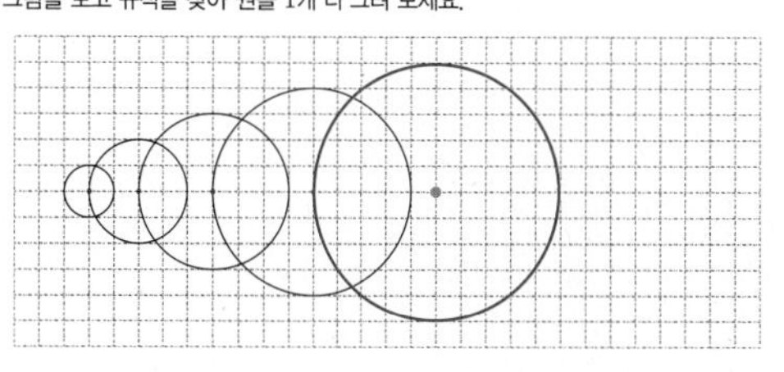

✤ 원의 중심이 오른쪽으로 모눈 2칸, 3칸, 4칸 이동하고 반지름이 모눈 1칸씩 늘어나는 규칙입니다.
➜ 원의 중심을 마지막 원에서 오른쪽으로 모눈 5칸 이동하고 반지름이 모눈 5칸인 원을 그립니다.

정답과 풀이 p.6

★ 원의 크기 비교하기

1 크기가 더 큰 원을 찾아 ○표 하세요.

지름이 8 cm인 원	반지름이 5 cm인 원
( )	(○)

개념 피드백
• 원의 크기 비교
① 지름이 길수록 더 큰 원입니다. (반지름이 길수록 더 큰 원입니다.)
② 지름이 짧을수록 더 작은 원입니다. (반지름이 짧을수록 더 작은 원입니다.)

❖ 반지름이 5 cm인 원의 지름은 $5 \times 2 = 10$ (cm)입니다.
➜ $8 < 10$이므로 반지름이 5 cm인 원이 더 큽니다.

1-1 크기가 가장 큰 원을 찾아 기호를 써 보세요.

㉠ 반지름이 9 cm인 원
㉡ 지름이 10 cm인 원
㉢ 반지름이 7 cm인 원
㉣ 지름이 5 cm인 원

(㉠)

❖ 원의 지름을 구해 비교합니다.
㉠ 지름: $9 \times 2 = 18$ (cm) ㉡ 지름: 10 cm
㉢ 지름: $7 \times 2 = 14$ (cm) ㉣ 지름: 5 cm
➜ $18 > 14 > 10 > 5$이므로 가장 큰 원은 ㉠입니다.

1-2 크기가 가장 작은 원을 찾아 기호를 써 보세요.

㉠ 지름이 13 cm인 원
㉡ 반지름이 8 cm인 원
㉢ 반지름이 6 cm인 원
㉣ 지름이 15 cm인 원

(㉢)

❖ 원의 지름을 구해 비교합니다.
㉠ 지름: 13 cm ㉡ 지름: $8 \times 2 = 16$ (cm)
㉢ 지름: $6 \times 2 = 12$ (cm) ㉣ 지름: 15 cm
➜ $16 > 15 > 13 > 12$이므로 가장 작은 원은 ㉢입니다.

★ 이용한 원의 중심 찾기

2 다음 모양을 그릴 때 이용한 원의 중심을 모두 찾아 •으로 표시해 보세요.

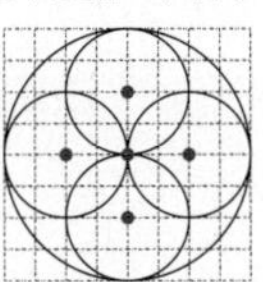

개념 피드백
원의 중심은 원의 한가운데에 있으므로 원 전체 또는 원의 일부를 보고 이용한 원의 중심을 찾을 수 있습니다.

2-1 다음 모양을 그릴 때 이용한 원의 중심을 모두 찾아 •으로 표시해 보세요.

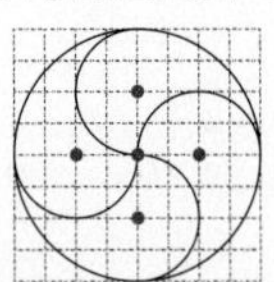

2-2 오른쪽 모양을 그릴 때 이용한 원의 중심은 모두 몇 개인지 써 보세요.

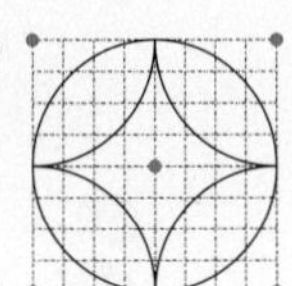

(5개)

1주 교과서

3 단계 교과서 실력 다지기

정답과 풀이 p.6

★ 원의 중심을 지나는 선분의 길이 구하기

3 점 ㄱ, 점 ㄴ은 각 원의 중심입니다. 선분 ㄱㄴ의 길이는 몇 cm인지 구해 보세요.

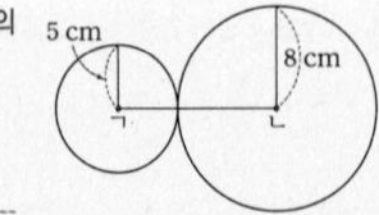

답 13 cm

개념 피드백
• 원의 반지름과 지름의 성질
① 한 원에서 원의 반지름의 길이는 모두 같습니다.
② 한 원에서 원의 지름의 길이는 모두 같습니다.

❖ (선분 ㄱㄴ의 길이)=(왼쪽 원의 반지름)+(오른쪽 원의 반지름)
$= 5 + 8 = 13$ (cm)

3-1 점 ㄱ, 점 ㄴ, 점 ㄷ은 각 원의 중심입니다. 선분 ㄱㄷ의 길이는 몇 cm인지 구해 보세요.

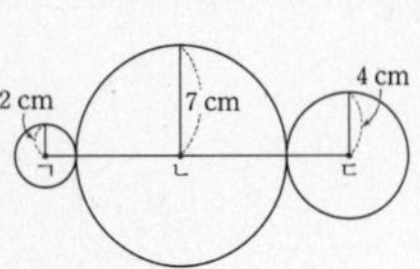

(20 cm)

❖ (반지름이 7 cm인 원의 지름)$= 7 \times 2 = 14$ (cm)
➜(선분 ㄱㄷ의 길이)=(반지름이 2 cm인 원의 반지름)+(반지름이 7 cm인 원의 지름)
+(반지름이 4 cm인 원의 반지름)$= 2 + 14 + 4 = 20$ (cm)

3-2 점 ㄴ, 점 ㄷ, 점 ㄹ은 각 원의 중심입니다. 선분 ㄱㅁ의 길이는 몇 cm인지 구해 보세요.

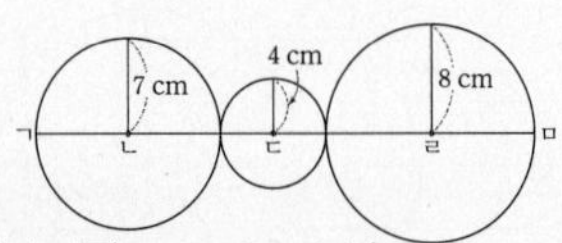

(38 cm)

❖ (반지름이 7 cm인 원의 지름)$= 7 \times 2 = 14$ (cm),
(반지름이 4 cm인 원의 지름)$= 4 \times 2 = 8$ (cm),
(반지름이 8 cm인 원의 지름)$= 8 \times 2 = 16$ (cm)
➜(선분 ㄱㅁ의 길이)=(반지름이 7 cm인 원의 지름)+(반지름이 4 cm인 원의 지름)
+(반지름이 8 cm인 원의 지름)
$= 14 + 8 + 16 = 38$ (cm)

★ 원의 반지름의 길이 구하기

4 오른쪽과 같이 지름이 20 cm인 원 안에 크기가 같은 원 2개를 그렸습니다. 작은 원의 반지름은 몇 cm인지 구해 보세요.

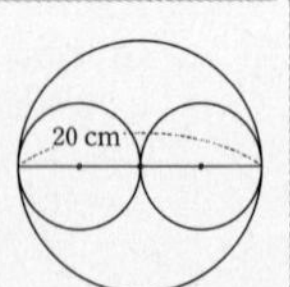

답 5 cm

개념 피드백
주어진 길이와 구하려고 하는 길이 사이의 관계를 알아봅니다. 즉, 주어진 길이는 작은 원의 반지름의 몇 배인지 알아보고 식을 세워 봅니다.

❖ 큰 원의 지름은 작은 원의 반지름의 4배입니다.
➜ (작은 원의 반지름)=(큰 원의 지름)÷4
$= 20 \div 4 = 5$ (cm)

4-1 오른쪽과 같이 지름이 28 cm인 원 안에 크기가 같은 원 2개를 그렸습니다. 작은 원의 반지름은 몇 cm인지 구해 보세요.

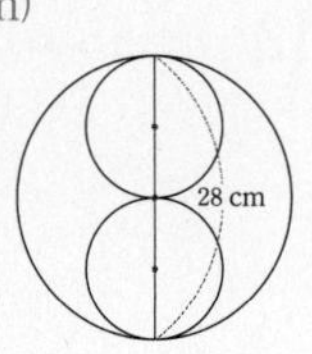

(7 cm)

❖ 큰 원의 지름은 작은 원의 반지름의 4배입니다.
➜ (작은 원의 반지름)=(큰 원의 지름)÷4
$= 28 \div 4 = 7$ (cm)

4-2 오른쪽과 같이 지름이 24 cm인 원 안에 크기가 같은 원 3개를 그렸습니다. 작은 원의 반지름은 몇 cm인지 구해 보세요.

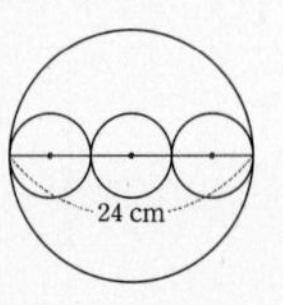

(4 cm)

❖ 큰 원의 지름은 작은 원의 반지름의 6배입니다.
➜ (작은 원의 반지름)=(큰 원의 지름)÷6
$= 24 \div 6 = 4$ (cm)

1주 교과서

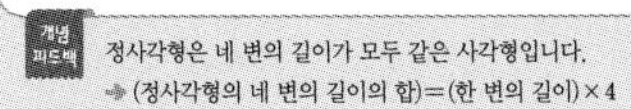

정답과 풀이 p.7

★ 정사각형의 네 변의 길이의 합 구하기

5 오른쪽과 같이 정사각형 안에 가장 큰 원을 그렸습니다. 정사각형의 네 변의 길이의 합은 몇 cm인지 구해 보세요.

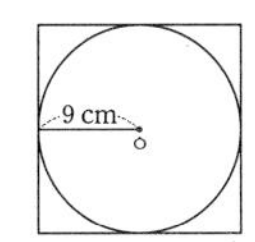

답 72 cm

개념 피드백 정사각형은 네 변의 길이가 모두 같은 사각형입니다.
→ (정사각형의 네 변의 길이의 합)=(한 변의 길이)×4

✤ (정사각형의 한 변의 길이)=(원의 지름)$=9\times2=18$ (cm)
→ (정사각형의 네 변의 길이의 합)$=18\times4=72$ (cm)

5-1 오른쪽과 같이 정사각형 안에 가장 큰 원을 그렸습니다. 정사각형의 네 변의 길이의 합은 몇 cm인지 구해 보세요.

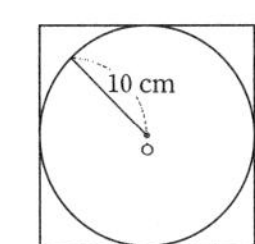

(80 cm)

✤ (정사각형의 한 변의 길이)=(원의 지름)$=10\times2=20$ (cm)
→ (정사각형의 네 변의 길이의 합)$=20\times4=80$ (cm)

5-2 오른쪽과 같이 정사각형 안에 가장 큰 원을 그렸습니다. 정사각형의 네 변의 길이의 합이 64 cm일 때 원의 반지름은 몇 cm인지 구해 보세요.

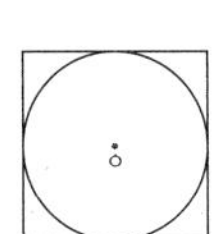

(8 cm)

✤ (정사각형의 한 변의 길이)$=64\div4=16$ (cm)
원의 지름은 정사각형의 한 변의 길이와 같으므로 16 cm입니다.
→ (원의 반지름)$=16\div2=8$ (cm)

★ 도형을 보고 원의 반지름 구하기

6 점 ㄴ, 점 ㄷ은 크기가 같은 두 원의 중심입니다. 삼각형 ㄱㄴㄷ의 세 변의 길이의 합이 18 cm일 때 원의 반지름은 몇 cm인지 구해 보세요.

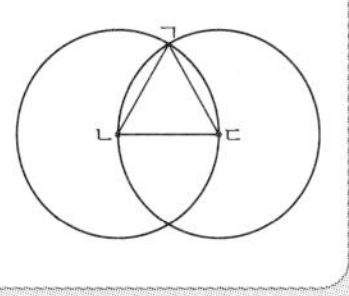

답 6 cm

개념 피드백 변 ㄱㄴ, 변 ㄴㄷ, 변 ㄱㄷ은 원의 중심과 원 위의 한 점을 이은 선분이므로 모두 원의 반지름입니다.

✤ 변 ㄱㄴ, 변 ㄴㄷ, 변 ㄱㄷ은 모두 원의 반지름이므로 길이가 모두 같습니다.
→ (원의 반지름)=(변 ㄱㄴ)=(변 ㄴㄷ)=(변 ㄱㄷ)
=(삼각형 ㄱㄴㄷ의 세 변의 길이의 합)$\div3$
$=18\div3=6$ (cm)

6-1 점 ㄱ, 점 ㄷ은 크기가 같은 두 원의 중심입니다. 삼각형 ㄱㄴㄷ의 세 변의 길이의 합이 24 cm일 때 원의 반지름은 몇 cm인지 구해 보세요.

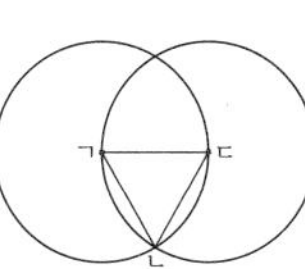

(8 cm)

✤ (원의 반지름)=(변 ㄱㄴ)=(변 ㄴㄷ)=(변 ㄱㄷ)
=(삼각형 ㄱㄴㄷ의 세 변의 길이의 합)$\div3$
$=24\div3=8$ (cm)

6-2 점 ㄴ, 점 ㄹ은 크기가 같은 두 원의 중심입니다. 사각형 ㄱㄴㄷㄹ의 네 변의 길이의 합이 28 cm일 때 원의 반지름은 몇 cm인지 구해 보세요.

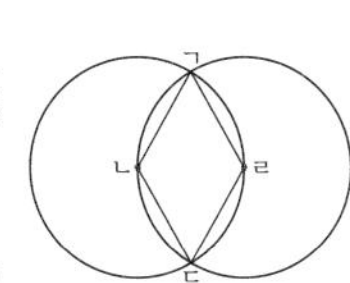

(7 cm)

✤ (원의 반지름)=(변 ㄱㄴ)=(변 ㄴㄷ)=(변 ㄷㄹ)=(변 ㄱㄹ)
=(사각형 ㄱㄴㄷㄹ의 네 변의 길이의 합)$\div4$
$=28\div4=7$ (cm)

Test 교과서 서술형 연습

정답과 풀이 p.7

1 반지름이 3 cm인 원 2개를 오른쪽과 같이 서로 원의 중심을 지나도록 겹쳐서 그렸습니다. 선분 ㄱㄴ의 길이는 몇 cm인지 구해 보세요.

해결하기 선분 ㄱㄴ의 길이는 원의 반지름의 3배입니다.
→ (선분 ㄱㄴ의 길이)=(원의 반지름)×3
=3×3=9 (cm)

답 구하기 9 cm

2 반지름이 5 cm인 원 3개를 오른쪽과 같이 서로 원의 중심을 지나도록 겹쳐서 그렸습니다. 선분 ㄱㄴ의 길이는 몇 cm인지 구해 보세요.

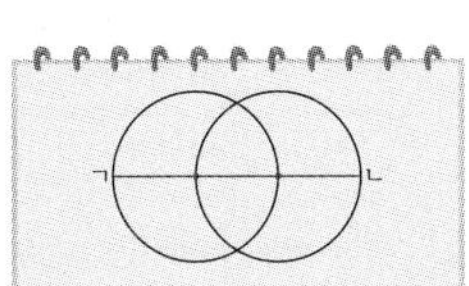

해결하기 예 선분 ㄱㄴ의 길이는 원의 반지름의 4배입니다.
→ (선분 ㄱㄴ의 길이)=(원의 반지름)$\times4$
$=5\times4=20$ (cm)

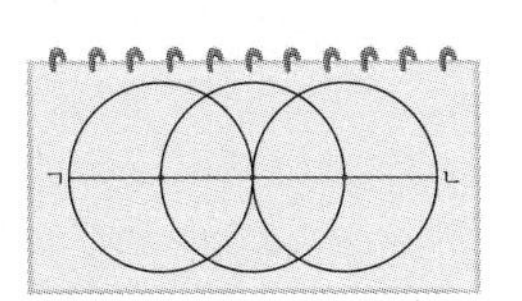

답 구하기 20 cm

3 지름이 20 cm인 원에 오른쪽과 같이 삼각형을 그려서 색칠하였습니다. 색칠한 삼각형의 세 변의 길이의 합은 몇 cm인지 구해 보세요.

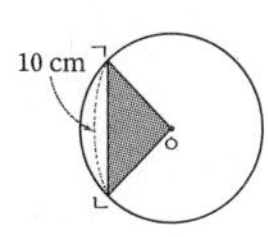

해결하기 원의 반지름이 20÷2=10 (cm)이므로
변 ㅇㄱ의 길이는 10 cm, 변 ㅇㄴ의 길이는 10 cm입니다.
→ (색칠한 삼각형의 세 변의 길이의 합)
=(변 ㅇㄱ의 길이)+(변 ㅇㄴ의 길이)+(변 ㄱㄴ의 길이)
=10+10+6=26 (cm)

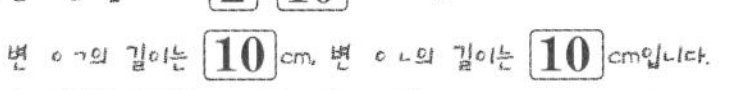

답 구하기 26 cm

4 지름이 14 cm인 원에 오른쪽과 같이 삼각형을 그려서 색칠하였습니다. 색칠한 삼각형의 세 변의 길이의 합은 몇 cm인지 구해 보세요.

해결하기 예 원의 반지름이 $14\div2=7$ (cm)이므로
변 ㅇㄱ의 길이는 7 cm, 변 ㅇㄴ의 길이는 7 cm입니다.
→ (색칠한 삼각형의 세 변의 길이의 합)
=(변 ㅇㄱ의 길이)+(변 ㅇㄴ의 길이)+(변 ㄱㄴ의 길이)
$=7+7+10=24$ (cm)

답 구하기 24 cm

32쪽 ~ 33쪽

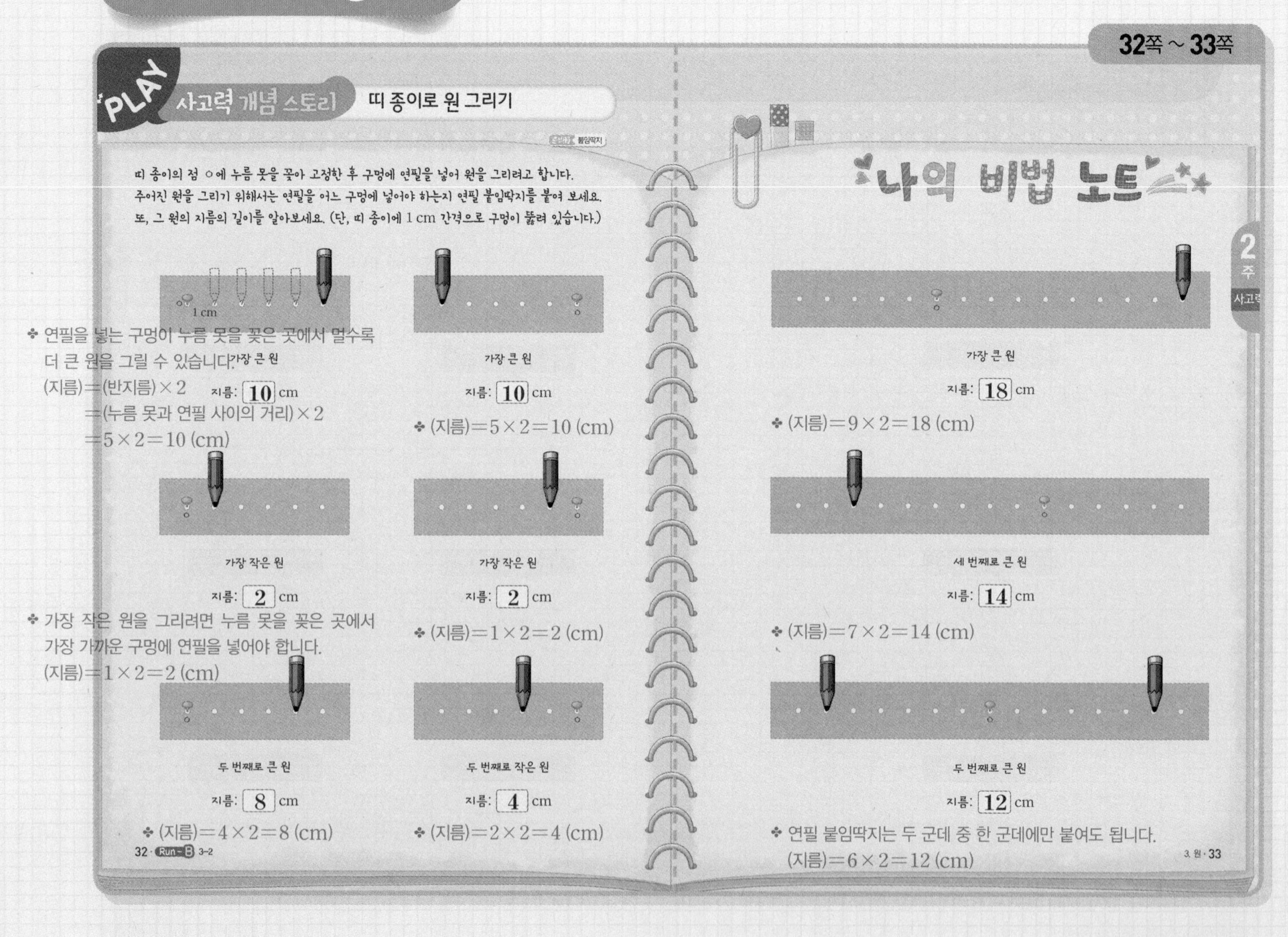
PLAY 사고력 개념 스토리 띠 종이로 원 그리기

붙임딱지

띠 종이의 점 ㅇ에 누름 못을 꽂아 고정한 후 구멍에 연필을 넣어 원을 그리려고 합니다.
주어진 원을 그리기 위해서는 연필을 어느 구멍에 넣어야 하는지 연필 붙임딱지를 붙여 보세요.
또, 그 원의 지름의 길이를 알아보세요. (단, 띠 종이에 1 cm 간격으로 구멍이 뚫려 있습니다.)

1 cm

가장 큰 원 지름: 10 cm

✤ 연필을 넣는 구멍이 누름 못을 꽂은 곳에서 멀수록 더 큰 원을 그릴 수 있습니다.
(지름)=(반지름)×2
=(누름 못과 연필 사이의 거리)×2
=5×2=10 (cm)

가장 큰 원 지름: 10 cm

✤ (지름)=5×2=10 (cm)

가장 작은 원 지름: 2 cm

✤ 가장 작은 원을 그리려면 누름 못을 꽂은 곳에서 가장 가까운 구멍에 연필을 넣어야 합니다.
(지름)=1×2=2 (cm)

가장 작은 원 지름: 2 cm

✤ (지름)=1×2=2 (cm)

두 번째로 큰 원 지름: 8 cm

✤ (지름)=4×2=8 (cm)

두 번째로 작은 원 지름: 4 cm

✤ (지름)=2×2=4 (cm)

32 · Run-B 3-2

나의 비법 노트

가장 큰 원 지름: 18 cm

✤ (지름)=9×2=18 (cm)

세 번째로 큰 원 지름: 14 cm

✤ (지름)=7×2=14 (cm)

두 번째로 큰 원 지름: 12 cm

✤ 연필 붙임딱지는 두 군데 중 한 군데에만 붙여도 됩니다.
(지름)=6×2=12 (cm)

3. 원 · 33

2주 사고력

34쪽 ~ 35쪽

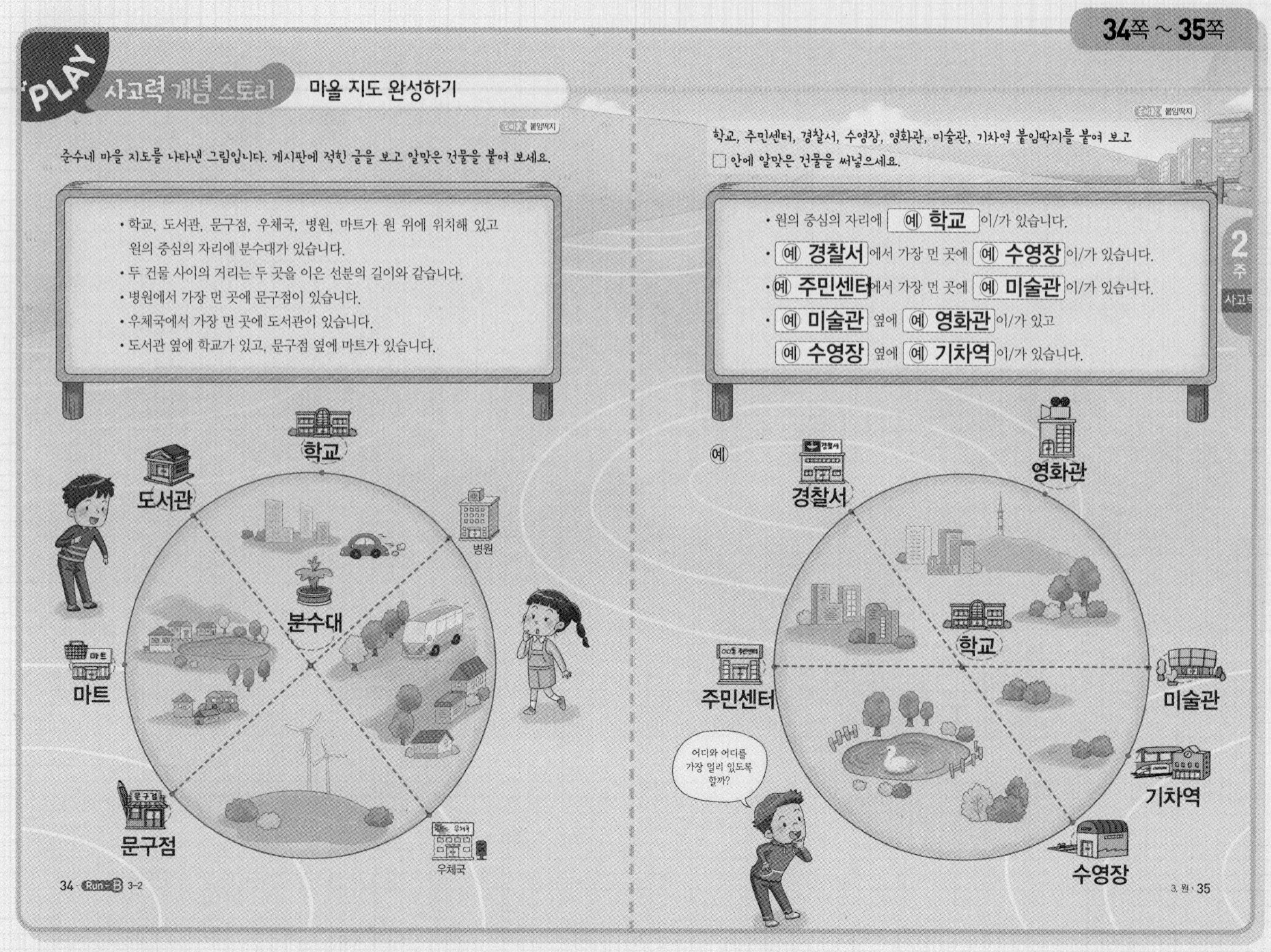
PLAY 사고력 개념 스토리 마을 지도 완성하기

붙임딱지

준수네 마을 지도를 나타낸 그림입니다. 게시판에 적힌 글을 보고 알맞은 건물을 붙여 보세요.

- 학교, 도서관, 문구점, 우체국, 병원, 마트가 원 위에 위치해 있고 원의 중심의 자리에 분수대가 있습니다.
- 두 건물 사이의 거리는 두 곳을 이은 선분의 길이와 같습니다.
- 병원에서 가장 먼 곳에 문구점이 있습니다.
- 우체국에서 가장 먼 곳에 도서관이 있습니다.
- 도서관 옆에 학교가 있고, 문구점 옆에 마트가 있습니다.

34 · Run-B 3-2

붙임딱지

학교, 주민센터, 경찰서, 수영장, 영화관, 미술관, 기차역 붙임딱지를 붙여 보고 □ 안에 알맞은 건물을 써넣으세요.

- 원의 중심의 자리에 예 학교 이/가 있습니다.
- 예 경찰서 에서 가장 먼 곳에 예 수영장 이/가 있습니다.
- 예 주민센터 에서 가장 먼 곳에 예 미술관 이/가 있습니다.
- 예 미술관 옆에 예 영화관 이/가 있고 예 수영장 옆에 예 기차역 이/가 있습니다.

예

3. 원 · 35

2주 사고력

1단계 교과 사고력 잡기

정답과 풀이 p.9

1 눈을 굴려 반지름이 20 cm인 얼굴과 반지름이 28 cm인 몸통을 붙여 눈사람을 만들었습니다. 이 눈사람의 전체 높이는 몇 cm인지 구해 보세요. (단, 눈사람의 얼굴과 몸통을 원 모양으로 생각하고 겹치는 부분은 없습니다.)

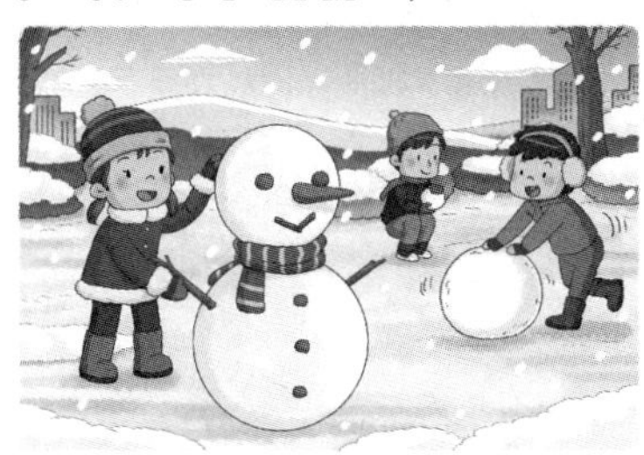

① 눈사람 얼굴의 지름은 몇 cm일까요?

(40 cm)

✤ $20\times2=40$ (cm)

② 눈사람 몸통의 지름은 몇 cm일까요?

(56 cm)

✤ $28\times2=56$ (cm)

③ 눈사람의 전체 높이는 몇 cm일까요?

(96 cm)

✤ (전체 높이)=(얼굴의 지름)+(몸통의 지름)
=$40+56=96$ (cm)

2 지름이 80 cm인 굴렁쇠를 다음과 같이 굴렸습니다. 굴렁쇠의 중심이 이동한 거리는 몇 cm인지 구해 보세요.

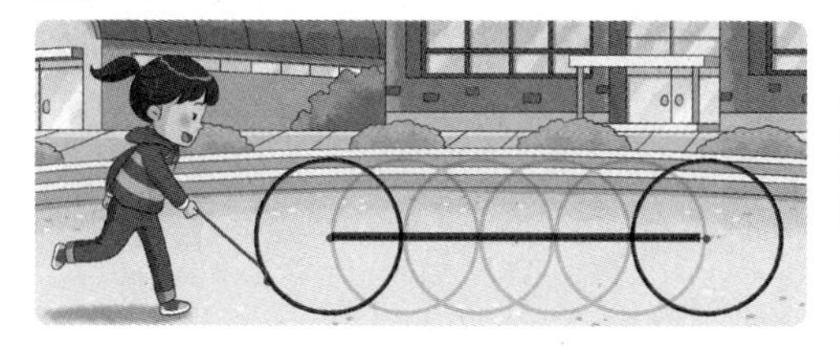

① 굴렁쇠의 중심이 이동한 거리를 점선 위에 선분으로 표시해 보세요.

② 굴렁쇠의 반지름은 몇 cm일까요?

(40 cm)

✤ $80\div2=40$ (cm)

③ 굴렁쇠의 중심이 이동한 거리는 굴렁쇠 반지름의 몇 배일까요?

(5배)

④ 굴렁쇠의 중심이 이동한 거리는 몇 cm일까요?

(200 cm)

✤ (굴렁쇠의 중심이 이동한 거리)=(굴렁쇠의 반지름)×5
=$40\times5=200$ (cm)

1단계 교과 사고력 잡기

정답과 풀이 p.9

3 지름이 각각 60 cm, 80 cm인 원 모양 훌라후프를 그림과 같이 겹쳐 놓았습니다. 선분 ㄱㄴ의 길이는 몇 cm인지 구해 보세요. (단, 점 ㄱ과 점 ㄴ은 각 원의 중심입니다.)

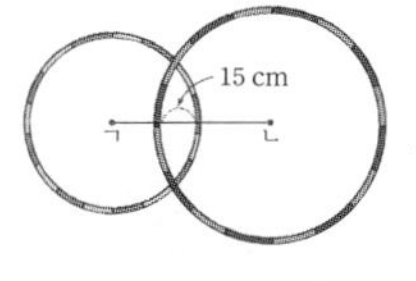

① 작은 훌라후프의 반지름은 몇 cm일까요?

(30 cm)

✤ $60\div2=30$ (cm)

② 큰 훌라후프의 반지름은 몇 cm일까요?

(40 cm)

✤ $80\div2=40$ (cm)

③ □ 안에 알맞은 수를 써넣으세요.

(선분 ㄱㄴ의 길이)
=(작은 훌라후프의 반지름)+(큰 훌라후프의 반지름)−[15]

✤ 선분 ㄱㄴ의 길이는 작은 훌라후프의 반지름과 큰 훌라후프의 반지름을 더한 길이에서 겹쳐진 길이만큼 뺍니다.

④ 선분 ㄱㄴ의 길이는 몇 cm일까요?

(55 cm)

✤ $30+40-15=55$ (cm)

4 컴퍼스를 이용하여 다음과 같은 모양을 그려 보세요.

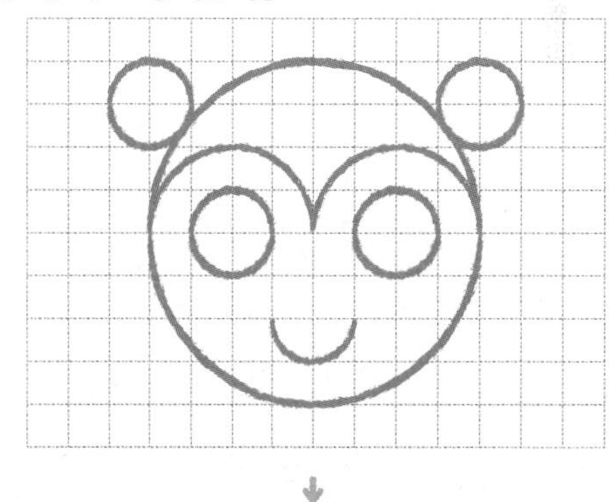

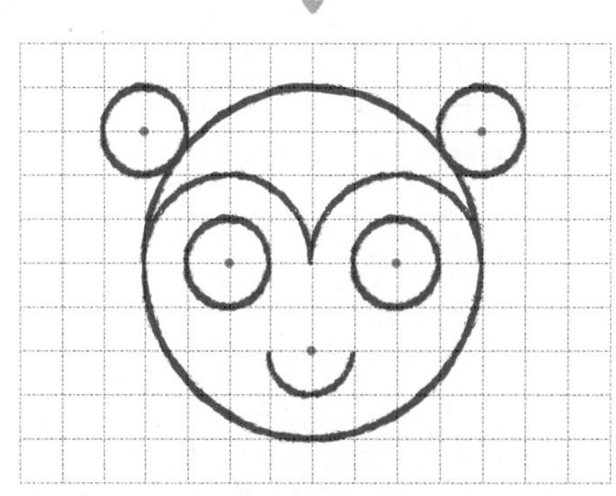

✤ 컴퍼스의 침을 꽂아야 할 곳을 찾아 똑같이 그려 봅니다.

2단계 교과 사고력 확장

정답과 풀이 p.10

1 친구들이 미술 시간에 원을 이용해서 그린 모양입니다. 이용한 원의 중심이 가장 많은 모양을 그린 친구는 누구인지 알아보세요.

호동

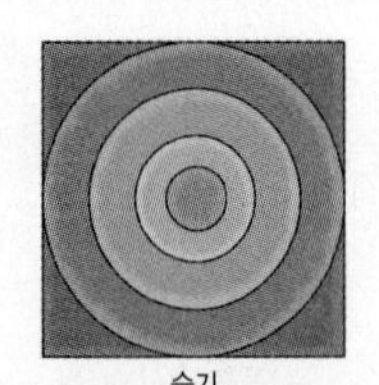
승기

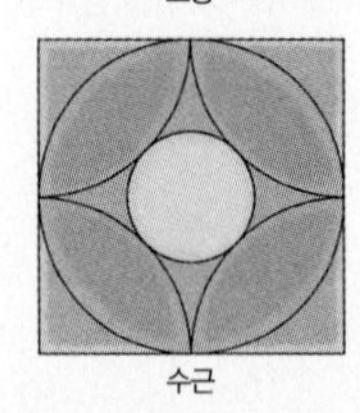
수근

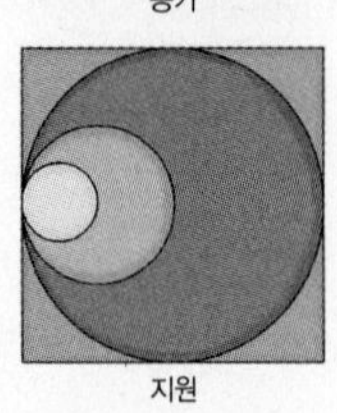
지원

❶ 친구들이 이용한 원의 중심의 개수를 각각 구해 보세요.

호동 (4개), 승기 (1개),
수근 (5개), 지원 (3개)

✤ 호동:  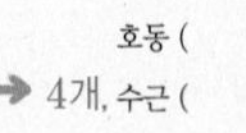 ➔ 4개, 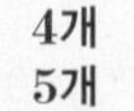 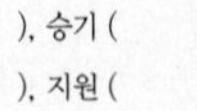 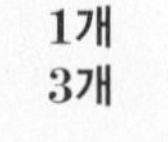

승기: 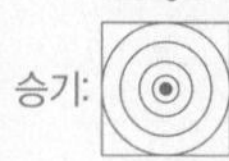  ➔ 1개, 수근:  ➔ 5개, 지원: 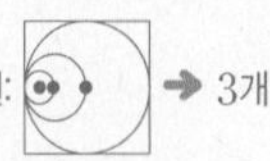 ➔ 3개

❷ 이용한 원의 중심이 가장 많은 모양을 그린 친구는 누구일까요?

(수근)

✤ $5>4>3>1$이므로 이용한 원의 중심이 가장 많은 모양을 그린 친구는 수근입니다.

2 혜미가 그린 버스 그림입니다. 버스 바퀴의 반지름은 몇 cm인지 구해 보세요. (단, 두 바퀴는 크기가 같은 원 모양입니다.)

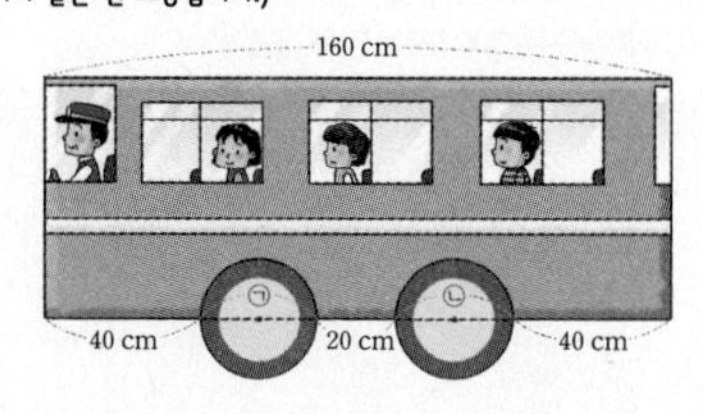

❶ ㉠과 ㉡의 길이의 합은 몇 cm일까요?

(60 cm)

✤ $160-40-20-40=60$ (cm)

❷ 버스 바퀴의 지름은 몇 cm일까요?

(30 cm)

✤ (버스 바퀴의 지름)$=60\div2=30$ (cm)

❸ 버스 바퀴의 반지름은 몇 cm일까요?

(15 cm)

✤ (버스 바퀴의 반지름)$=30\div2=15$ (cm)

2단계 교과 사고력 확장

정답과 풀이 p.10

3 다음과 같이 병원, 우체국, 학교, 시청, 수영장이 원 위에 있습니다. 거리가 가장 먼 두 장소는 어디와 어디인지 구해 보세요. (단, 두 장소 사이의 거리는 두 곳을 이은 선분의 길이와 같습니다.)

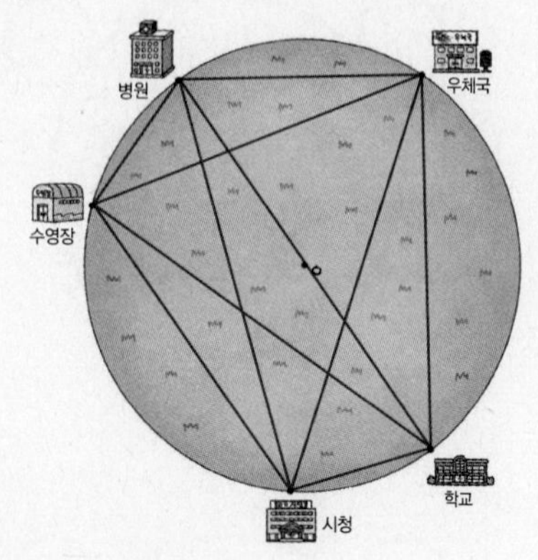

❶ 두 장소끼리 선분으로 모두 이어 보세요.

❷ 거리가 가장 먼 두 장소는 어디와 어디인지 써 보세요.

(병원 , 학교)

❸ ❷와 같이 생각한 이유를 완성해 보세요.

원 안에 그을 수 있는 가장 긴 선분은 원의 중심을/를 지나는 선분입니다.
따라서 가장 긴 선분은 병원와/과 학교을/를 이은 선분입니다.

병원과 학교를 서로 바꾸어 써도 됩니다.

4 100원짜리 동전의 지름은 24 mm이고 10원짜리 동전의 지름은 18 mm입니다. 맞닿은 세 동전의 중심을 이어서 그린 삼각형 ㄱㄴㄷ의 세 변의 길이의 합은 몇 mm인지 구해 보세요.

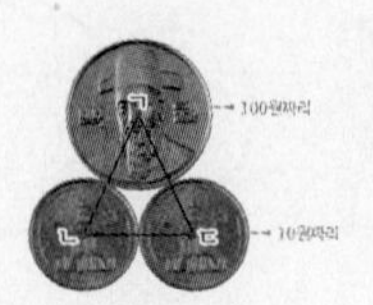

❶ 변 ㄱㄴ의 길이는 몇 mm일까요?

(21 mm)

✤ (100원짜리 동전의 반지름)$=24\div2=12$ (mm),
(10원짜리 동전의 반지름)$=18\div2=9$ (mm)
➔ (변 ㄱㄴ의 길이)=(100원짜리 동전의 반지름)+(10원짜리 동전의 반지름)
$=12+9=21$ (mm)

❷ 변 ㄴㄷ의 길이는 몇 mm일까요?

(18 mm)

✤ (변 ㄴㄷ의 길이)=(10원짜리 동전의 반지름)+(10원짜리 동전의 반지름)
$=9+9=18$ (mm)

❸ 변 ㄱㄷ의 길이는 몇 mm일까요?

(21 mm)

✤ (변 ㄱㄷ의 길이)=(100원짜리 동전의 반지름)+(10원짜리 동전의 반지름)
$=12+9=21$ (mm)

❹ 삼각형 ㄱㄴㄷ의 세 변의 길이의 합은 몇 mm일까요?

(60 mm)

✤ (변 ㄱㄴ의 길이)+(변 ㄴㄷ의 길이)+(변 ㄱㄷ의 길이)
$=21+18+21=60$ (mm)

정답과 풀이 p.11

3단계 교과 사고력 완성

평가 영역 ☑개념 이해력 □개념 응용력 □창의력 □문제 해결력

1 원을 이용하여 다음 모양과 똑같이 그려 보세요.

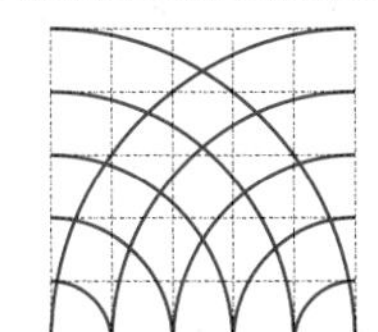

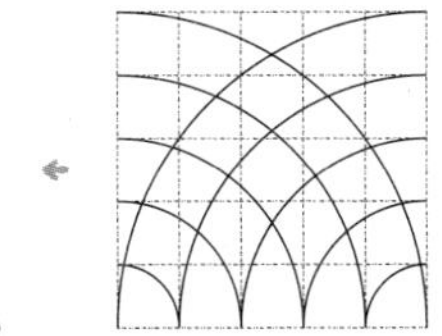

✤ 가장 큰 사각형의 아래 꼭짓점을 중심으로 하고 반지름이 각각 모눈 1칸, 2칸, 3칸, 4칸, 5칸인 원을 이용합니다.

평가 영역 □개념 이해력 ☑개념 응용력 □창의력 □문제 해결력

2 직사각형 안에 다음과 같이 원의 일부분을 그렸습니다. 선분 ㄱㅁ의 길이는 몇 cm인지 구해 보세요.

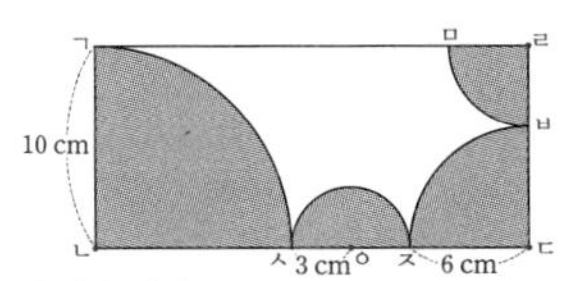

(18 cm)

✤ 각 선분의 길이는 다음과 같습니다.

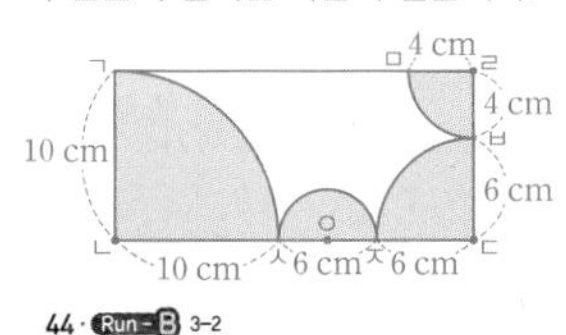

(직사각형의 가로)$=10+6+6=22$ (cm)
➜ (선분 ㄱㅁ의 길이)
$=$(직사각형의 가로)$-$(선분 ㅁㄹ의 길이)
$=22-4=18$ (cm)

평가 영역 □개념 이해력 □개념 응용력 □창의력 ☑문제 해결력

3 그림과 같이 지름이 6 cm인 원 모양 마카롱의 중심을 이어 삼각형을 만들어 가고 있습니다. 네 번째 삼각형의 세 변의 길이의 합은 몇 cm인지 구해 보세요.

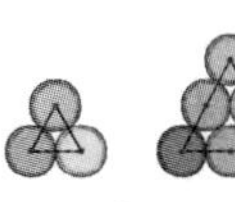

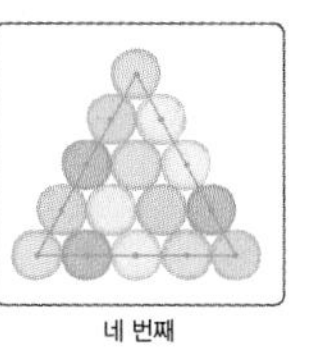

첫 번째 두 번째 세 번째 네 번째

❶ 각 삼각형의 세 변의 길이는 모두 같을까요, 다를까요?

(같습니다.)

❷ 네 번째 삼각형의 한 변의 길이는 몇 cm일까요?

(24 cm)

✤ 네 번째 삼각형의 한 변의 길이는 마카롱의 지름의 4배입니다.
➜ $6\times4=24$ (cm)

❸ 네 번째 삼각형의 세 변의 길이의 합은 몇 cm일까요?

(72 cm)

✤ $24\times3=72$ (cm)

정답과 풀이 p.11

Test 종합평가 3. 원

맞은 개수

1 점 ㅇ은 원의 중심입니다. 원의 반지름을 나타내는 선분을 찾아 써 보세요.

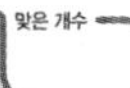

(선분 ㅇㄱ)
(또는 선분 ㄱㅇ)

✤ 원의 중심 ㅇ과 원 위의 한 점을 이은 선분을 찾으면 선분 ㅇㄱ입니다.

2 □ 안에 알맞은 수를 써넣으세요.

(1) 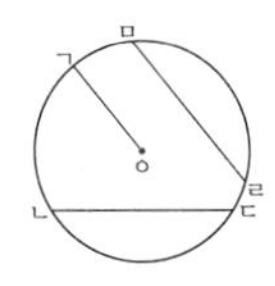

(2) 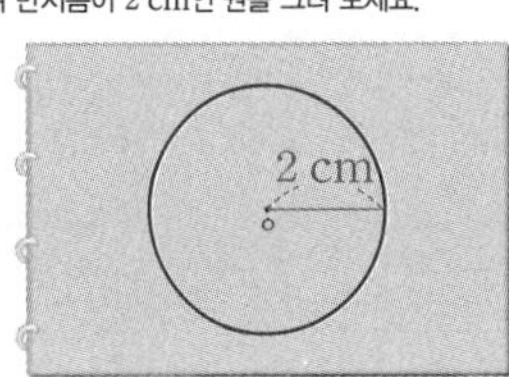

✤ (1) 한 원에서 반지름의 길이는 모두 같습니다.
(2) 한 원에서 지름의 길이는 모두 같습니다.

3 원에 지름을 3개 그어 보세요.

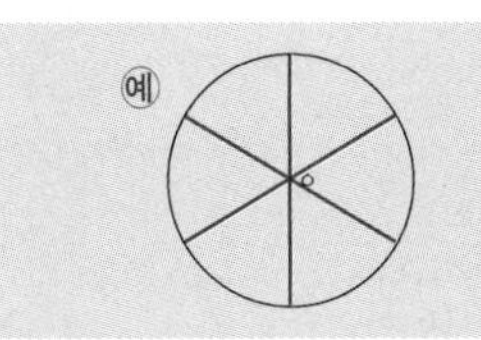

✤ 원 위의 두 점을 이은 선분이 원의 중심을 지나도록 긋습니다.

4 컴퍼스를 다음과 같이 벌려서 그린 원의 지름은 몇 cm인지 구해 보세요.

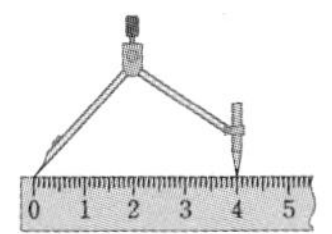

(8 cm)

✤ 컴퍼스를 4 cm만큼 벌렸으므로 그린 원의 반지름은 4 cm이고, 지름은 $4\times2=8$ (cm)입니다.

5 컴퍼스를 이용하여 반지름이 2 cm인 원을 그려 보세요.

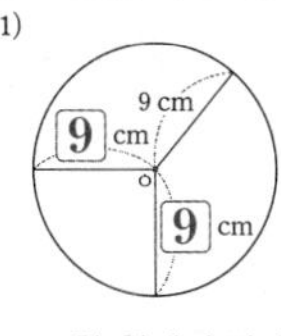

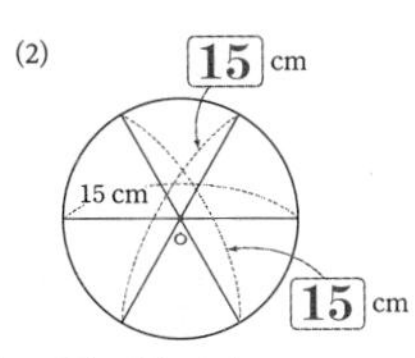

✤ 컴퍼스를 2 cm만큼 벌린 다음 컴퍼스의 침을 점 ㅇ에 꽂고 원을 그립니다.

6 주어진 모양을 그리기 위하여 컴퍼스의 침을 꽂아야 할 곳에 모두 • 으로 표시해 보세요.

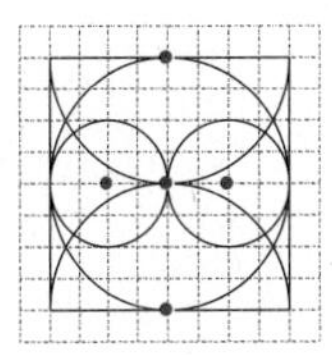

Test 종합평가 3. 원

정답과 풀이 p.12

7 주어진 모양과 똑같이 그려 보세요.

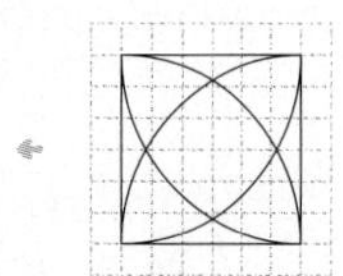
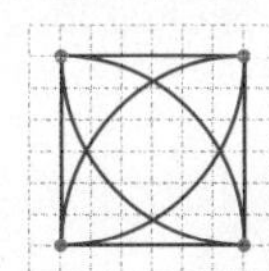

✤ 정사각형을 그리고, 정사각형의 각 꼭짓점을 원의 중심으로 하는 원의 일부분을 4개 그립니다. 이때 원의 반지름은 정사각형의 한 변과 같습니다.

8 크기가 같은 원끼리 선으로 이어 보세요.

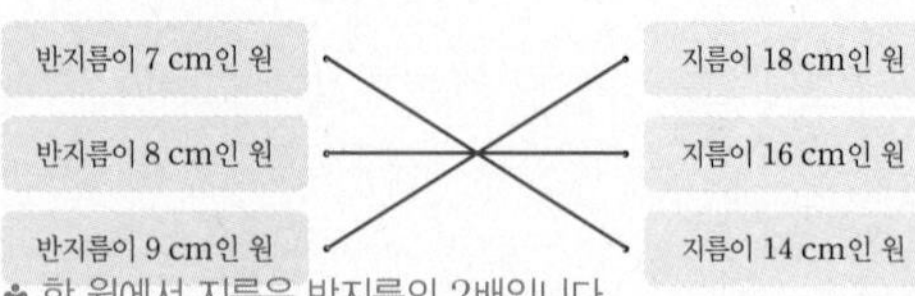

✤ 한 원에서 지름은 반지름의 2배입니다.
➜ (반지름이 7 cm인 원의 지름)$=7\times2=14$ (cm),
(반지름이 8 cm인 원의 지름)$=8\times2=16$ (cm),
(반지름이 9 cm인 원의 지름)$=9\times2=18$ (cm)

9 점 ㄴ, 점 ㄷ은 각 원의 중심입니다. 삼각형 ㄱㄴㄷ의 세 변의 길이의 합은 몇 cm인지 구해 보세요.

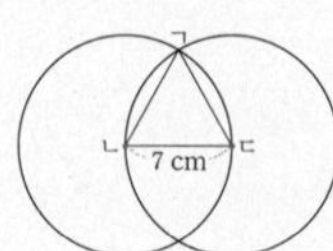

(**21 cm**)

✤ 삼각형의 세 변은 모두 원의 반지름이므로 길이가 모두 같습니다. 원의 반지름이 7 cm이므로 삼각형의 세 변의 길이의 합은 $7\times3=21$ (cm)입니다.

10 오른쪽과 같이 지름이 48 cm인 원 안에 크기가 같은 원 3개를 그렸습니다. 작은 원의 반지름은 몇 cm인지 구해 보세요.

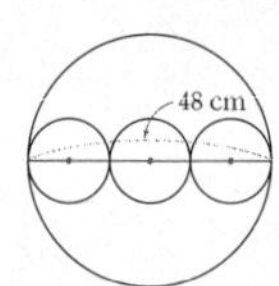

(**8 cm**)

✤ 큰 원의 지름은 작은 원의 반지름의 6배입니다.
따라서 작은 원의 반지름은 $48\div6=8$ (cm)입니다.

11 점 ㄱ, 점 ㄴ은 각 원의 중심입니다. 큰 원의 지름이 16 cm일 때 작은 원의 반지름은 몇 cm인지 구해 보세요.

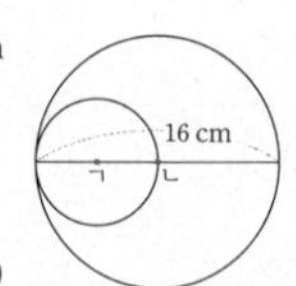

(**4 cm**)

✤ 작은 원의 지름은 큰 원의 지름의 반입니다.
➜ (작은 원의 지름)$=16\div2=8$ (cm)
따라서 작은 원의 반지름은 $8\div2=4$ (cm)입니다.

12 직사각형 모양의 상자에 반지름이 5 cm인 원 모양의 쿠키 3개가 들어 있습니다. 상자의 네 변의 길이의 합은 몇 cm인지 구해 보세요.

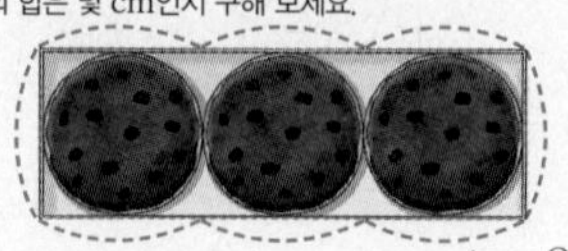

(**80 cm**)

✤ 상자의 네 변의 길이의 합은 쿠키의 지름의 8배입니다.
(쿠키의 지름)$=5\times2=10$ (cm)이므로 상자의 네 변의 길이의 합은 $10\times8=80$ (cm)입니다.

Test 종합평가 3. 원

정답과 풀이 p.12

13 다음 중 가장 큰 원을 찾아 기호를 써 보세요.

㉠ 반지름이 7 cm인 원
㉡ 지름이 19 cm인 원
㉢ 반지름이 9 cm인 원
㉣ 지름이 20 cm인 원

(**㉣**)

✤ 원의 지름을 구해 비교합니다.
㉠ 지름: $7\times2=14$ (cm) ㉡ 지름: 19 cm ㉢ 지름: $9\times2=18$ (cm) ㉣ 지름: 20 cm
➜ $20>19>18>14$이므로 가장 큰 원은 ㉣입니다.
(㉣ ㉡ ㉢ ㉠)

14 10원짜리 동전의 지름은 18 mm이고 100원짜리 동전의 지름은 24 mm입니다. 맞닿은 네 동전의 중심을 이어서 그린 사각형 ㄱㄴㄷㄹ의 네 변의 길이의 합은 몇 mm인지 구해 보세요.

(**84 mm**)

✤ (10원짜리 동전의 반지름)$=18\div2=9$ (mm)
(100원짜리 동전의 반지름)$=24\div2=12$ (mm)
(변 ㄱㄴ의 길이)=(변 ㄷㄹ의 길이)$=9+12=21$ (mm),
(변 ㄴㄷ의 길이)$=12+12=24$ (mm),
(변 ㄱㄹ의 길이)$=9+9=18$ (mm)
➜ (사각형 ㄱㄴㄷㄹ의 네 변의 길이의 합)
=(변 ㄱㄴ의 길이)+(변 ㄴㄷ의 길이)+(변 ㄷㄹ의 길이)+(변 ㄱㄹ의 길이)
$=21+24+21+18=84$ (mm)

15 직사각형 안에 다음과 같이 원의 일부분을 그렸습니다. 선분 ㄱㅅ의 길이는 몇 cm인지 구해 보세요.

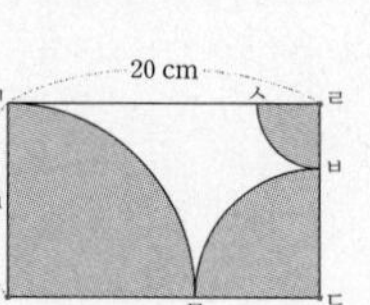

(**16 cm**)

✤ 각 선분의 길이는 다음과 같습니다.

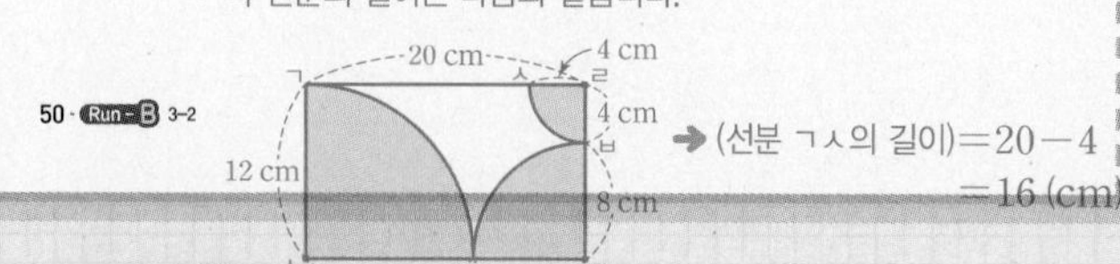

➜ (선분 ㄱㅅ의 길이)$=20-4=16$ (cm)

특강 창의·융합 사고력

정답과 풀이 p.12

1 그림과 같이 동욱이네 집과 약국은 각 원의 중심에 있고, 도서관과 마트는 각각 두 원이 만나는 곳에 있습니다. 동욱이가 집에서 출발하여 도서관에 가서 책을 빌리고, 약국에 들러 약을 산 다음, 마트에서 간식을 산 후 집으로 돌아왔습니다. 동욱이가 움직인 거리는 모두 몇 km인지 구해 보세요. (단, 동욱이는 주어진 선분을 따라 움직였습니다.)

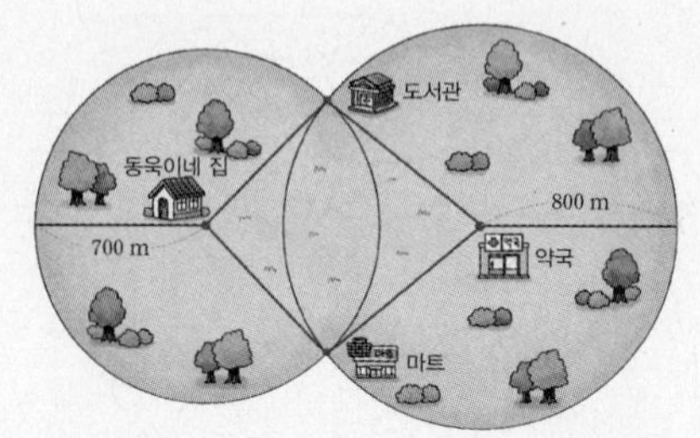

(1) 동욱이가 움직인 거리를 각각 알아보세요.

집부터 도서관까지의 거리 (**700 m**)
도서관부터 약국까지의 거리 (**800 m**)
약국부터 마트까지의 거리 (**800 m**)
마트부터 집까지의 거리 (**700 m**)

(2) 동욱이가 움직인 거리는 모두 몇 km인지 구해 보세요.

(**3 km**)

✤ $700+800+800+700=3000$ (m) ➜ 3 km

52쪽 ~ 53쪽

4 분수

분수 이야기

분수가 정확히 언제 생겼는지는 알 수 없지만 고대 이집트나 고대 중국의 기록에 분수가 등장하는 것을 보면 매우 오래 되었다는 것을 알 수 있습니다. 분수가 생겨나게 된 이유는 아마도 문명의 발달로 인한 배분, 즉 똑같이 나누어 갖는 문제를 해결하기 위한 것으로 추측하고 있습니다.

어느 날 많은 재산을 가지고 있던 부자가 아들 삼 형제에게 땅을 나누어 주기 위해 불렀습니다. 이 땅을 삼 형제에게 똑같이 나누어 주는 방법을 알아보세요.

예

접시 위에 있는 떡을 세 명이 똑같이 나누어 먹을 수 있게 ◯로 묶어 보세요.

예

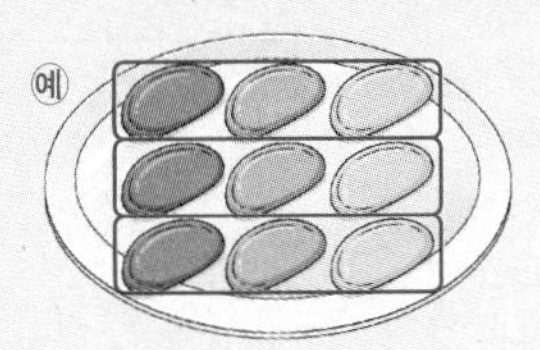

✤ 떡이 9개이므로 3묶음으로 똑같이 나누면 3개씩 묶습니다.

주어진 도형을 똑같이 세 부분으로 나누어 보세요.

(1) 예

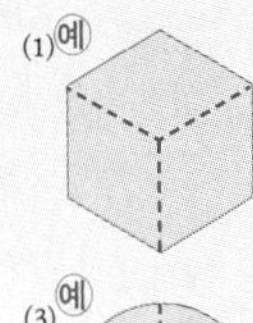

(2) 예

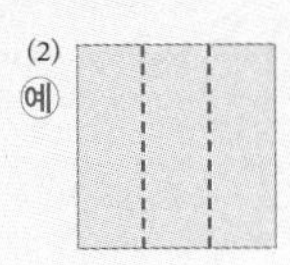

(3) 예

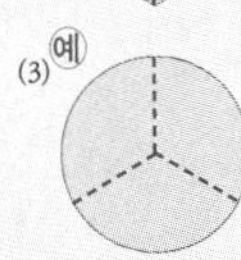

(4) 예

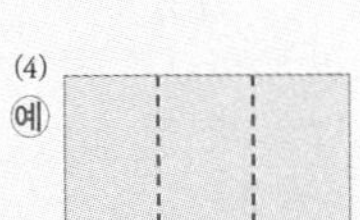

54쪽 ~ 55쪽

1단계 교과서 개념 잡기

개념 1 분수로 나타내기

• 사과 8개를 똑같이 2부분으로 나누기

부분  은 전체  를 똑같이 2부분으로 나눈 것 중의 1부분입니다.

• 부분은 전체의 얼마인지 분수로 나타내기

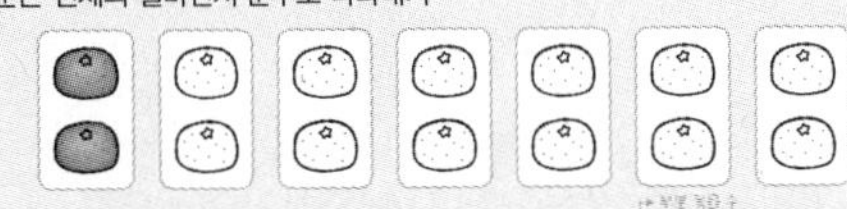

→ 색칠한 부분은 7묶음 중에서 1묶음이므로 전체의 $\frac{1}{7}$입니다. (← 부분 묶음 수 / ← 전체 묶음 수)

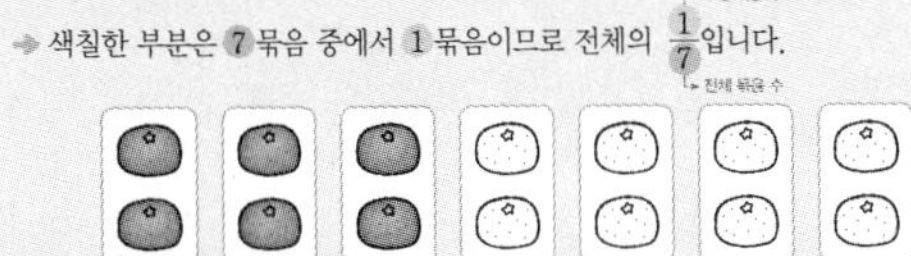

→ 색칠한 부분은 7묶음 중에서 3묶음이므로 전체의 $\frac{3}{7}$입니다.

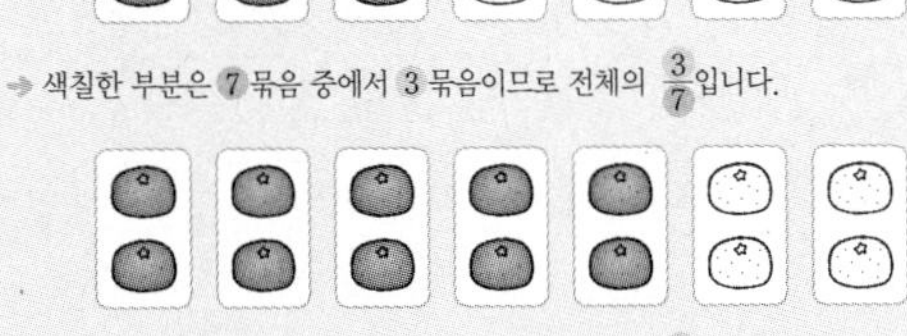

→ 색칠한 부분은 7묶음 중에서 5묶음이므로 전체의 $\frac{5}{7}$입니다.

개념 확인 문제

정답과 풀이 p.13

1-1 바둑돌 20개를 똑같이 4부분으로 나누고 □ 안에 알맞은 수를 써넣으세요.

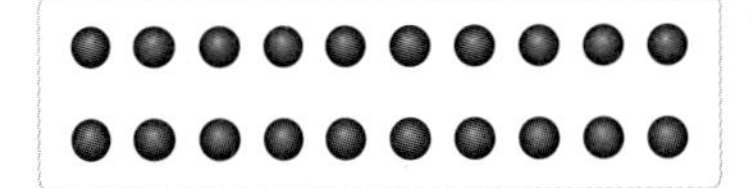

부분 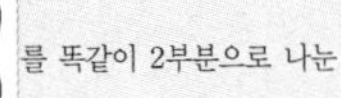 은 전체를 똑같이 4부분으로 나눈 것 중의 [1]부분입니다.

1-2 색칠한 부분을 분수로 나타내어 보세요.

(1)  $\frac{2}{3}$

(2)  $\frac{1}{2}$

✤ (1) 색칠한 부분은 3묶음 중에서 2묶음이므로 전체의 $\frac{2}{3}$입니다.

(2) 색칠한 부분은 2묶음 중에서 1묶음이므로 전체의 $\frac{1}{2}$입니다.

1-3 그림을 보고 □ 안에 알맞은 수를 써넣으세요.

야구공 12개를 2개씩 묶으면 [6]묶음이 됩니다.

8은 12의 $\frac{4}{6}$입니다.

✤ 야구공 8개는 전체 6묶음 중에서 4묶음이므로 전체의 $\frac{4}{6}$입니다.

3주 교과서

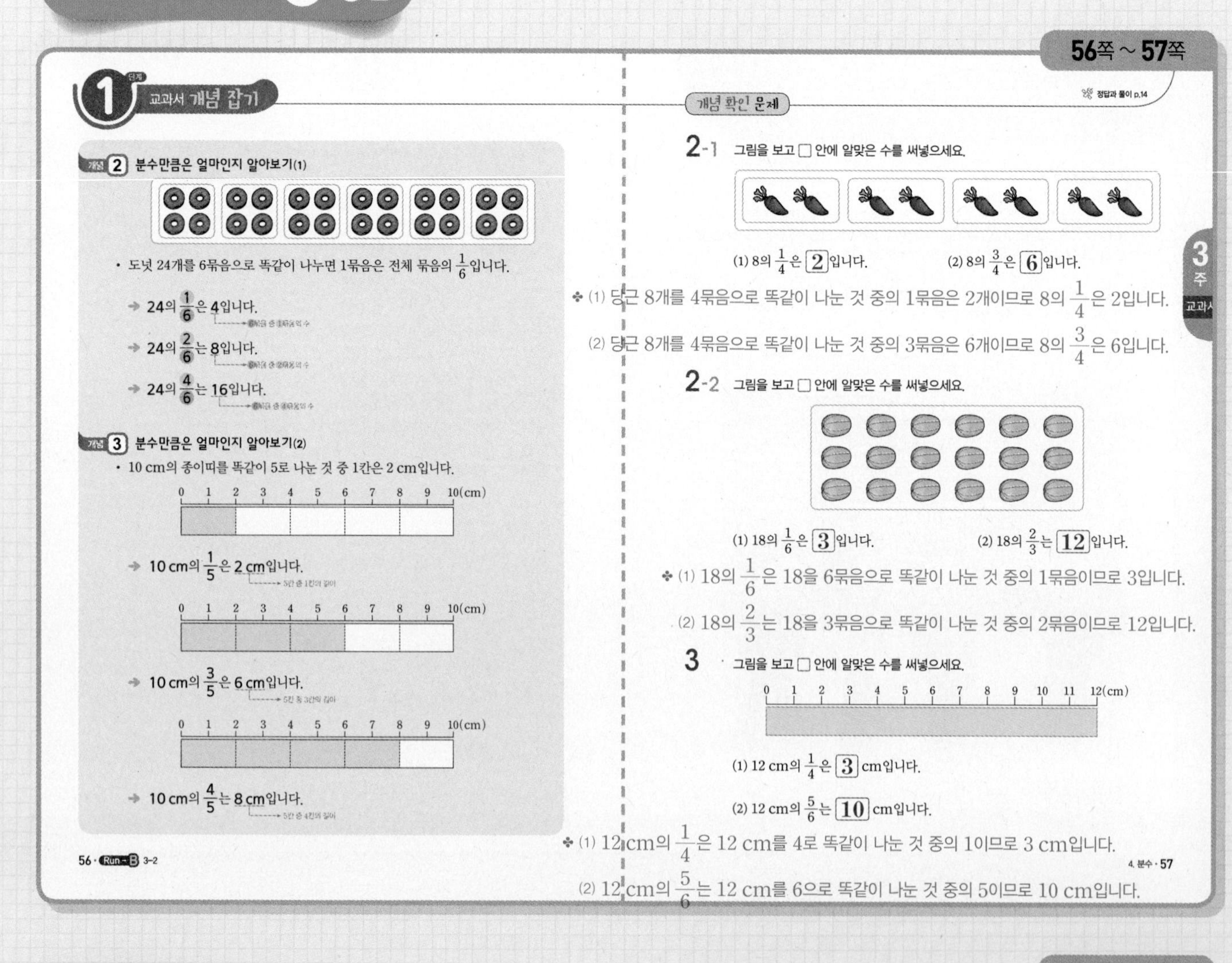

56쪽 ~ 57쪽

1단계 교과서 개념 잡기

개념 2 분수만큼은 얼마인지 알아보기(1)

• 도넛 24개를 6묶음으로 똑같이 나누면 1묶음은 전체 묶음의 $\frac{1}{6}$입니다.

→ 24의 $\frac{1}{6}$은 4입니다.

→ 24의 $\frac{2}{6}$는 8입니다.

→ 24의 $\frac{4}{6}$는 16입니다.

개념 3 분수만큼은 얼마인지 알아보기(2)

• 10 cm의 종이띠를 똑같이 5로 나눈 것 중 1칸은 2 cm입니다.

→ 10 cm의 $\frac{1}{5}$은 2 cm입니다.

→ 10 cm의 $\frac{3}{5}$은 6 cm입니다.

→ 10 cm의 $\frac{4}{5}$는 8 cm입니다.

개념 확인 문제

정답과 풀이 p.14

2-1 그림을 보고 □ 안에 알맞은 수를 써넣으세요.

(1) 8의 $\frac{1}{4}$은 [2]입니다.　(2) 8의 $\frac{3}{4}$은 [6]입니다.

✤ (1) 당근 8개를 4묶음으로 똑같이 나눈 것 중의 1묶음은 2개이므로 8의 $\frac{1}{4}$은 2입니다.

(2) 당근 8개를 4묶음으로 똑같이 나눈 것 중의 3묶음은 6개이므로 8의 $\frac{3}{4}$은 6입니다.

2-2 그림을 보고 □ 안에 알맞은 수를 써넣으세요.

(1) 18의 $\frac{1}{6}$은 [3]입니다.　(2) 18의 $\frac{2}{3}$는 [12]입니다.

✤ (1) 18의 $\frac{1}{6}$은 18을 6묶음으로 똑같이 나눈 것 중의 1묶음이므로 3입니다.

(2) 18의 $\frac{2}{3}$는 18을 3묶음으로 똑같이 나눈 것 중의 2묶음이므로 12입니다.

3 그림을 보고 □ 안에 알맞은 수를 써넣으세요.

(1) 12 cm의 $\frac{1}{4}$은 [3] cm입니다.

(2) 12 cm의 $\frac{5}{6}$는 [10] cm입니다.

✤ (1) 12 cm의 $\frac{1}{4}$은 12 cm를 4로 똑같이 나눈 것 중의 1이므로 3 cm입니다.

(2) 12 cm의 $\frac{5}{6}$는 12 cm를 6으로 똑같이 나눈 것 중의 5이므로 10 cm입니다.

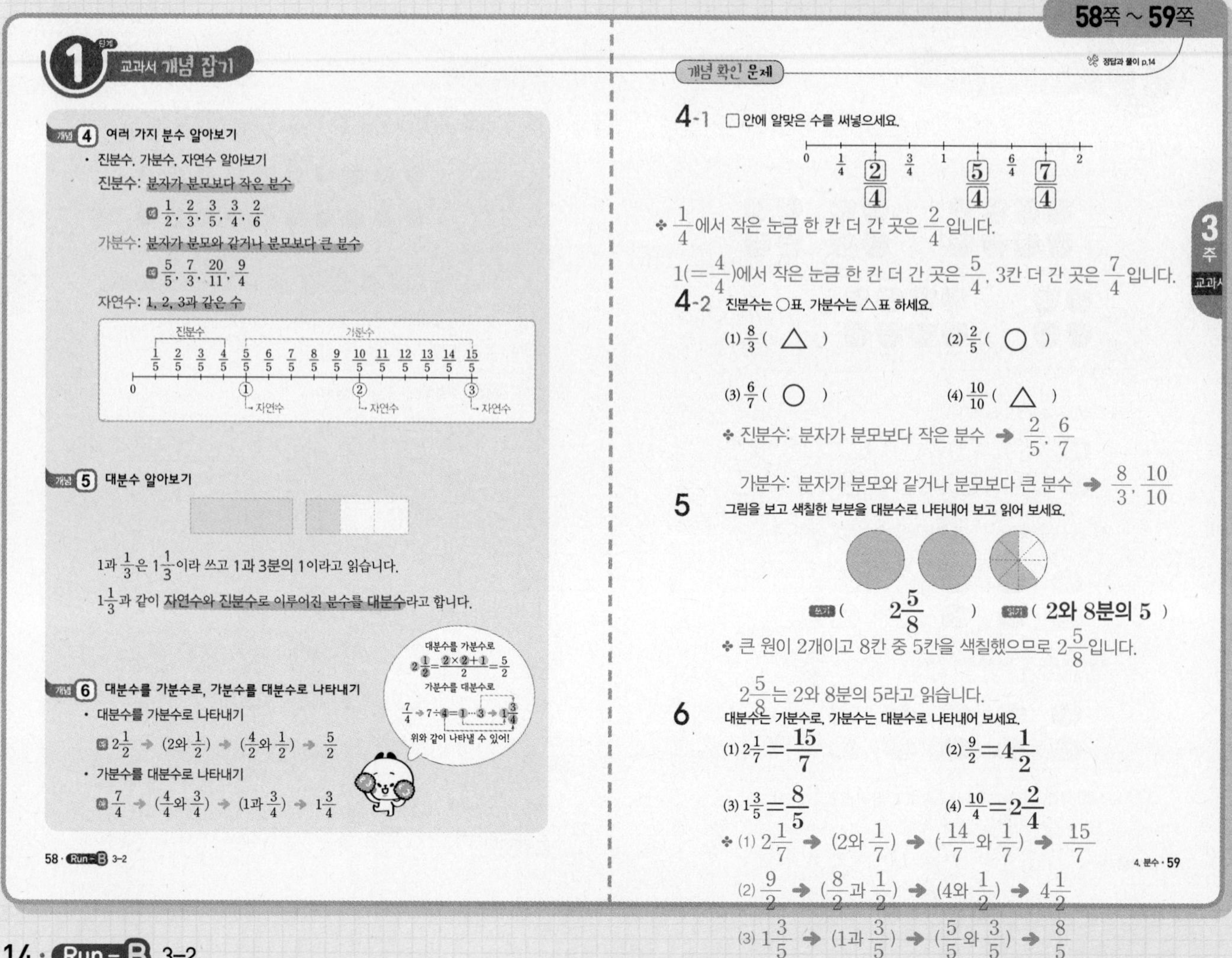

58쪽 ~ 59쪽

1단계 교과서 개념 잡기

개념 4 여러 가지 분수 알아보기

• 진분수, 가분수, 자연수 알아보기

진분수: 분자가 분모보다 작은 분수

예 $\frac{1}{2}, \frac{2}{3}, \frac{3}{5}, \frac{3}{4}, \frac{2}{6}$

가분수: 분자가 분모와 같거나 분모보다 큰 분수

예 $\frac{5}{5}, \frac{7}{3}, \frac{20}{11}, \frac{9}{4}$

자연수: 1, 2, 3과 같은 수

개념 5 대분수 알아보기

1과 $\frac{1}{3}$은 $1\frac{1}{3}$이라 쓰고 1과 3분의 1이라고 읽습니다.

$1\frac{1}{3}$과 같이 자연수와 진분수로 이루어진 분수를 대분수라고 합니다.

개념 6 대분수를 가분수로, 가분수를 대분수로 나타내기

• 대분수를 가분수로 나타내기

예 $2\frac{1}{2}$ → $(2와 \frac{1}{2})$ → $(\frac{4}{2}와 \frac{1}{2})$ → $\frac{5}{2}$

• 가분수를 대분수로 나타내기

예 $\frac{7}{4}$ → $(\frac{4}{4}와 \frac{3}{4})$ → $(1과 \frac{3}{4})$ → $1\frac{3}{4}$

개념 확인 문제

정답과 풀이 p.14

4-1 □ 안에 알맞은 수를 써넣으세요.

$\frac{2}{4}$, $\frac{5}{4}$, $\frac{7}{4}$

✤ $\frac{1}{4}$에서 작은 눈금 한 칸 더 간 곳은 $\frac{2}{4}$입니다.

$1(=\frac{4}{4})$에서 작은 눈금 한 칸 더 간 곳은 $\frac{5}{4}$, 3칸 더 간 곳은 $\frac{7}{4}$입니다.

4-2 진분수는 ○표, 가분수는 △표 하세요.

(1) $\frac{8}{3}$ (△)　(2) $\frac{2}{5}$ (○)

(3) $\frac{6}{7}$ (○)　(4) $\frac{10}{10}$ (△)

✤ 진분수: 분자가 분모보다 작은 분수 → $\frac{2}{5}, \frac{6}{7}$

가분수: 분자가 분모와 같거나 분모보다 큰 분수 → $\frac{8}{3}, \frac{10}{10}$

5 그림을 보고 색칠한 부분을 대분수로 나타내어 보고 읽어 보세요.

쓰기 ($2\frac{5}{8}$)　읽기 (2와 8분의 5)

✤ 큰 원이 2개이고 8칸 중 5칸을 색칠했으므로 $2\frac{5}{8}$입니다.

$2\frac{5}{8}$는 2와 8분의 5라고 읽습니다.

6 대분수는 가분수로, 가분수는 대분수로 나타내어 보세요.

(1) $2\frac{1}{7}=\frac{15}{7}$　(2) $\frac{9}{2}=4\frac{1}{2}$

(3) $1\frac{3}{5}=\frac{8}{5}$　(4) $\frac{10}{4}=2\frac{2}{4}$

✤ (1) $2\frac{1}{7}$ → $(2와 \frac{1}{7})$ → $(\frac{14}{7}와 \frac{1}{7})$ → $\frac{15}{7}$

(2) $\frac{9}{2}$ → $(\frac{8}{2}과 \frac{1}{2})$ → $(4와 \frac{1}{2})$ → $4\frac{1}{2}$

(3) $1\frac{3}{5}$ → $(1과 \frac{3}{5})$ → $(\frac{5}{5}와 \frac{3}{5})$ → $\frac{8}{5}$

(4) $\frac{10}{4}$ → $(\frac{8}{4}과 \frac{2}{4})$ → $(2와 \frac{2}{4})$ → $2\frac{2}{4}$

60쪽 ~ 61쪽

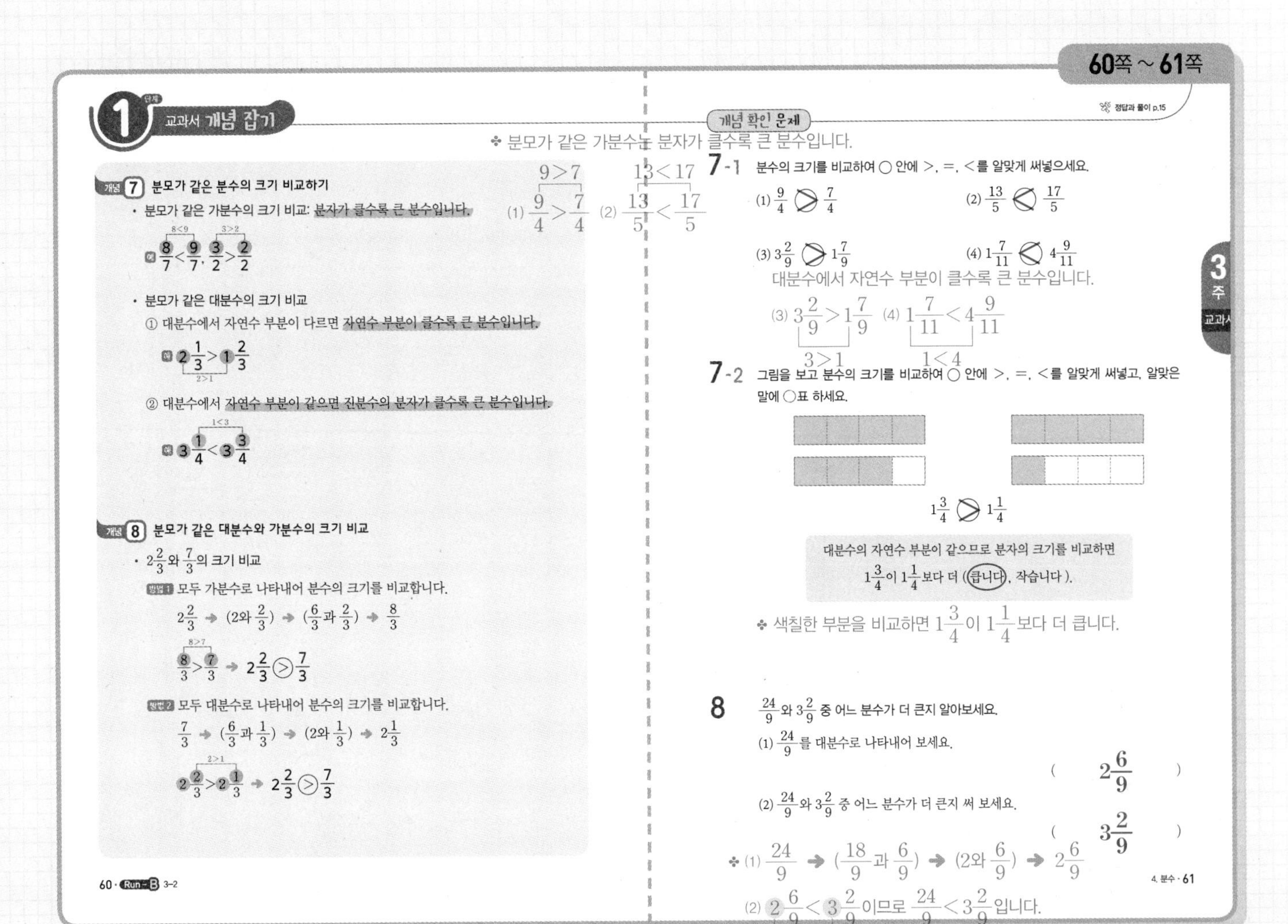

1단계 교과서 개념 잡기

개념 7 분모가 같은 분수의 크기 비교하기

- 분모가 같은 가분수의 크기 비교: 분자가 클수록 큰 분수입니다.

예 $\frac{8}{7}<\frac{9}{7}$ (8<9), $\frac{3}{2}>\frac{2}{2}$ (3>2)

- 분모가 같은 대분수의 크기 비교

① 대분수에서 자연수 부분이 다르면 자연수 부분이 클수록 큰 분수입니다.

예 $2\frac{1}{3}>1\frac{2}{3}$ (2>1)

② 대분수에서 자연수 부분이 같으면 진분수의 분자가 클수록 큰 분수입니다.

예 $3\frac{1}{4}<3\frac{3}{4}$ (1<3)

개념 8 분모가 같은 대분수와 가분수의 크기 비교

- $2\frac{2}{3}$와 $\frac{7}{3}$의 크기 비교

방법 1 모두 가분수로 나타내어 분수의 크기를 비교합니다.

$2\frac{2}{3}$ → (2와 $\frac{2}{3}$) → ($\frac{6}{3}$과 $\frac{2}{3}$) → $\frac{8}{3}$

$\frac{8}{3}>\frac{7}{3}$ (8>7) → $2\frac{2}{3}$ ⓥ $\frac{7}{3}$: $2\frac{2}{3}>\frac{7}{3}$

방법 2 모두 대분수로 나타내어 분수의 크기를 비교합니다.

$\frac{7}{3}$ → ($\frac{6}{3}$과 $\frac{1}{3}$) → (2와 $\frac{1}{3}$) → $2\frac{1}{3}$

$2\frac{2}{3}>2\frac{1}{3}$ (2>1) → $2\frac{2}{3}>\frac{7}{3}$

개념 확인 문제

❖ 분모가 같은 가분수는 분자가 클수록 큰 분수입니다.

(1) $\frac{9}{4}>\frac{7}{4}$ (9>7) (2) $\frac{13}{5}<\frac{17}{5}$ (13<17)

7-1 분수의 크기를 비교하여 ○ 안에 >, =, <를 알맞게 써넣으세요.

(1) $\frac{9}{4}$ (>) $\frac{7}{4}$ (2) $\frac{13}{5}$ (<) $\frac{17}{5}$

(3) $3\frac{2}{9}$ (>) $1\frac{7}{9}$ (4) $1\frac{7}{11}$ (<) $4\frac{9}{11}$

대분수에서 자연수 부분이 클수록 큰 분수입니다.

(3) $3\frac{2}{9}>1\frac{7}{9}$ (3>1) (4) $1\frac{7}{11}<4\frac{9}{11}$ (1<4)

7-2 그림을 보고 분수의 크기를 비교하여 ○ 안에 >, =, <를 알맞게 써넣고, 알맞은 말에 ○표 하세요.

$1\frac{3}{4}$ (>) $1\frac{1}{4}$

대분수의 자연수 부분이 같으므로 분자의 크기를 비교하면 $1\frac{3}{4}$이 $1\frac{1}{4}$보다 더 ((큽니다) , 작습니다).

❖ 색칠한 부분을 비교하면 $1\frac{3}{4}$이 $1\frac{1}{4}$보다 더 큽니다.

8 $\frac{24}{9}$와 $3\frac{2}{9}$ 중 어느 분수가 더 큰지 알아보세요.

(1) $\frac{24}{9}$를 대분수로 나타내어 보세요. ($2\frac{6}{9}$)

(2) $\frac{24}{9}$와 $3\frac{2}{9}$ 중 어느 분수가 더 큰지 써 보세요. ($3\frac{2}{9}$)

❖ (1) $\frac{24}{9}$ → ($\frac{18}{9}$과 $\frac{6}{9}$) → (2와 $\frac{6}{9}$) → $2\frac{6}{9}$

(2) $2\frac{6}{9}<3\frac{2}{9}$ (2<3)이므로 $\frac{24}{9}<3\frac{2}{9}$입니다.

60 · Run-B 3-2 / 4. 분수 · 61

62쪽 ~ 63쪽

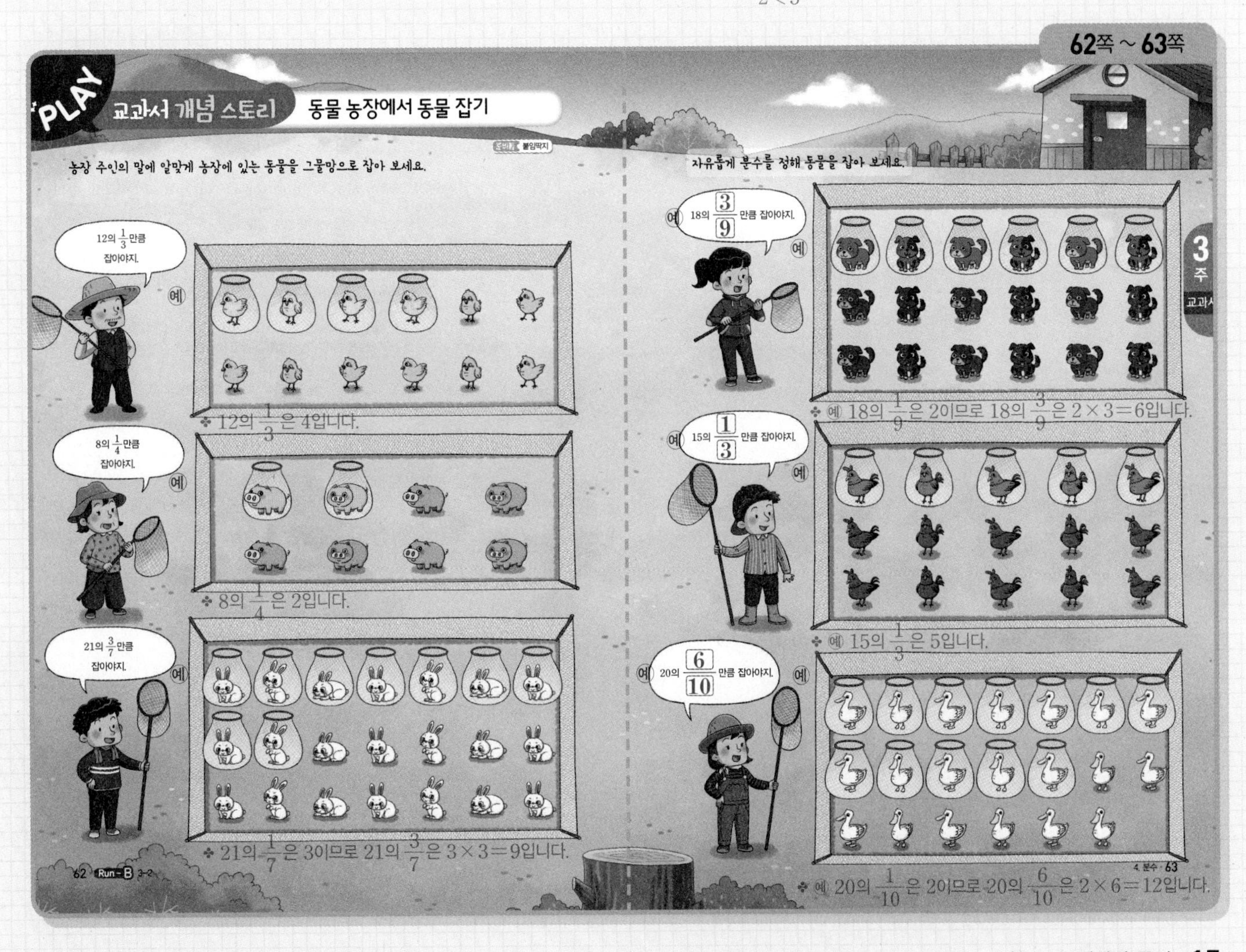

PLAY 교과서 개념 스토리 동물 농장에서 동물 잡기

농장 주인의 말에 알맞게 농장에 있는 동물을 그물망으로 잡아 보세요.

❖ 12의 $\frac{1}{3}$은 4입니다.

❖ 8의 $\frac{1}{4}$은 2입니다.

❖ 21의 $\frac{1}{7}$은 3이므로 21의 $\frac{3}{7}$은 3×3=9입니다.

자유롭게 분수를 정해 동물을 잡아 보세요.

❖ 예 18의 $\frac{1}{9}$은 2이므로 18의 $\frac{3}{9}$은 2×3=6입니다.

❖ 예 15의 $\frac{1}{3}$은 5입니다.

❖ 예 20의 $\frac{1}{10}$은 2이므로 20의 $\frac{6}{10}$은 2×6=12입니다.

62 Run-B 3-2 / 4. 분수 · 63

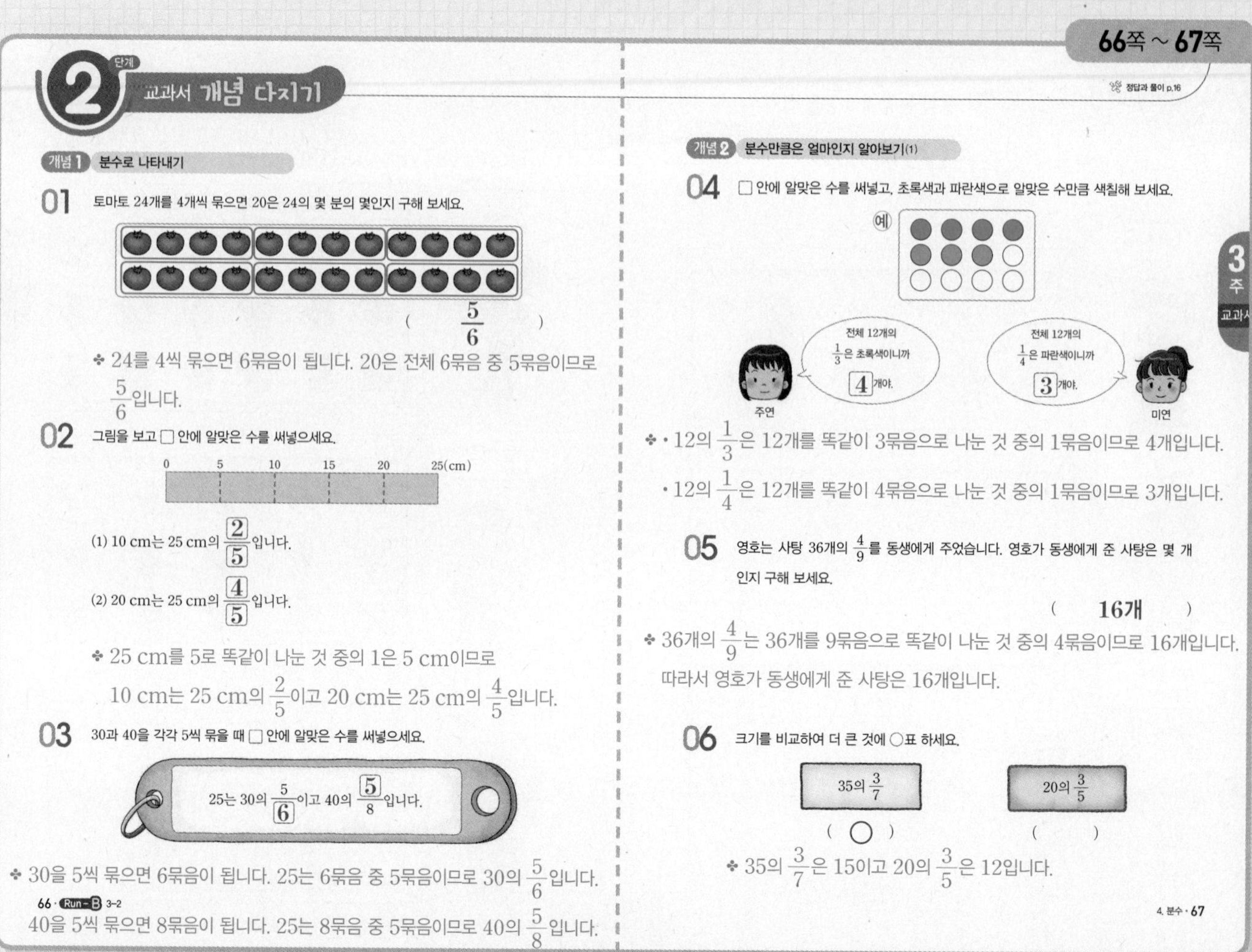
66쪽 ~ 67쪽

2단계 교과서 개념 다지기

정답과 풀이 p.16

개념 1 분수로 나타내기

01 토마토 24개를 4개씩 묶으면 20은 24의 몇 분의 몇인지 구해 보세요.

($\frac{5}{6}$)

✤ 24를 4씩 묶으면 6묶음이 됩니다. 20은 전체 6묶음 중 5묶음이므로 $\frac{5}{6}$입니다.

02 그림을 보고 □ 안에 알맞은 수를 써넣으세요.

0 5 10 15 20 25(cm)

(1) 10 cm는 25 cm의 $\frac{2}{5}$입니다.

(2) 20 cm는 25 cm의 $\frac{4}{5}$입니다.

✤ 25 cm를 5로 똑같이 나눈 것 중의 1은 5 cm이므로 10 cm는 25 cm의 $\frac{2}{5}$이고 20 cm는 25 cm의 $\frac{4}{5}$입니다.

03 30과 40을 각각 5씩 묶을 때 □ 안에 알맞은 수를 써넣으세요.

25는 30의 $\frac{5}{6}$이고 40의 $\frac{5}{8}$입니다.

✤ 30을 5씩 묶으면 6묶음이 됩니다. 25는 6묶음 중 5묶음이므로 30의 $\frac{5}{6}$입니다.
40을 5씩 묶으면 8묶음이 됩니다. 25는 8묶음 중 5묶음이므로 40의 $\frac{5}{8}$입니다.

66 · Run-B 3-2

개념 2 분수만큼은 얼마인지 알아보기(1)

04 □ 안에 알맞은 수를 써넣고, 초록색과 파란색으로 알맞은 수만큼 색칠해 보세요.

예

주연: 전체 12개의 $\frac{1}{3}$은 초록색이니까 4개야.

미연: 전체 12개의 $\frac{1}{4}$은 파란색이니까 3개야.

✤ • 12의 $\frac{1}{3}$은 12개를 똑같이 3묶음으로 나눈 것 중의 1묶음이므로 4개입니다.
• 12의 $\frac{1}{4}$은 12개를 똑같이 4묶음으로 나눈 것 중의 1묶음이므로 3개입니다.

05 영호는 사탕 36개의 $\frac{4}{9}$를 동생에게 주었습니다. 영호가 동생에게 준 사탕은 몇 개인지 구해 보세요.

(16개)

✤ 36개의 $\frac{4}{9}$는 36개를 9묶음으로 똑같이 나눈 것 중의 4묶음이므로 16개입니다. 따라서 영호가 동생에게 준 사탕은 16개입니다.

06 크기를 비교하여 더 큰 것에 ○표 하세요.

35의 $\frac{3}{7}$ (○)　　20의 $\frac{3}{5}$ (　)

✤ 35의 $\frac{3}{7}$은 15이고 20의 $\frac{3}{5}$은 12입니다.

4. 분수 · 67

정답과 풀이 p.17

개념 3 분수만큼은 얼마인지 알아보기(2)

07 그림을 보고 □ 안에 알맞은 수를 써넣으세요.

0 5 10 15 20 25 30 35(cm)

35 cm의 $\frac{4}{7}$는 20 cm이고 $\frac{5}{7}$는 25 cm입니다.

✤ 35 cm의 $\frac{4}{7}$는 35 cm를 똑같이 7부분으로 나눈 것 중의 4부분이므로 20 cm입니다.
35 cm의 $\frac{5}{7}$는 35 cm를 똑같이 7부분으로 나눈 것 중의 5부분이므로 25 cm입니다.

08 그림을 보고 □ 안에 알맞은 수를 써넣으세요.

0 1(m)
0 10 20 30 40 50 60 70 80 90 100(cm)

$\frac{3}{10}$ m는 30 cm이고 $\frac{1}{2}$ m는 50 cm입니다.

✤ 수직선에서 $\frac{3}{10}$ m와 $\frac{1}{2}$ m를 찾아 표시해 봅니다.

09 □ 안에 알맞은 수를 써넣으세요.

1시간의 $\frac{1}{3}$은 20분입니다.

✤ 1시간은 60분이므로 60분을 똑같이 3으로 나눈 것 중의 1은 20분입니다.

10 정훈이는 전체 길이가 56 cm인 색 테이프로 카네이션을 만들려고 합니다. 전체 색 테이프의 $\frac{3}{7}$만큼 사용하였다면 남은 색 테이프는 몇 cm인지 구해 보세요.

(32 cm)

✤ 56 cm의 $\frac{1}{7}$은 8 cm이므로 56 cm의 $\frac{3}{7}$은 8 cm의 3배인 24 cm입니다.
따라서 남은 색 테이프는 56−24=32 (cm)입니다.

개념 4 여러 가지 분수 알아보기

11 진분수와 가분수로 분류하여 써 보세요.

$\frac{5}{2}$ $\frac{1}{4}$ $\frac{11}{6}$ $\frac{4}{4}$ $\frac{3}{5}$ $\frac{11}{12}$

진분수 ($\frac{1}{4}, \frac{3}{5}, \frac{11}{12}$)
가분수 ($\frac{5}{2}, \frac{11}{6}, \frac{4}{4}$)

✤ 진분수는 분자가 분모보다 작은 분수이므로 $\frac{1}{4}, \frac{3}{5}, \frac{11}{12}$이고 가분수는 분자가 분모와 같거나 분모보다 큰 분수이므로, $\frac{5}{2}, \frac{11}{6}, \frac{4}{4}$입니다.

12 사다리를 타고 내려가 도착한 곳이 참이면 ○표, 거짓이면 ×표 하세요.

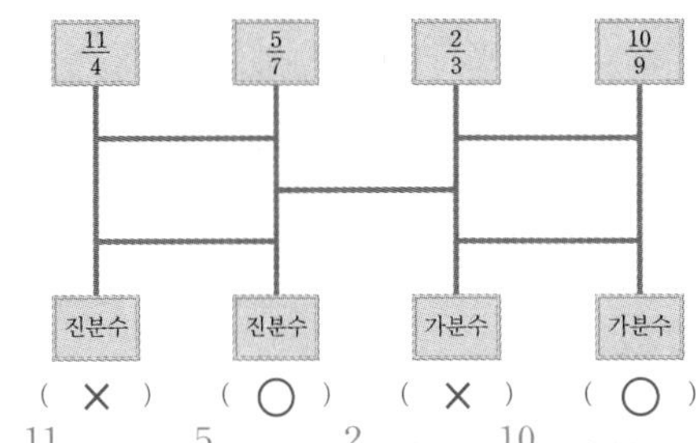

(×) (○) (×) (○)

✤ $\frac{11}{4}$: 가분수, $\frac{5}{7}$: 진분수, $\frac{2}{3}$: 진분수, $\frac{10}{9}$: 가분수

13 레몬 타르트를 만드는 데 필요한 재료입니다. 재료의 양이 진분수, 가분수인 재료를 각각 찾아 써 보세요.

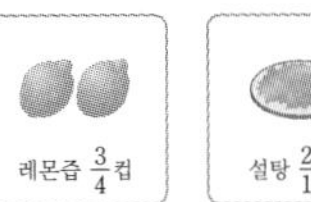
레몬즙 $\frac{3}{4}$컵

설탕 $\frac{21}{15}$컵

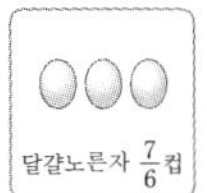
달걀노른자 $\frac{7}{6}$컵

우유 $\frac{1}{2}$컵

진분수 (레몬즙, 우유)
가분수 (설탕, 달걀노른자)

✤ 진분수: $\frac{3}{4}, \frac{1}{2}$, 가분수: $\frac{21}{15}, \frac{7}{6}$

교과서 개념 다지기

정답과 풀이 p.17

개념 5 대분수 알아보기

14 대분수를 모두 찾아 기호를 써 보세요.

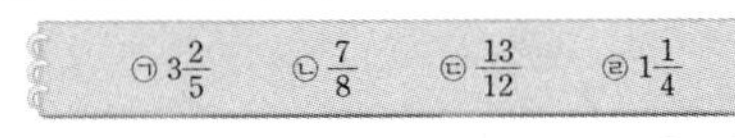

㉠ $3\frac{2}{5}$ ㉡ $\frac{7}{8}$ ㉢ $\frac{13}{12}$ ㉣ $1\frac{1}{4}$

(㉠, ㉣)

✤ 대분수는 자연수와 진분수로 이루어진 분수이므로 ㉠, ㉣입니다.

15 대분수는 가분수로, 가분수는 대분수로 바르게 나타낸 것을 찾아 이어 보세요.

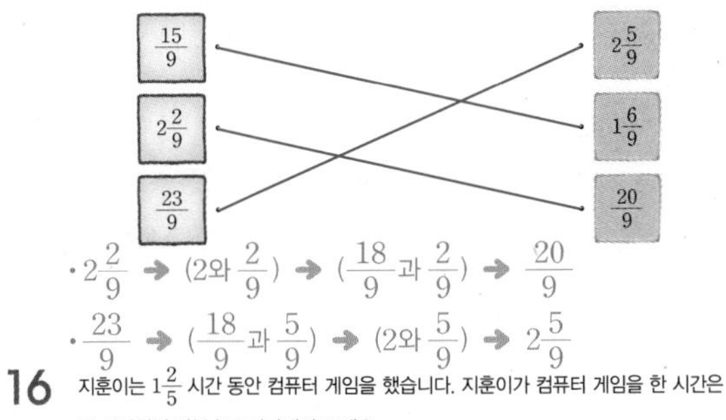

✤ • $\frac{15}{9}$ → ($\frac{9}{9}$와 $\frac{6}{9}$) → (1과 $\frac{6}{9}$) → $1\frac{6}{9}$
• $2\frac{2}{9}$ → (2와 $\frac{2}{9}$) → ($\frac{18}{9}$과 $\frac{2}{9}$) → $\frac{20}{9}$
• $\frac{23}{9}$ → ($\frac{18}{9}$과 $\frac{5}{9}$) → (2와 $\frac{5}{9}$) → $2\frac{5}{9}$

16 지훈이는 $1\frac{2}{5}$ 시간 동안 컴퓨터 게임을 했습니다. 지훈이가 컴퓨터 게임을 한 시간은 몇 시간인지 가분수로 나타내어 보세요.

($\frac{7}{5}$시간)

✤ $1\frac{2}{5}$ → (1과 $\frac{2}{5}$) → ($\frac{5}{5}$와 $\frac{2}{5}$) → $\frac{7}{5}$

17 자연수 부분이 6이고 분모가 6인 대분수는 모두 몇 개일까요?

(5개)

✤ $6\frac{□}{6}$인 대분수는 $6\frac{1}{6}, 6\frac{2}{6}, 6\frac{3}{6}, 6\frac{4}{6}, 6\frac{5}{6}$이므로 모두 5개입니다.

개념 6 분수의 크기 비교하기

18 두 분수의 크기를 비교하여 더 큰 분수를 빈칸에 써넣으세요.

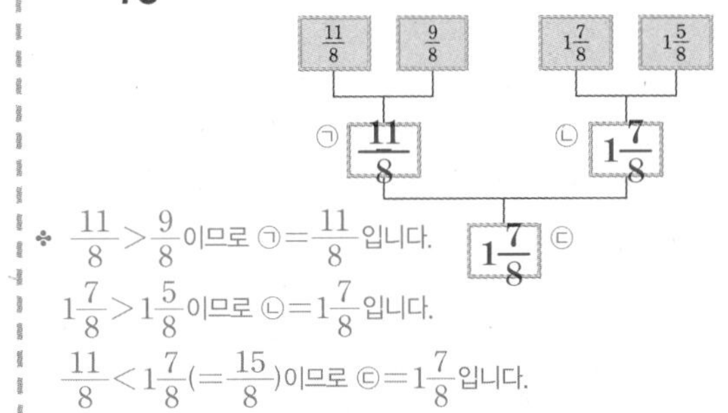

✤ $\frac{11}{8} > \frac{9}{8}$이므로 ㉠$=\frac{11}{8}$입니다.
$1\frac{7}{8} > 1\frac{5}{8}$이므로 ㉡$=1\frac{7}{8}$입니다.
$\frac{11}{8} < 1\frac{7}{8}(=\frac{15}{8})$이므로 ㉢$=1\frac{7}{8}$입니다.

19 $2\frac{1}{4}$보다 큰 분수를 모두 찾아 ○표 하세요.

✤ 가분수를 모두 대분수로 나타내어 크기를 비교합니다.
$\frac{11}{4}=2\frac{3}{4}$, $\frac{5}{4}=1\frac{1}{4}$이므로 $2\frac{1}{4}$보다 큰 분수는 $3\frac{1}{4}$, $\frac{11}{4}$입니다.

20 미술 시간에 같은 찰흙을 승호는 $1\frac{3}{7}$봉지, 민지는 $\frac{12}{7}$봉지 사용했습니다. 승호와 민지 중 찰흙을 더 많이 사용한 사람은 누구인지 구해 보세요.

(민지)

✤ $1\frac{3}{7}(=\frac{10}{7}) < \frac{12}{7}$이므로 민지가 더 많이 사용했습니다.

3단계 교과서 실력 다지기

정답과 풀이 p.18

수 카드로 분수 만들기

1 수 카드 3장 중에서 2장을 골라 한 번씩 사용하여 만들 수 있는 진분수를 모두 써 보세요.

2 5 9

답 $\frac{2}{5}, \frac{2}{9}, \frac{5}{9}$

개념 파트너
- 진분수: 분자가 분모보다 작은 분수
- 가분수: 분자가 분모와 같거나 분모보다 큰 분수
- 대분수: 자연수와 진분수로 이루어진 분수

❖ 진분수는 분자가 분모보다 작아야 하므로 만들 수 있는 진분수는 $\frac{2}{5}, \frac{2}{9}, \frac{5}{9}$입니다.

1-1 수 카드 3장 중에서 2장을 골라 한 번씩 사용하여 만들 수 있는 가분수를 모두 써 보세요.

4 5 7

($\frac{5}{4}, \frac{7}{4}, \frac{7}{5}$)

❖ 가분수는 분자가 분모와 같거나 분모보다 커야 하므로 만들 수 있는 가분수는 $\frac{5}{4}, \frac{7}{4}, \frac{7}{5}$입니다.

1-2 수 카드 3장을 한 번씩 모두 사용하여 가장 큰 대분수와 가장 작은 대분수를 만들어 보세요.

1 5 8

가장 큰 대분수 ($8\frac{1}{5}$)
가장 작은 대분수 ($1\frac{5}{8}$)

❖ • 가장 큰 대분수를 만들려면 자연수 부분에 가장 큰 수를 쓰고, 나머지 두 수로 진분수를 만들면 됩니다. ➔ $8\frac{1}{5}$
• 가장 작은 대분수를 만들려면 자연수 부분에 가장 작은 수를 쓰고, 나머지 두 수로 진분수를 만들면 됩니다. ➔ $1\frac{5}{8}$

세 분수의 크기 비교하기

2 가장 큰 분수를 찾아 써 보세요.

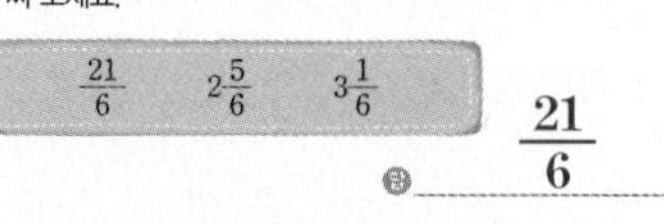

답 $\frac{21}{6}$

개념 파트너
- 가분수와 대분수의 크기 비교
모두 가분수 또는 대분수로 나타내어 비교합니다.

❖ $\frac{21}{6}=3\frac{3}{6}$이므로 $3\frac{3}{6}>3\frac{1}{6}>2\frac{5}{6}$입니다.
따라서 가장 큰 분수는 $\frac{21}{6}$입니다.

2-1 가장 작은 분수를 찾아 써 보세요.

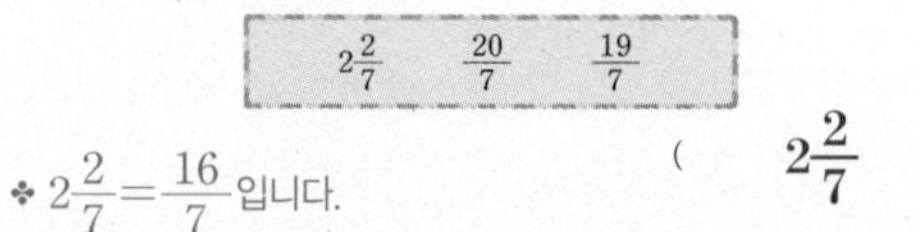

($2\frac{2}{7}$)

❖ $2\frac{2}{7}=\frac{16}{7}$입니다.
➔ $\frac{20}{7}>\frac{19}{7}>\frac{16}{7}$이므로 가장 작은 분수는 $2\frac{2}{7}$입니다.

2-2 작은 분수부터 차례로 써 보세요.

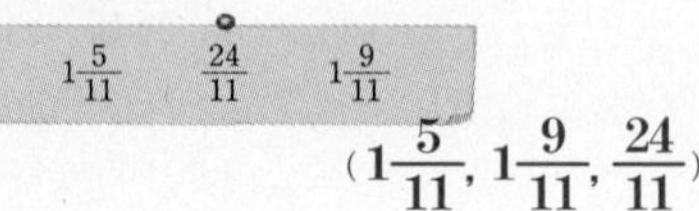

($1\frac{5}{11}, 1\frac{9}{11}, \frac{24}{11}$)

❖ $\frac{24}{11}=2\frac{2}{11}$입니다.
➔ $2\frac{2}{11}>1\frac{9}{11}>1\frac{5}{11}$이므로 작은 분수부터 차례로 쓰면 $1\frac{5}{11}, 1\frac{9}{11}, \frac{24}{11}$입니다.

3단계 교과서 실력 다지기

정답과 풀이 p.18

분수만큼은 얼마인지 구하기

3 가은이는 사탕을 20개 가지고 있습니다. 정후에게 사탕 20개의 $\frac{3}{5}$을 주고 남규에게 사탕 20개의 $\frac{1}{4}$을 주었습니다. 가은이가 정후와 남규에게 준 사탕은 몇 개인지 구해 보세요.

답 17개

개념 파트너
- 분수만큼은 얼마인지 알아보기
자연수의 $\frac{▲}{■}$는 자연수를 똑같이 ■묶음으로 나눈 것 중의 ▲묶음입니다.

❖ 정후에게 준 사탕은 20의 $\frac{3}{5}$이므로 12개이고 남규에게 준 사탕은 20의 $\frac{1}{4}$이므로 5개입니다. 따라서 가은이가 정후와 남규에게 준 사탕은 $12+5=17$(개)입니다.

3-1 전체가 72쪽인 책이 있습니다. 어제 이 책 전체의 $\frac{4}{9}$만큼 읽고 오늘 전체의 $\frac{2}{8}$만큼 읽었습니다. 어제와 오늘 읽은 쪽수를 구해 보세요.

(50쪽)

❖ 어제 읽은 쪽수는 72의 $\frac{4}{9}$이므로 32쪽이고 오늘 읽은 쪽수는 72의 $\frac{2}{8}$이므로 18쪽입니다.
따라서 어제와 오늘 읽은 쪽수는 $32+18=50$(쪽)입니다.

3-2 귤이 32개 있습니다. 영호는 전체의 $\frac{1}{4}$을, 수지는 전체의 $\frac{3}{8}$을 먹었습니다. 두 사람이 먹고 남은 귤은 몇 개인지 구해 보세요.

(12개)

❖ 영호가 먹은 귤은 32의 $\frac{1}{4}$이므로 8개이고, 수지가 먹은 귤은 32의 $\frac{3}{8}$이므로 12개입니다.
따라서 두 사람이 먹고 남은 귤은 $32-8-12=12$(개)입니다.

전체의 양 구하기

4 □ 안에 알맞은 수를 써넣으세요.

[30]의 $\frac{1}{5}$은 6입니다.

개념 파트너
■의 $\frac{1}{▲}$은 ★입니다.
① ■를 똑같이 ▲묶음으로 나눈 것 중의 1묶음은 ★입니다.
② 1묶음이 ★이므로 전체 ■=★×▲입니다.

❖ □를 똑같이 5묶음으로 나눈 것 중의 1묶음이 6이므로 □$=6\times5=30$입니다.

4-1 어떤 수의 $\frac{3}{8}$은 12입니다. 어떤 수는 얼마인지 구해 보세요.

(32)

❖ 어떤 수를 □라 하면 □를 똑같이 8묶음으로 나눈 것 중의 3묶음이 12이므로 □의 $\frac{1}{8}$은 $12\div3=4$입니다.
➔ □$=4\times8=32$

4-2 어떤 수의 $\frac{2}{9}$는 8입니다. 어떤 수의 $\frac{3}{4}$은 얼마인지 구해 보세요.

(27)

❖ 어떤 수를 □라 하면 □를 똑같이 9묶음으로 나눈 것 중의 2묶음이 8이므로 □의 $\frac{1}{9}$은 $8\div2=4$입니다.
➔ □$=4\times9=36$
따라서 어떤 수의 $\frac{3}{4}$은 36의 $\frac{3}{4}$이므로 27입니다.

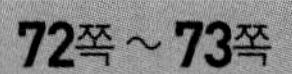

3단계 교과서 실력 다지기

★ □ 안에 들어갈 수 있는 수 구하기

5 □ 안에 들어갈 수 있는 자연수는 모두 몇 개인지 구해 보세요.

$$\frac{\square}{7} < \frac{11}{7}$$

답 10개

개념 피드백
- 분모가 같은 분수의 크기 비교
① 가분수끼리의 비교: 분자가 클수록 더 큽니다.
② 대분수끼리의 비교: 자연수가 클수록 더 크고, 자연수가 같을 때에는 분자가 클수록 더 큽니다.
③ 가분수와 대분수의 비교: 모두 가분수 또는 대분수로 나타내어 비교합니다.

❖ 분모가 7인 분수 중 $\frac{11}{7}$보다 작은 분수는 $\frac{1}{7}, \frac{2}{7}, \frac{3}{7}, \frac{4}{7}, \frac{5}{7}, \frac{6}{7}, \frac{7}{7}, \frac{8}{7}, \frac{9}{7}, \frac{10}{7}$으로 모두 10개입니다.

5-1 □ 안에 들어갈 수 있는 자연수를 모두 써 보세요.

$$\square\frac{2}{5} < \frac{23}{5}$$

(1, 2, 3, 4)

❖ $\frac{23}{5}$을 대분수로 나타내면 $4\frac{3}{5}$입니다.
$\square\frac{2}{5} < 4\frac{3}{5}$이므로 □ 안에 들어갈 수 있는 자연수는 1, 2, 3, 4입니다.

5-2 □ 안에 들어갈 수 있는 자연수를 모두 써 보세요.

$$\frac{20}{9} < \square\frac{4}{9} < 7\frac{1}{9}$$

(2, 3, 4, 5, 6)

❖ $\frac{20}{9}$을 대분수로 나타내면 $2\frac{2}{9}$입니다.
$2\frac{2}{9} < \square\frac{4}{9} < 7\frac{1}{9}$이므로 □ 안에 들어갈 수 있는 자연수는 2, 3, 4, 5, 6입니다.

★ 조건을 만족하는 분수 구하기

6 다음 조건을 모두 만족하는 분수를 구해 보세요.

- 가분수입니다.
- 분모는 7입니다.
- 분모와 분자의 합은 15입니다.

답 $\frac{8}{7}$

개념 피드백
① 분모가 7인 가분수를 씁니다.
② ①의 가분수 중 분모와 분자의 합이 15인 분수를 찾습니다.

❖ 분모는 7이고 분모와 분자의 합은 15이므로 분자는 $15-7=8$입니다.
따라서 조건을 모두 만족하는 가분수는 $\frac{8}{7}$입니다.

6-1 다음 조건을 모두 만족하는 분수를 구해 보세요.

- 진분수입니다.
- 분자는 3입니다.
- 분모와 분자의 차는 2입니다.

($\frac{3}{5}$)

❖ 분자는 3이고 분모와 분자의 차는 2이므로 분모는 $3+2=5$입니다.
따라서 조건을 모두 만족하는 진분수는 $\frac{3}{5}$입니다.

6-2 다음 조건을 모두 만족하는 분수를 구해 보세요.

- 진분수입니다.
- 분모와 분자의 합은 14입니다.
- 분모와 분자의 차는 4입니다.

($\frac{5}{9}$)

❖ 분모와 분자의 합이 14인 진분수는 $\frac{1}{13}, \frac{2}{12}, \frac{3}{11}, \frac{4}{10}, \frac{5}{9}, \frac{6}{8}$이고 이 중에서 분모와 분자의 차가 4인 분수는 $\frac{5}{9}$입니다.

Test 교과서 서술형 연습

1 색종이가 35장 있습니다. 민우는 35장의 $\frac{2}{7}$만큼을, 현우는 35장의 $\frac{1}{5}$만큼을 사용했습니다. 누가 색종이를 몇 장 더 많이 사용했는지 구해 보세요.

구하려는 것, 주어진 것에 선을 그어 봅니다.

해결하기 민우가 사용한 색종이는 10장입니다.
현우가 사용한 색종이는 7장입니다.
따라서 민우가 색종이를 10 − 7 = 3(장) 더 많이 사용했습니다.

답 구하기 민우, 3장

2 초콜릿이 36개 있습니다. 혜미는 36개의 $\frac{4}{9}$만큼을, 언니는 36개의 $\frac{1}{4}$만큼을 먹었습니다. 누가 초콜릿을 몇 개 더 많이 먹었는지 차례로 구해 보세요. (주어진 것 / 구하려는 것)

구하려는 것, 주어진 것에 선을 그어 봅니다.

해결하기 예 혜미가 먹은 초콜릿은 16개, 언니가 먹은 초콜릿은 9개입니다.
따라서 혜미가 $16-9=7$(개) 더 많이 먹었습니다.

답 구하기 혜미, 7개

3 3장의 수 카드가 있습니다. 수 카드를 한 번씩 모두 사용하여 가장 작은 대분수를 만들어 그 대분수를 가분수로 나타내어 보세요.

2 3 5

구하려는 것, 주어진 것에 선을 그어 봅니다.

해결하기 가장 작은 수인 2를 자연수 부분에 놓으면 만들 수 있는 가장 작은 대분수는 $2\frac{3}{5}$입니다. 이 대분수를 가분수로 나타내면 $\frac{13}{5}$입니다.

답 구하기 $\frac{13}{5}$

4 3장의 수 카드가 있습니다. 수 카드를 한 번씩 모두 사용하여 가장 큰 대분수를 만들어 그 대분수를 가분수로 나타내어 보세요. (구하려는 것 / 주어진 것)

1 4 7

구하려는 것, 주어진 것에 선을 그어 봅니다.

해결하기 예 가장 큰 수인 7을 자연수 부분에 놓으면 만들 수 있는 가장 큰 대분수는 $7\frac{1}{4}$입니다.
이 대분수를 가분수로 나타내면
$7\frac{1}{4} \rightarrow (7과 \frac{1}{4}) \rightarrow (\frac{28}{4}과 \frac{1}{4}) \rightarrow \frac{29}{4}$입니다.

답 구하기 $\frac{29}{4}$

80쪽 ~ 81쪽
PLAY 사고력 개념 스토리 과수원에서 과일 따기
처음 나무에 열려 있던 과일을 분수만큼 따서 접시에 놓았습니다. 과일을 따기 전 처음 나무에 열려 있던 과일 수를 알아보고 과일 붙임딱지를 더 붙여 보세요.
12 의 $\frac{1}{4}$
✤ □의 $\frac{1}{4}$이 3이므로 □=3×4=12입니다.
따라서 사과를 12−4=8(개) 더 붙여야 합니다.
10 의 $\frac{3}{5}$
✤ □의 $\frac{3}{5}$이 6이므로 □의 $\frac{1}{5}$은 6÷3=2입니다.
따라서 □=2×5=10이므로 배를 10−3=7(개) 더 붙여야 합니다.
분수를 자유롭게 정하여 처음 과일 수를 알아보고 과일 붙임딱지를 더 붙여 보세요.
예) 14 의 $\frac{2}{7}$
✤ 예) □의 $\frac{2}{7}$가 4이므로 □의 $\frac{1}{7}$은 4÷2=2입니다.
따라서 □=2×7=14이므로 복숭아는 14−6=8(개) 더 붙여야 합니다.
예) 20 의 $\frac{1}{2}$
✤ 예) □의 $\frac{1}{2}$이 10이므로 □=10×2=20입니다.
따라서 체리를 20−8=12(개) 더 붙여야 합니다.

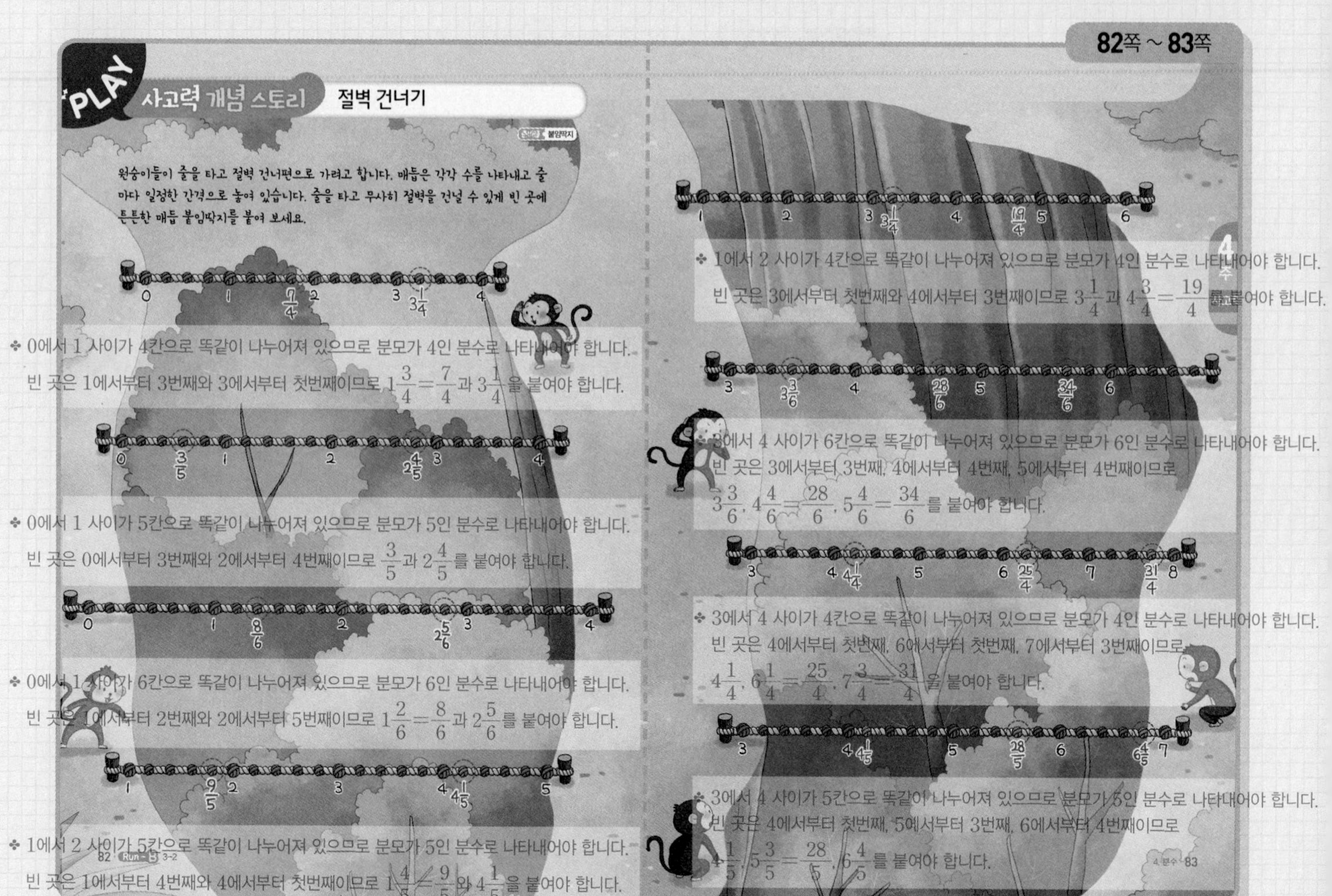
82쪽 ~ 83쪽
PLAY 사고력 개념 스토리 절벽 건너기
원숭이들이 줄을 타고 절벽 건너편으로 가려고 합니다. 매듭은 각각 수를 나타내고 줄마다 일정한 간격으로 놓여 있습니다. 줄을 타고 무사히 절벽을 건널 수 있게 빈 곳에 튼튼한 매듭 붙임딱지를 붙여 보세요.
✤ 0에서 1 사이가 4칸으로 똑같이 나누어져 있으므로 분모가 4인 분수로 나타내어야 합니다.
빈 곳은 1에서부터 3번째와 3에서부터 첫번째이므로 $1\frac{3}{4}=\frac{7}{4}$과 $3\frac{1}{4}$을 붙여야 합니다.
✤ 0에서 1 사이가 5칸으로 똑같이 나누어져 있으므로 분모가 5인 분수로 나타내어야 합니다.
빈 곳은 0에서부터 3번째와 2에서부터 4번째이므로 $\frac{3}{5}$과 $2\frac{4}{5}$를 붙여야 합니다.
✤ 0에서 1 사이가 6칸으로 똑같이 나누어져 있으므로 분모가 6인 분수로 나타내어야 합니다.
빈 곳은 1에서부터 2번째와 2에서부터 5번째이므로 $1\frac{2}{6}=\frac{8}{6}$과 $2\frac{5}{6}$를 붙여야 합니다.
✤ 1에서 2 사이가 5칸으로 똑같이 나누어져 있으므로 분모가 5인 분수로 나타내어야 합니다.
빈 곳은 1에서부터 4번째와 4에서부터 첫번째이므로 $1\frac{4}{5}=\frac{9}{5}$와 $4\frac{1}{5}$을 붙여야 합니다.
✤ 1에서 2 사이가 4칸으로 똑같이 나누어져 있으므로 분모가 4인 분수로 나타내어야 합니다.
빈 곳은 3에서부터 첫번째와 4에서부터 3번째이므로 $3\frac{1}{4}$과 $4\frac{3}{4}=\frac{19}{4}$를 붙여야 합니다.
✤ 3에서 4 사이가 6칸으로 똑같이 나누어져 있으므로 분모가 6인 분수로 나타내어야 합니다.
빈 곳은 3에서부터 3번째, 4에서부터 4번째, 5에서부터 4번째이므로
$3\frac{3}{6}$, $4\frac{4}{6}=\frac{28}{6}$, $5\frac{4}{6}=\frac{34}{6}$를 붙여야 합니다.
✤ 3에서 4 사이가 4칸으로 똑같이 나누어져 있으므로 분모가 4인 분수로 나타내어야 합니다.
빈 곳은 4에서부터 첫번째, 6에서부터 첫번째, 7에서부터 3번째이므로
$4\frac{1}{4}$, $6\frac{1}{4}=\frac{25}{4}$, $7\frac{3}{4}=\frac{31}{4}$을 붙여야 합니다.
✤ 3에서 4 사이가 5칸으로 똑같이 나누어져 있으므로 분모가 5인 분수로 나타내어야 합니다.
빈 곳은 4에서부터 첫번째, 5에서부터 3번째, 6에서부터 4번째이므로
$4\frac{1}{5}$, $5\frac{3}{5}=\frac{28}{5}$, $6\frac{4}{5}$를 붙여야 합니다.

1단계 교과 사고력 잡기

정답과 풀이 p.21

1 준수의 몸무게는 42 kg입니다. 미라의 몸무게는 준수 몸무게의 $\frac{5}{6}$이고 가영이의 몸무게는 준수 몸무게의 $\frac{6}{7}$입니다. 다음과 같이 미라와 가영이가 시소에 올라탄다면 시소는 미라와 가영이 중 어느 쪽으로 기울어지는지 구해 보세요.

(└ 무게의 단위, 킬로그램이라고 읽습니다.)

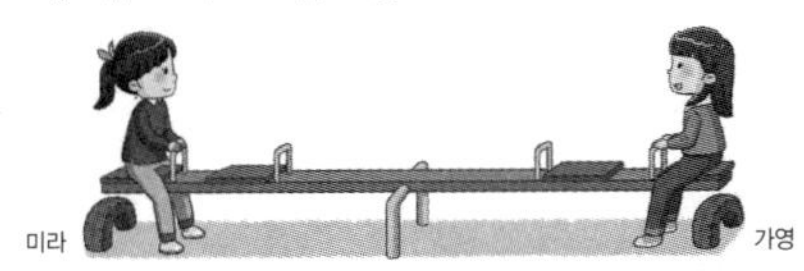

❶ 미라의 몸무게는 몇 kg일까요?

(**35 kg**)

❖ 42 kg의 $\frac{5}{6}$는 35 kg입니다.

❷ 가영이의 몸무게는 몇 kg일까요?

(**36 kg**)

❖ 42 kg의 $\frac{6}{7}$은 36 kg입니다.

❸ 시소는 어느 쪽으로 기울어질까요?

(**가영**)

❖ 35＜36이므로 가영이 쪽으로 기울어집니다.

2 떨어뜨린 높이의 $\frac{2}{3}$만큼 튀어 오르는 공이 있습니다. 90 m의 높이에서 공을 떨어뜨리고 두 번째로 튀어 오를 때까지 공이 위아래로 움직인 거리의 합은 몇 m인지 구해 보세요.

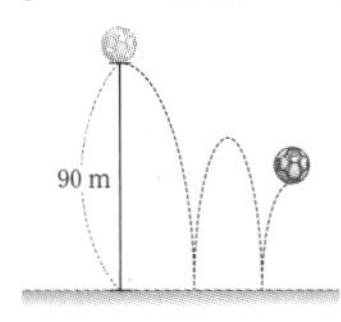

❶ 첫 번째로 튀어 오른 높이는 몇 m일까요?

(**60 m**)

❖ 90의 $\frac{2}{3}$는 60이므로 60 m입니다.

❷ 두 번째로 튀어 오른 높이는 몇 m일까요?

(**40 m**)

❖ 60의 $\frac{2}{3}$는 40이므로 40 m입니다.

❸ 두 번째로 튀어 오를 때까지 공이 위아래로 움직인 거리의 합을 구해 보세요.

(**250 m**)

❖ 공이 위아래로 움직인 거리는
(처음 떨어뜨린 높이)＋(처음 튀어 오른 높이)×2
＋(두 번째로 튀어 오른 높이)이므로
90＋60＋60＋40＝250 (m)입니다.

1단계 교과 사고력 잡기

정답과 풀이 p.21

3 다음 4장의 분수 카드를 4명이 각각 한 장씩 가지고 있습니다. 대화를 읽고 □ 안에 알맞은 분수를 구해 보세요.

$\frac{21}{11}$   

난 진분수 카드를 가지고 있지 않아.
난 가분수 카드를 가지고 있어.
해숙
현수

난 가장 큰 분수가 적힌 카드를 가지고 있어.
난 분수 □가 적힌 카드를 가지고 있어.
정훈
동호

($\mathbf{\frac{10}{11}}$)

❖ 해숙: 진분수가 아니므로 가분수 또는 대분수입니다.
➔ $\frac{21}{11}$ 또는 $\frac{11}{11}$ 또는 $3\frac{3}{11}$
현수: 가분수입니다. ➔ $\frac{21}{11}$ 또는 $\frac{11}{11}$
정훈: $3\frac{3}{11}>\frac{21}{11}>\frac{11}{11}>\frac{10}{11}$에서 가장 큰 분수는 $3\frac{3}{11}$입니다.
동호: $\frac{21}{11}$, $\frac{11}{11}$, $3\frac{3}{11}$을 제외한 카드이므로 $\frac{10}{11}$입니다.

4 □ 안에 들어갈 수 있는 가장 큰 수는 얼마인지 구해 보세요.

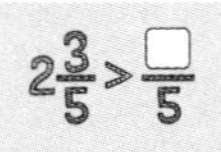

❶ $2\frac{3}{5}$을 가분수로 바꾸어 보세요.

($\mathbf{\frac{13}{5}}$)

❖ $2\frac{3}{5}$ ➔ (2와 $\frac{3}{5}$) ➔ ($\frac{10}{5}$과 $\frac{3}{5}$) ➔ $\frac{13}{5}$

❷ □ 안에 들어갈 수 있는 자연수를 모두 써 보세요.

1, 2, 3, 4, 5, 6, 7, 8, 9, 10, 11, 12

❖ $\frac{13}{5}>\frac{□}{5}$이므로 13>□입니다. 따라서 □ 안에 들어갈 수 있는 자연수는 13보다 작은 수이므로 1, 2, 3, 4, 5, 6, 7, 8, 9, 10, 11, 12입니다.

❸ □ 안에 들어갈 수 있는 가장 큰 수를 구해 보세요.

(**12**)

2단계 교과 사고력 확장

정답과 풀이 p.22

1 같은 모양은 같은 수를 나타냅니다. ♥에 알맞은 수를 구해 보세요.

- 28의 $\frac{5}{7}$는 ■입니다.
- ■의 $\frac{3}{5}$은 ▲입니다.
- ▲의 $\frac{1}{4}$은 ♥입니다.

① ■에 알맞은 수를 구해 보세요. (20)

✤ 28의 $\frac{5}{7}$는 20입니다.

② ▲에 알맞은 수를 구해 보세요. (12)

✤ 20의 $\frac{3}{5}$은 12입니다.

③ ♥에 알맞은 수를 구해 보세요. (3)

✤ 12의 $\frac{1}{4}$은 3입니다.

2 헨젤과 그레텔이 과자로 만든 집을 찾아가기 위해 크기가 더 큰 분수를 따라갔습니다. 헨젤과 그레텔이 간 길을 찾아 그려 보세요.

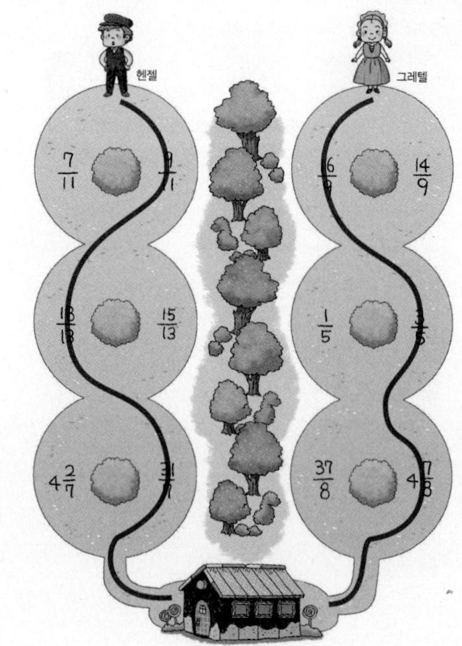
헨젤
그레텔

✤ 헨젤: $\frac{7}{11} < \frac{9}{11}$, $\frac{18}{13} > \frac{15}{13}$, $4\frac{2}{7} < \frac{31}{7}(=4\frac{3}{7})$

그레텔: $\frac{16}{9} > \frac{14}{9}$, $\frac{1}{5} < \frac{3}{5}$, $\frac{37}{8} < 4\frac{7}{8}(=\frac{39}{8})$

2단계 교과 사고력 확장

정답과 풀이 p.22

3 과일이 각각 15개씩 열린 사과 나무와 배 나무에서 주어진 양만큼 사과와 배를 땄습니다. 어느 나무에 과일이 더 많이 남았는지 구해 보세요.

전체 사과의 $\frac{4}{5}$만큼 땄습니다.
전체 배의 $\frac{2}{3}$만큼 땄습니다.
예
예

① 남은 사과의 수만큼 색칠해 보세요.

✤ 15의 $\frac{4}{5}$는 12입니다.

➔ (남은 사과 수)$=15-12=3$(개)

② 남은 배의 수만큼 색칠해 보세요.

✤ 15의 $\frac{2}{3}$는 10입니다.

➔ (남은 배의 수)$=15-10=5$(개)

③ 어느 나무에 과일이 더 많이 남았는지 구해 보세요. (배 나무)

✤ $3<5$이므로 배가 더 많이 남았습니다.

4 작년 3학년 남학생 수는 64명이었고, 여학생 수는 72명이었습니다. 올해는 남학생 수가 작년보다 $\frac{3}{8}$만큼 늘었고, 여학생 수는 작년보다 $\frac{2}{9}$만큼 줄었습니다. 올해 3학년 전체 학생 수는 몇 명인지 구해 보세요.

① 올해 3학년 남학생 수는 몇 명인지 구해 보세요. (88명)

✤ 올해 늘어난 남학생 수는 64의 $\frac{3}{8}$이므로 24명입니다.

➔ (올해 남학생 수)$=64+24=88$(명)

② 올해 3학년 여학생 수는 몇 명인지 구해 보세요. (56명)

✤ 올해 줄어든 여학생 수는 72의 $\frac{2}{9}$이므로 16명입니다.

➔ (올해 여학생 수)$=72-16=56$(명)

③ 올해 3학년 전체 학생 수는 몇 명인지 구해 보세요. (144명)

✤ (올해 3학년 전체 학생 수)$=88+56=144$(명)

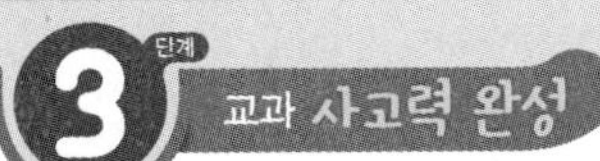

평가 영역 □개념 이해력 □개념 응용력 □창의력 ☑문제 해결력

1 도형에서 색칠한 부분은 전체를 똑같이 몇으로 나눈 것 중의 3입니다. 도형 전체 넓이가 63일 때 색칠한 부분의 넓이를 구해 보세요.

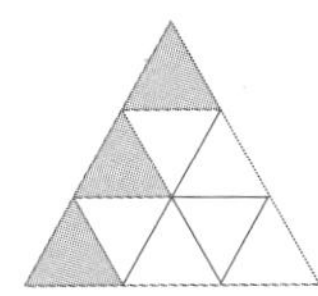

① 색칠한 부분이 전체의 3이 되도록 도형을 똑같이 나누어 보세요.

② 색칠한 부분은 전체의 몇 분의 몇일까요?

($\frac{3}{9}$)

❖ 색칠한 부분은 전체를 똑같이 9부분으로 나눈 것 중의 3부분이므로 $\frac{3}{9}$입니다.

③ 색칠한 부분의 넓이는 얼마인지 구해 보세요.

(21)

❖ 63의 $\frac{3}{9}$은 21입니다.

❖ 현수: 원 모양 2개와 $\frac{1}{6}$조각 모양 3개이므로 $2\frac{3}{6}$입니다.

정훈: 원 모양 1개와 $\frac{1}{6}$조각 모양 10개입니다.

$\frac{1}{6}$조각 모양 10개는 $\frac{10}{6}=1\frac{4}{6}$이므로

1과 $1\frac{4}{6}$에서 $2\frac{4}{6}$입니다.

따라서 $2\frac{3}{6}<2\frac{4}{6}$이므로 정훈이가 더 많이 만들었습니다.

정답과 풀이 p.23

평가 영역 ☑개념 이해력 □개념 응용력 □창의력 □문제 해결력

2 현수와 정훈이가 치즈 케이크를 만들었습니다. 치즈 케이크를 만드는 틀은 원 모양과 $\frac{1}{6}$조각 모양 2가지입니다. 두 사람이 만든 치즈 케이크가 다음과 같을 때 누가 치즈 케이크를 더 많이 만들었는지 써 보세요.

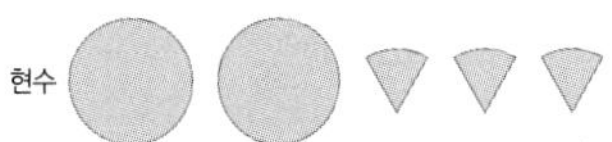

(정훈)

4주 사고력

평가 영역 □개념 이해력 ☑개념 응용력 □창의력 □문제 해결력

3 길이가 72 cm인 색 테이프가 있습니다. 혜미는 전체의 $\frac{1}{6}$만큼, 민정이는 전체의 $\frac{1}{3}$만큼, 수아는 두 사람이 사용하고 남은 색 테이프의 $\frac{1}{2}$만큼 사용하였습니다. 세 사람이 사용하고 남은 색 테이프는 몇 cm인지 구해 보세요.

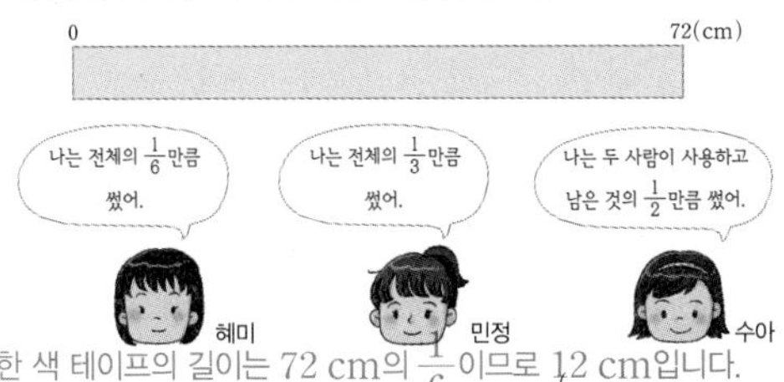

(18 cm)

❖ 혜미가 사용한 색 테이프의 길이는 72 cm의 $\frac{1}{6}$이므로 12 cm입니다.

민정이가 사용한 색 테이프의 길이는 72 cm의 $\frac{1}{3}$이므로 24 cm입니다.

두 사람이 사용하고 남은 색 테이프의 길이는 $72-12-24=36$ (cm)이고

수아가 사용한 색 테이프의 길이는 36 cm의 $\frac{1}{2}$이므로 18 cm입니다.

➔ $72-12-24-18=18$ (cm)

Test 종합평가 4. 분수

맞은 개수

정답과 풀이 p.23

1 그림을 보고 □ 안에 알맞은 수를 써넣으세요.

18을 3씩 묶으면 15는 18의 $\boxed{\frac{5}{6}}$입니다.

❖ 18을 3씩 묶으면 6묶음입니다.

15는 전체 6묶음 중에서 5묶음이므로 $\frac{5}{6}$입니다.

2 □ 안에 알맞은 수를 써넣으세요.

(1) 28의 $\frac{2}{7}$는 $\boxed{8}$입니다. (2) 32의 $\frac{3}{8}$은 $\boxed{12}$입니다.

❖ (1) 28의 $\frac{1}{7}$은 4이므로 28의 $\frac{2}{7}$는 8입니다. (2) 32의 $\frac{1}{8}$은 4이므로 32의 $\frac{3}{8}$은 12입니다.

3 그림을 보고 □ 안에 알맞은 수를 써넣으세요.

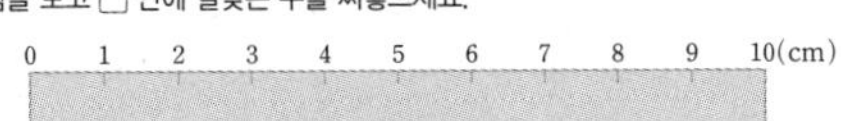

10 cm의 $\frac{3}{5}$은 $\boxed{6}$ cm입니다.

❖ 10 cm의 $\frac{3}{5}$은 10 cm를 똑같이 5부분으로 나눈 것 중의 3부분이므로 6 cm입니다.

4 그림을 보고 색칠한 부분을 가분수로 나타내어 보세요.

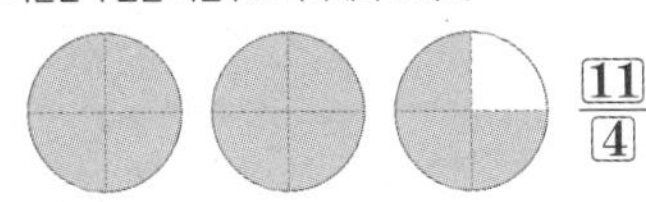

$\boxed{\frac{11}{4}}$

❖ $\frac{1}{4}$씩 11칸 색칠했으므로 $\frac{11}{4}$입니다.

5 분수를 진분수와 가분수로 분류하여 써 보세요.

$\frac{4}{5}$ $\frac{11}{9}$ $\frac{2}{7}$ $\frac{10}{11}$ $\frac{9}{8}$ $\frac{7}{3}$

진분수 ($\frac{4}{5}, \frac{2}{7}, \frac{10}{11}$)

가분수 ($\frac{11}{9}, \frac{9}{8}, \frac{7}{3}$)

❖ 진분수는 분자가 분모보다 작고, 가분수는 분자가 분모와 같거나 분모보다 큽니다.

4주 평가

6 가분수를 대분수로 바르게 나타낸 것을 찾아 선으로 이어 보세요.

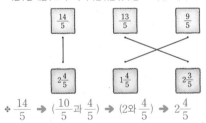

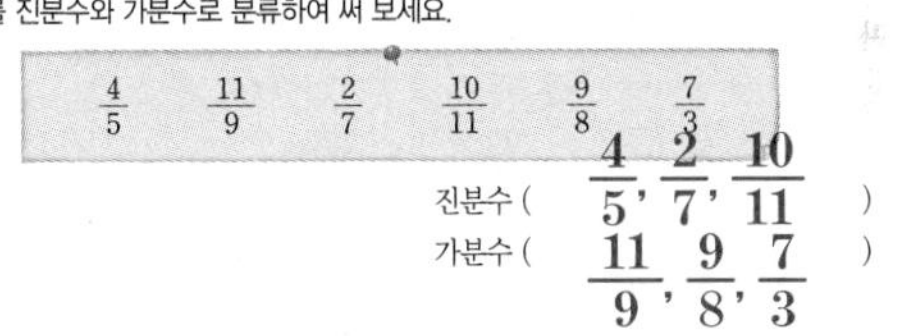

❖ $\frac{14}{5}$ ➔ ($\frac{10}{5}$과 $\frac{4}{5}$) ➔ (2와 $\frac{4}{5}$) ➔ $2\frac{4}{5}$

7 분모가 6인 진분수는 모두 몇 개일까요?

(5개)

❖ 분모가 6인 진분수는 $\frac{1}{6}, \frac{2}{6}, \frac{3}{6}, \frac{4}{6}, \frac{5}{6}$로 모두 5개입니다.

8 더 큰 수의 기호를 써 보세요.

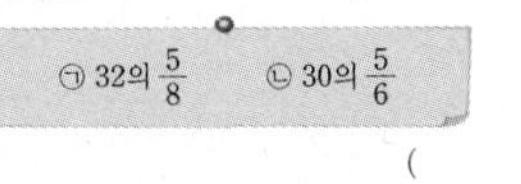

(㉡)

❖ ㉠ 32의 $\frac{5}{8}$는 20입니다. ㉡ 30의 $\frac{5}{6}$는 25입니다.

➔ $20<25$이므로 더 큰 수는 ㉡입니다.

4. 분수

정답과 풀이 p.24

9 두 분수의 크기를 비교하여 ○ 안에 >, =, <를 알맞게 써넣으세요.

(1) $3\frac{1}{5}$ (>) $\frac{14}{5}$ (2) $\frac{30}{7}$ (<) $4\frac{5}{7}$

✤ (1) $3\frac{1}{5}=\frac{16}{5}$이므로 $3\frac{1}{5}>\frac{14}{5}$입니다.

(2) $\frac{30}{7}=4\frac{2}{7}$이므로 $\frac{30}{7}<4\frac{5}{7}$입니다.

10 □ 안에 알맞은 수를 써넣으세요.

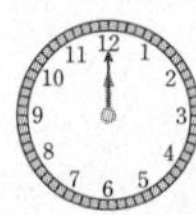

1시간의 $\frac{3}{4}$은 **45**분입니다.

✤ 1시간은 60분입니다.

60분의 $\frac{3}{4}$은 60분을 똑같이 4부분으로 나눈 것 중의 3부분이므로 45분입니다.

11 수직선 위에 표시된 ㉠이 나타내는 분수를 가분수로 나타내어 보세요.

($\frac{8}{6}$)

✤ 0과 1 사이를 6등분한 것이므로 수직선에서 작은 눈금 한 칸의 크기는 $\frac{1}{6}$입니다.

㉠은 1과 $\frac{2}{6}$이므로 $1\frac{2}{6}$입니다. ➔ $1\frac{2}{6}=\frac{8}{6}$입니다.

12 □ 안에 알맞은 수를 구해 보세요.

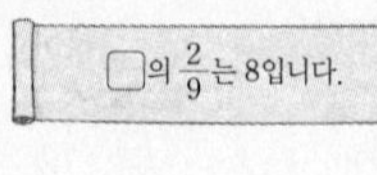

(**36**)

✤ □를 똑같이 9로 나눈 것 중의 2가 8이므로 똑같이 9로 나눈 것 중의 1은 $8\div2=4$입니다.

➔ $\square=4\times9=36$

13 다음과 같이 3장의 수 카드가 있습니다. 수 카드 2장을 골라 만들 수 있는 가분수를 모두 써 보세요.

2 3 7

($\frac{3}{2}, \frac{7}{2}, \frac{7}{3}$)

✤ 가분수는 분자가 분모와 같거나 분모보다 큰 분수입니다.

➔ $\frac{3}{2}, \frac{7}{2}, \frac{7}{3}$

14 혜영이는 72쪽짜리 동화책을 모두 읽으려고 합니다. 지금까지 전체의 $\frac{5}{8}$만큼 읽었다면 앞으로 몇 쪽을 더 읽어야 하는지 구해 보세요.

(**27쪽**)

✤ 읽은 동화책의 쪽수는 72쪽의 $\frac{5}{8}$이므로 45쪽입니다.

➔ (더 읽어야 할 쪽수) $=72-45=27$(쪽)

15 수 카드 3장을 한 번씩 모두 사용하여 가장 큰 대분수를 만들었습니다. 만든 대분수를 가분수로 나타내어 보세요.

5 7 9

($\frac{68}{7}$)

✤ 가장 큰 대분수는 가장 큰 수인 9를 자연수에 놓고 남은 수로 진분수를 만듭니다. ➔ $9\frac{5}{7}$

➔ $9\frac{5}{7}=\frac{68}{7}$

16 □ 안에 들어갈 수 있는 수를 모두 써 보세요.

$\frac{11}{7}<\frac{\square}{7}<2\frac{1}{7}$

(**12, 13, 14**)

✤ $2\frac{1}{7}=\frac{15}{7}$이므로 $\frac{11}{7}<\frac{\square}{7}<\frac{15}{7}$입니다.

따라서 □ 안에 들어갈 수 있는 수는 12, 13, 14입니다.

Test 종합평가 4. 분수

정답과 풀이 p.24

17 다음 조건을 모두 만족하는 분수를 구해 보세요.

- 진분수입니다.
- 분모와 분자의 합은 21입니다.
- 분모와 분자의 차는 1입니다.

($\frac{10}{11}$)

✤ 구하려는 분수가 진분수이고 분모와 분자의 차가 1이므로 분자를 □라 하면 분모는 (□+1)입니다.

분모와 분자의 합이 21이므로 □+□+1=21, □+□=20, □=10입니다.

따라서 조건을 모두 만족하는 분수는 $\frac{10}{11}$입니다.

18 도형에서 색칠한 부분은 전체를 똑같이 몇으로 나눈 것 중의 3입니다. 전체 넓이가 104일 때 색칠한 부분의 넓이를 구해 보세요.

(**39**)

✤ 색칠한 부분이 전체의 3부분이 되도록 도형을 똑같이 나누면 8부분입니다. 색칠한 부분은 전체의 $\frac{3}{8}$입니다.

104의 $\frac{3}{8}$은 39입니다.

19 가영이는 가지고 있던 연필 15자루 중에서 전체의 $\frac{1}{5}$은 동생에게 주고 전체의 $\frac{1}{3}$은 친구에게 주었습니다. 가영이에게 남은 연필은 몇 자루인지 구해 보세요.

(**7자루**)

✤ 동생에게 준 연필: 15자루의 $\frac{1}{5}$ ➔ 3자루

친구에게 준 연필: 15자루의 $\frac{1}{3}$ ➔ 5자루

➔ (남은 연필의 수) $=15-3-5=7$(자루)

특강 창의·융합 사고력

정답과 풀이 p.24

1 정은이네 집에서 우체국, 경찰서, 은행까지의 거리를 나타낸 것입니다. 정은이네 집에서 가까운 곳부터 순서대로 써 보세요.

(1) $\frac{24}{7}$를 대분수로 나타내어 보세요.

($3\frac{3}{7}$)

✤ $\frac{24}{7}$ ➔ ($\frac{21}{7}$과 $\frac{3}{7}$) ➔ (3과 $\frac{3}{7}$) ➔ $3\frac{3}{7}$

(2) 정은이네 집에서 우체국, 경찰서, 은행까지의 거리를 비교해 보세요.

$\frac{24}{7}$ km < $3\frac{4}{7}$ km < $3\frac{5}{7}$ km

✤ $3\frac{5}{7}$, $\frac{24}{7}=3\frac{3}{7}$, $3\frac{4}{7}$에서 자연수 부분은 모두 같으므로 진분수의 분자의 크기를 비교합니다.

➔ $3\frac{3}{7}<3\frac{4}{7}<3\frac{5}{7}$이므로 $\frac{24}{7}<3\frac{4}{7}<3\frac{5}{7}$입니다.

(3) 정은이네 집에서 가까운 곳부터 순서대로 써 보세요.

(**경찰서, 은행, 우체국**)

✤ 정은이네 집에서 가까운 곳부터 순서대로 쓰면 경찰서, 은행, 우체국입니다.

Go! 매쓰

수학 3-2

정답과 풀이

유형 사고력

교과서 사고력

교과서 개념